岩 波 文 庫

33-345-3

梵 文 和 訳

華 厳 経 入 法 界 品

（下）

梶山雄一・丹治昭義
津田真一・田村智淳 訳注
桂 紹隆

岩 波 書 店

凡　例

一　本書は、『大方広仏華厳経』の終品「入法界品」(Gaṇḍavyūhasūtra)のサンスクリット語原典から現代語への初めての全訳の試みである。

二　翻訳にあたっては、ヴァイディヤの校訂本(P. L. Vaidya, ed., *Gaṇḍavyūhasūtra*, Buddhist Sanskrit Texts, No. 5, Darbhanga, 1960)を底本とした。常時、鈴木大拙・泉芳璟校訂本(京都、一九三四―三六年、改訂版一九四九年)、三種の漢訳(『大正新脩大蔵経』二七八、二七九、二九三)、チベット語訳(『東北目録』四四、「影印北京版」七六一)を参照して、必要に応じてサンスクリット語テキストを修正したが、一々注記することはしなかった。対照の便宜のために、訳文の下欄にヴァイディヤ本の頁数を記した。

三　通読を容易にするため、しばしば(　)の中に訳者の説明の語句を補った。

固有名詞や仏教用語には、三種の漢訳の中から最も現存サンスクリット語テキストの表現に近いものを適宜選択し、やや小さい活字で漢訳語と時には日本語訳をも〔　〕

の中に挿入した。

四　長い章には、内容を理解しやすくするために、ゴシックの小見出しを適宜挿入した。

五　本翻訳は、梶山雄一・丹治昭義・津田真一・田村智淳・桂紹隆の共同作業の結果であるが、最終的な訳語や文体の統一は梶山雄一が行なった。

六　本書は、『さとりへの遍歴　華厳経入法界品』(上・下、中央公論社、一九九四年一・二月刊)を底本として、文庫(全三巻)としたものである。文庫化にあたり、丹治昭義と桂紹隆が、改めて校正作業を行なった。

七　上巻、中巻の「解説」は、『さとりへの遍歴』に収載された梶山雄一による「解説」を再録した。下巻には、桂紹隆による文庫版「解説」を新たに収載した。

目次

全巻目次

上巻

中巻

下巻

善財童子が歴訪する善知識たち

（漢訳名に異同がある場合は、六十巻／八十巻／四十巻の順で示す）

上　巻

マンジュシュリー（文殊師利）菩薩　ダニヤーカラ大都城（覚城／福城／福生城）の東、ヴィチトラ・サーラ・ドヴァジャ・ヴューハという林（荘厳幢娑羅林）において「法界の真理の光輝」という経を説く。善財童子に目をとめて、善知識歴訪の旅に旅立たせる。

1　**メーガシュリー（功徳雲／徳雲／吉祥雲）比丘**　ラーマーヴァラーンタ（可楽／勝楽／勝楽）国のスグリーヴァ（和合／妙峰／妙峰）山で「一切（諸仏）の境界を顕現させ（その）集合する様を（照らし出す）普門の光明」という念仏門を得て、十方の多数の諸仏を真正面に見ることができる。

2　**サーガラメーガ（海雲）比丘**　サーガラムカ（海門）地方において、「普き眼」という法門を得、その法門を受持する。

3　**スプラティシュティタ**（善住／善住／妙住）**比丘**　ランカー島への途上にあるサーガラ・ティーラ（海岸国／海岸聚落／海岸聚落）において、「無礙の門」という菩薩の解脱を得、「無礙の究極」という智の光明を獲得し、十方を普く疾走する。

4　**ドラヴィダ人メーガ**（弥伽）　ヴァジュラプラ（自在城／自在城／金剛層）というドラヴィダ人の町において「弁才陀羅尼の光明」を得、あらゆる言語に通暁する。

5　**ムクタカ**（解脱）**長者**　ヴァナ・ヴァーシン（住林）国において「無礙の荘厳」という如来の解脱を得、十方の諸仏世尊を見ることができる。

6　**サーラドヴァジャ**（海幢）**比丘**　ジャンブ州の先端にあるミラスパラナ（荘厳閻浮提頂国／閻浮提畔摩利伽羅国／閻浮提遍無垢住処）で「普門清浄の荘厳」という三昧を得、体中から不可思議な神変を現じる。

7　**アーシャー**（休捨／休捨／伊舎那）**優婆夷**　サムドラ・ヴェーターディー（海潮／海潮／海潮処）地方のマハープラバ（円満光）城の東、サマンタ・ヴューハ（普荘厳）園林において「憂いなき平安の旗印」という菩薩の解脱を得、常に十方の諸仏にまみえる。

8　**ビーシュモーッタラ・ニルゴーシャ**（毘目多羅／毘目瞿沙／大威猛声）**仙**　サムドラ・ヴェーターディーのナーラユス（那羅素）国において「無敵の旗印」という菩薩の

解脱を得、十方諸仏の足下に住する。

9　**ジャヨーシュマーヤタナ**（方便命／勝熱／勝熱）**婆羅門**（ばらもん）　イーシャーナ（進求／伊沙那／伊沙那）国において「無尽の輪（マンダラ）」という菩薩の解脱を得、金剛焔三昧の光明によって呼び集めた神々などに教えを説く。

10　**マイトラーヤニー**（弥多羅尼／慈行／慈行）**童女**　シンハ・ヴィジュリンビタ（師子奮迅／師子奮迅／師子頻申）城のシンハ・ケートゥ王の毘盧遮那蔵（びるしゃなぞう）宮殿の屋上において、「普き荘厳」という般若波羅蜜門（はんにゃはらみつもん）の転回を得、普門陀羅尼などを知る。

11　**スダルシャナ**（善現／善見／妙見）**比丘**　トリナヤナ（救度／三眼／三目）国の林の中で、「消えることのない智の燈火」という菩薩の解脱を知り、一発心ですべてを知る。

12　**インドリエーシュヴァラ**（釈天主／自在主／根自在主）**童子**　シュラマナ・マンダラ（輪那／名聞／円満多聞）国のスムカ（妙門）城の河の合流点近くで、「あらゆる法の知識である技術の神通（じんずう）を具え（そな）た」という菩薩の智の光明を得、菩薩の算法を知る。

13　**プラブーター**（自在／具足／弁具足）**優婆夷**　サムドラ・プラティスターナ（海住／海住／海別住）城の住いにおいて、「無尽の荘厳の福徳の宝庫」という菩薩の解脱を得て、一個の壺ですべての衆生（しゅじょう）を飽食させる。

14　**ヴィドヴァーン家長**（甘露頂長者／明智長者／具足智長者）　マハーサンバヴァ（大

興／大興／大有）城において、「心の宝庫から生じる福徳」という（菩薩の）解脱を知り、天穹から無量のものを得て、すべての衆生に与える。

15　**有徳の長者ラトナチューダ**（法宝周羅長者／法宝髻長者／尊法宝髻長者）　シンハポータ（師子重閣／師子宮／師子宮）城において、「無礙なる誓願の輪の荘厳」という菩薩の解脱に通じ、十層の館に住む。

16　**香料商サマンタネートラ**（普眼妙香／普眼／普眼）　ヴェートラ・ムーラカ（実利根／藤根／藤根）国のサマンタムカ（普門／普門／普遍門）城において、「一切の衆生を満足させ、普き方位の諸仏にまみえ、供養し、奉仕できる香玉」という法門を知り、病の治療など衆生のあらゆる望みを満たす。

17　**アナラ**（満足／無厭足／甘露火）**王**　ターラ・ドヴァジャ（満幢／多羅幢／多羅幢）城において、「幻」という菩薩の解脱を得、無法の衆生を調御する。

中　巻

18　**マハープラバ**（大光）**王**　スプラバ（善光／妙光／妙光）城の王宮において、「大慈の旗印」という菩薩行の智の光明の門を知り、すべての恐怖や災難を鎮める。

19　**アチャラー**（不動）**優婆夷**　王都スティラー（安住城）の父母の家において、「無敵の智の蔵」という菩薩の解脱門を得て、不可思議な奇蹟を示す。

20　**遊行者サルヴァガーミン**（随順一切衆生外道／遍行外道／遍行外道）アミタ・トーサラ国のトーサラ（不可称国知足／無量都薩羅／都薩羅）城の北のスラバ（善得）山の経行所（きんひんしょ）で、「あらゆる衆生に合わせる」という菩薩行によって、「あらゆる普門を観察する光明」という三昧門を具え、すべての衆生の利益（りやく）を図る。

21　**香料商ウトパラブーティ**（青蓮華香長者／優鉢羅華鬻香長者／具足優鉢羅華鬻香長者）プリト・ラーシュトラ（甘露味／広大／広博）国において、すべての香料のことを知り、すべての衆生を金色の華で飾る。

22　**船頭ヴァイラ**（自在海師／婆施羅船師／婆施羅船師）クーターガーラ（楼閣）城の門前の海岸において、「大悲（だいひ）の旗印」という菩薩行を得て、すべての衆生の利益を叶える。

23　**ジャヨーッタマ**（無上勝／無上勝／最勝）**長者**　ナンディハーラ（可楽／楽瓔珞）城のヴィチトラ・ドヴァジャー（大荘厳幢）無憂樹林において、「あらゆる所に赴く」という菩薩行の門を知り、世間で教えを説く。

24　**シンハヴィジュリンビター**（師子奮迅／師子頻申／師子頻申）**比丘尼**（びくに）　シュローナーパラーンタ（難忍／輪那／無辺際河）国のカリンガヴァナ（迦陵迦婆提／迦陵迦林／羯

陵迦林）城の日光園において、「一切の慢心を打ち破る」という菩薩の解脱を得、十方世界の諸仏に供養し、奉仕する。

25　**遊女ヴァスミトラー**（婆須蜜多女人／婆須蜜多女人／伐蘇蜜多女人）　ドゥルガ（険難）国のラトナヴューハ（宝荘厳）城の大邸宅において、「離欲の究極を究めた」という菩薩の解脱を得、すべての衆生が離欲するように説法する。

26　**ヴェーシュティラ家長**（安住長者／鞞瑟胝羅居士／毘瑟底羅居士）　シュバ・パーランガマ（首婆波羅／善度／浄達彼岸）城の住いにおいて、「不涅槃の果て」という菩薩の解脱を得て、すべての如来を眼前にする。

27　**アヴァローキテーシュヴァラ**（観世音／観自在／観自在）**菩薩**　ポータラカ（光明／補怛洛迦／補怛洛迦）山において、「遅滞のない大悲の門」という菩薩行の門を知り、衆生たちをすべての恐怖から解放する。

28　**アナニヤガーミン**（正趣／正趣／正性無異行）**菩薩**　東方から空を飛んで、サハー（娑婆）世界の鉄囲山の山頂（金剛山頂／輪囲山頂）に降り立ち、「普門より速やかに赴く」という菩薩の解脱を得て、すべての仏の国土に入る。

29　**マハーデーヴァ神**（大天天／大天神／大天神）　ドヴァーラヴァティー（婆羅波提／堕羅鉢底／門主）城において、「雲の網」という菩薩の解脱を得て、善法の修行に向かわせる。

30　大地の女神スターヴァラー（安住道場地神／安住主地神／自性不動主地神）　マガダ（摩竭提）国の菩提道場において、「不屈の智の蔵」という菩薩の解脱を得て、菩薩の心の動きを知る。

31　第一の夜の女神ヴァーサンティー（婆娑婆陀夜天／婆珊婆演底夜神／春和主夜神）　マガダ国のカピラヴァストゥ（迦毘羅婆／迦毘羅／迦毘羅）城の上空の獅子座において、「一切衆生の痴闇（ちあん）を破る法の光明により世の衆生を教化（きょうけ）する門」という菩薩の解脱を得、一切衆生の避難所となる。

32　第二の夜の女神サマンタ・ガンビーラ・シュリーヴィマラ・プラバー（甚深妙徳離垢光明夜天／普徳浄光夜神／普遍吉祥無垢光主夜神）　マガダ国の毘盧遮那仏（びるしゃなぶつ）の菩提道場において、「静寂な禅定（ぜんじょう）の安楽を普く歩行する」という菩薩の解脱を得、あらゆる如来の本来の相に悟入する。

33　第三の夜の女神プラムディタ・ナヤナ・ジャガッド・ヴィローチャナー（喜目観察衆生夜天／喜目観察衆生夜神／喜目観察一切衆生夜神）　第二の女神のすぐ横にいて、「普く優れた喜びの広大で無垢の勢いの幢」という菩薩の解脱を得、あらゆる衆生を教化し成熟させる。

34　第四の女神サマンタ・サットヴァ・トラーノージャッハ・シュリー（妙徳救護衆生夜天／普救衆生妙徳夜神／普救衆生威徳夜神）　第三の女神のすぐ隣にいて、「一切世間に現前して（如来が）世の衆生を教化する様子を示現する」菩薩の解説を得、無数の仏に奉仕する。

35　第五の女神プラシャーンタ・ルタ・サーガラヴァティー（寂静音夜天／寂静音海夜神／具足功徳寂静音海夜神）　第四の女神のすぐ隣にいて、「広大な歓喜の衝動を生じる心刹那の荘厳」という菩薩の解脱を得、一切衆生に法を説き、彼らを防護する。

36　第六の夜の女神サルヴァ・ナガラ・ラクシャー・サンバヴァ・テージャッハシュリー（妙徳守護諸城夜天／守護一切城増長威力夜神／守護一切城増長威徳主夜神）　同じ菩提道場の毘盧遮那仏の説法会（せっぽうえ）の中の獅子座において、「心に適った音声の深遠な神変に入る」という菩薩の解脱を得、無上の法を摂取し、法を説く。

37　第七の夜の女神サルヴァ・ヴリクシャ・プラプッラナ・スカ・サンヴァーサー（開敷樹華夜天／開敷一切樹華夜神／能開敷一切樹華安楽主夜神）　毘盧遮那仏の足下、第六の女神の隣で、「広大な喜びを産みだす大満足の光明」という菩薩の解脱を得、如来の徳により衆生を包容する智慧と方便の光明をもつ。

38　第八の夜の女神サルヴァ・ジャガッド・ラクシャサー・プラニダーナ・ヴィーリ

ヤ・プラバー（願勇光明守護衆生夜天／大願精進力救護一切衆生夜神／大願精進力守護一切衆生光明夜神）　同じ説法会の獅子座において、「あらゆる衆生を願いに応じて成熟させ、善（根）を産み出すように勧告する」という菩薩の解脱を得、一切法の自性（じしょう）の平等性に目覚める。

下　巻

39　森の女神ステージョー・マンダラ・ラティシュリー（妙徳円満林天／妙徳円満林神／妙徳円満愛敬林神）　ルンビニーの森（嵐毘尼林）の中の楼閣で、「無量劫（むりょうごう）に亘り一切の境界における菩薩誕生の神変（じんぺん）を示現する」という菩薩の解脱を得、毘盧遮那仏誕生の神変の海に悟入する。

40　シャカ族の女ゴーパー（瞿夷釈迦女／瞿波釈種女／瞿波釈種女）　カピラヴァストゥ城の普現法界光明という菩薩の講堂の蓮華座において、「すべての菩薩の三昧の海の真理の観察の境界」という菩薩の解脱を得て、衆生たちの行なうすべての業やその果報を知る。

41　菩薩の母マーヤー王妃（摩耶夫人（まやぶにん））　毘盧遮那仏の足下の蓮華座において、「偉大な誓願の智の幻の荘厳」という菩薩の解脱を得、菩薩の生母となる。

42　**天の娘スレーンドラーバー**（天主光童女）　三十三天の王宮において、「無礙の憶念の清浄なる荘厳」という菩薩の解脱を得、無数の如来にお仕えする。

43　**ヴィシュヴァーミトラ童師**（遍友童子師）　カピラヴァストゥ城において、次の善知識を紹介する。

44　**長者の子シルパービジュニャ**（善知衆芸童子）　カピラヴァストゥ城において、「工巧（くぎょう）に通じた」という菩薩の解脱を得、四十二字門に通暁している。

45　**バドローッタマー**（賢勝／賢勝／最勝賢）**優婆夷**　マガダ国のケーヴァラカ（有義）地方のヴァルタナカ（婆呾那／婆呾那／婆怛那）城において、「無依所の輪（マンダラ）」という法門を知って、無礙三昧を体得する。

46　**金細工師ムクターサーラ**（堅固解脱）　バルカッチャ（沃田）城において、「無礙の憶念の荘厳」という菩薩の解脱を知り、十方の如来の足下で法を探求する。

47　**スチャンドラ**（妙月）**家長**　同じバルカッチャ城において、「汚れなき智の光明」（浄智光明／浄智光明／無垢智光明）という菩薩の解脱を体得する。

48　**アジタセーナ**（無勝軍）**家長**　ロールカ（出生／出生／広大声）城において、「無尽の相」という菩薩の解脱を得、仏にまみえる無尽の蔵を体得する。

49　**シヴァラーグラ**（尸毘最勝／最寂静／最寂静）**婆羅門**　ダルマ（法／法／達磨）村にお

いて、真実語による決断を行ない、あらゆる目的を成就する。

50　**シュリーサンバヴァ**(徳生)**童子とシュリーマティ**(有徳)**童女**　スマナームカ(妙意華門)城において、「幻」という菩薩の解脱を得、一切世界は幻なりと見る。

51　**マイトレーヤ**(弥勒(みろく))**菩薩**　一生補処(いっしょうふしょ)の菩薩の「三世(さんぜ)のすべての事物の智に入って忘失しない憶念の荘厳蔵」という解脱を得、善財の願いに応えて、故郷のマーラダ国(摩離／摩羅提／摩羅提)から、サムドラ・カッチャ(海潤／海岸／海岸)国の大荘厳園林の毘盧遮那荘厳蔵という大楼閣に来て、あるがままにすべてのものの本来の姿を示す。

52　**マンジュシュリー**(文殊師利)**菩薩**　スマナームカ城(普門城／蘇摩那城／普門国蘇摩那城)にいる善財童子の頭に千ヨージャナのかなたから手を置き、「普賢行(ふげんぎょう)の輪(マンダラ)」に悟入させる。

53　**サマンタバドラ**(普賢(ふげん))**菩薩**　毘盧遮那如来の獅子座の前、大宝蓮華蔵獅子座にいて、善財童子に種々の神変を示し、神変に悟入させ、普賢行の誓願(普賢行願讃)を説く。

梵文和訳

華厳経入法界品（下）

第三十九章　ルンビニーの森の女神

菩薩の十の誕生　そこで、善財童子は、願勇光明守護衆生という女神の教誡を憶念し、教化衆生令生善根という菩薩の解脱を修習し、広めつつ、次第にルンビニーの森へやって来た。近づくと、ルンビニーの森を右遶して、ルンビニーの森の女神であるステージョー・マンダラ・ラティシュリー〔妙徳円満愛敬〕を探し求めた。(そして)その女神が、ルンビニーの森の中で、あらゆる宝樹の枝の輪に(飾られた)楼閣の中の、摩尼の蓮華台の獅子座に座り、二十百千ニユタの森の神々に取り囲まれ、敬われつつ、説法しておられるのを見つけた。(その女神が、)一切の菩薩の誕生の海の説示という経典〔一切菩薩受生海経〕を説き明かし、如来の種姓に生まれた菩薩たちの功徳の海の勢いを増大させておられるのを見て、(善財は)女神のおられる所に赴いた。

近づくと、女神の両足に頂礼し、合掌して前に立つと、次のように言った。「女神よ、私は既に無上正等覚に向けて発心いたしております。しかし、いかにして菩薩方は如来の家系に生まれるのか、いかにして菩薩行を行ないつつ、衆生たちに光明をそそがれるのか知りません」

このように言われて、女神は、善財童子に次のように述べた。「善男子よ、菩薩には十の誕生〔受生蔵〕があり、それを成就すれば菩薩たちは如来の家系に生まれます。（如来の家系に）生まれた菩薩たちは、（既に積み重ねた）菩薩の善根により刻々と成長し、（菩提への道に）とどまり、挫けず、ひるまず、休まず、厭わず、屈せず、迷わず、沈み込まず、恐れず、逃げだしません。彼らは一切智者性の方角へ（善知識の）後を追い、法界の真理〔法界門〕を憶念し、仏の菩提について充分教化され、広大な菩提心を起こし、一切の波羅蜜により成長し、一切の世間の道から退き、如来の位〔仏地〕に生じ、智の神通を刺激し、諸々の仏法を現前させ、一切智者性の境界について内容を了解するに至ります。

十（の誕生）とは何かと言いますと、（一）一切の諸仏にお仕えしようという誓願の実修を内蔵する〔願常供事一切諸仏菩薩受生蔵〕というのが、菩薩の第一の誕生であります。（二）菩提心の諸要素の完成の生起を内蔵する〔普遍成就菩薩心菩薩受生蔵〕というのが、菩薩の第二の誕生。（三）法門観察の実修の現前生起を内蔵する〔観諸法門方便修行菩薩受生蔵〕というのが、菩薩の第三の誕生。（四）三世を照らす高度の求道心の浄化を内蔵する〔以深浄心普照三世菩薩受生蔵〕というのが、菩薩の第四の誕生。（五）普照の光明を内蔵する〔普照一切菩薩受生蔵〕というのが、菩薩の第五の誕生。（六）一切の如来の家系と種姓への生起を内蔵する〔生三世一切諸如来家菩薩受生蔵〕というのが、菩薩の第六の誕生。（七）仏力の輝く光明の荘厳を内蔵する〔仏力光明普遍荘厳菩薩受生蔵〕というのが、菩薩の第七の誕生。（八）普智の門の精察の完成の生起を内蔵する〔微細観察普遍智門菩薩受生蔵〕というのが、菩薩の第八の誕生。（九）法界の化作の荘厳を内蔵する〔法界変化種種荘厳菩薩受生蔵〕というのが、菩薩の第九の誕生。（一〇）如来の位へ躍進する衝動を内蔵する〔速疾履践諸如来地菩薩受生蔵〕というのが、菩薩の第十の誕生であります。

そのうち、善男子よ、一切の諸仏にお仕えしようという誓願の実修を内蔵するという菩薩の第一の誕生とはいかなるものでありましょうか。善男子よ、ここにおいて菩薩は、実に（生まれた）初めから諸仏にお仕えし供養することに努めます。一切の尊き諸仏を尊敬し、尊重し、恭敬し、供養し、奉仕し、喜ばせ、決して不愉快な気持ちにさせません。そして、（どれほど多くの）如来方にお会いしても飽きることはなく、諸仏を尊敬することに努め、（諸仏に対する信）心も諸仏の喜悦の感動により増大し、如来にお会いすることにより浄信の感動が生じます。不退転の信心により、功徳を積み、飽きることなく、一切の如来の供養という（菩提のための）資糧を集めることに努め、その実修を中断することはありません。善男子よ、これが一切の諸仏にお仕えしようという誓願の実修を内蔵するという菩薩の第一の誕生であり、諸菩薩に一切智者性(を得るため)の資糧となる善根を生じ、集めさせるものであります。

　そのうち、善男子よ、菩提心の諸要素の完成の生起を内蔵するという菩薩の第二の誕生とは、いかなるものでありましょうか。善男子よ、ここにおいて菩薩は、無上正等覚に向けて発心いたします。即ち、(一)一切の衆生を救うために、大悲心を起こし、(二)(一切の仏を)完全に満足させるために、一切の仏を喜ばせようという心を起こし、(三)一切の事物に無頓着になるために、一切の仏法を求める心を起こし、(四)一切智者性を現前させるために、偉大なる出立の心を起こし、(五)一切の世の衆生の摂取を実修し(全世界に)遍満するために、大慈心を起こし、(六)一切智者性(を体得するため)に鎧冑を堅固とするために、一切の世の衆生を見捨てないという心を起こし、(七)如実智の輝きを得るために、(他人を)欺いたり惑わしたりしない心を起こし、(八)菩薩道を(完全に)実践するために、言行一致の心を起こし、(九)一切の如来の誓願を遵守するために、一切諸仏を欺かない心を起こし、(一〇)未来の果てにまで属する一切の衆生を休むことなく教化し成熟させるために、一切智者性(を求める)という大誓願心を起こします。これらを初めとする仏国土の微塵の数に等しい菩提心の諸要素の資糧を具えた菩薩は、如来の家系に生まれます。善男子よ、これが菩提心の諸要素の完成の生起を内蔵するという菩薩の第二の誕生であります。

そのうち、善男子よ、菩薩方にとって法門観察の実修法の現前生起を内蔵するという菩薩の第三の誕生とは、いかなるものでありましょうか。善男子よ、ここにおいて菩薩の心は、㈠一切の法門(の海)の生起の観察を現前させ、㈡一切智者性への道の諸相の円満を現前させるように変化し、㈢咎（とが）められることなき行為や振舞いをめざし、㈣一切の菩薩の三昧法（さんまいほう）の海の浄化を現前させ、㈤一切の菩薩の功徳を完全に修めており、㈥一切の菩薩道の諸要素の荘厳を実現し、㈦広大な一切智者性を対象として生じ、燃え盛る劫火（ごうか）の如きものによっても精進努力を休まず、㈧一切の世の衆生を教化し成熟させるために出立し、周辺も中央もない菩薩行を実現し、㈨一切の正しい振舞い〔威儀〕の学習をみごとに修めた菩薩たちの功徳の完成において、一切の存在の修習により、非存在への道に入ります。善男子よ、これが法門観察の実修法の現前生起を内蔵するという菩薩の第三の誕生であります。

そのうち、善男子よ、菩薩方にとって、三世を照らす高度の求道心の浄化を内蔵するという菩薩の第四の誕生とは、いかなるものでありましょうか。善男子よ、ここにおいて菩薩は、㈠その高度の求道心の根底から清浄（しょうじょう）となり、㈡仏の菩提を照らす光明を獲得し、㈢菩薩の（教え導く）方便（ナヤ）の海に悟入し、㈣その心は金剛界のように堅い高度の求道心に捉えられ、堅固であり、㈤一切の生存の境遇に再生することから顔を背け、（優れた修行により解脱（げだつ）の完成に向かう）勝進道に達し、㈧高度の求道心を光り輝かせるために、真の善心をいだき、㈨大誓願の堅固さを増すために、不動となり、㈩一切の障害の山を粉砕するために、一切の如来を心に念じ、(一一)一切の世の衆生のよるべき帰依処となります。善男子よ、これが菩薩方にとっての三世を照らす高度の求道心の浄化を内蔵するという菩薩の第四の誕生であります。

そのうち、善男子よ、菩薩方にとって普照の光明を内蔵するという菩薩の第五の誕生はいかなるものでありましょうか。善男子よ、ここにおいて菩薩は、㈠一切の世の衆生を教化し成熟させることに従事して、予備的修行を完成し、㈡大いに喜捨して、一切の事物に関する観念を超越し、㈢無限の戒律を守り、如来の境界に住して、完全に清浄となり、㈣一切の仏法の忍智の輝きを体得して、忍智を完成し、㈤一切智者性に向かって広大な（この世から）出離して、大いに精進努力に努め、㈥普門三昧の智の輪（マンダラ）を清浄にして、禅定（ぜんじょう）に励み、㈦一切法の輝きを体得して、智慧の力の光明を得、㈧諸仏にまみえる海の観想に悟入して、無礙（むげ）の眼を獲得し、㈨一切の世間を満足させて、一切法の真実において自在であることが充分可能であり、(一〇)如実に法門を体得することに一生懸命努めています。善男子よ、これが菩薩方にとっての普照の光明を内蔵するという菩薩の第五の誕生であります。

そのうち、善男子よ、菩薩方にとって一切の如来の家系と種姓への生起を内蔵するという菩薩の第六の誕生は、いかなるものでありましょうか。ここにおいて、善男子よ、菩薩は(一)如来の家系に生まれ、(二)如来の種姓に再生し、(三)一切の諸仏の法の真理(ナヤ)へ導く門に到達し、(四)過去、未来、現在の如来の大誓願に関して清浄であり、(五)一切の如来の善根に対して同じ善根を財産とし、(六)一切の諸仏と同じ身体を共有し、(七)諸々の清らかな法〔白浄善法〕により世間を超越した道を進むものとなり、(八)諸仏の威神力(いじんりき)を見る三昧(さんまい)において偉大な法に住し、(九)然るべきときに衆生たちを浄化する法を実践し、(一〇)仏法に対する質問に関してその雄弁は休むことがありません。善男子よ、これが菩薩方にとっての一切の如来の家系と種姓への生起を内蔵するという菩薩の第六の誕生であります。

そのうち、善男子よ、菩薩方にとって如来の力の輝く光明の荘厳を内蔵するという菩薩の第七の誕生は、いかなるものでありましょうか。ここにおいて、善男子よ、(一)菩薩は仏力への入口の輝きに導かれ、諸々の仏国土へ参上することを止めず、(二)菩薩の様々な功徳の海に奉仕することから退転せず、(三)一切法は幻の如しという如実智を恐れず、(四)一切の世間は夢の如しと洞察し、(五)一切の色形の想念の影像の如き化現を実現し、(六)(魔術による)化作の如き神通力による神変に対して自由自在となり、(七)一切の生存の境遇に生まれる門は影の如しと示し、(八)一切の如来の(転じる)法輪は反響の如しと見抜き、(九)法界の真理の説示において最高の完成に達し、(一〇)様々な目的への手段や方法の説示に従事しています。これが善男子よ、菩薩方にとっての如来の力の輝く光明の荘厳を内蔵するという菩薩の第七の誕生であります。

そのうち、善男子よ、菩薩方にとって普知の門の精察の完成の生起を内蔵するという菩薩の第八の誕生とは、いかなるものでありましょうか。ここにおいて、善男子よ、菩薩は(一)まさに童子でありながら、(初めて)菩薩という名称を確立され、そこにしっかりと立って一切智者の智の道理を精察します。(二)一々の智の道理へ導く門〔智門〕において、彼が無量の菩薩の行境を説示すると、無量の劫が滅するでありましょう。(三)一切の菩薩の三昧において、最高の完成に達し、自由自在であり、(四)それぞれの心刹那に、一切の心刹那において十方の不可説数の仏国土におられる如来方の足下に生まれ、(五)無区別の対象により、無区別の三昧に入り、(六)無区別の諸法に対する無区別の智に関して自由自在であることを示し、(七)対象をもたない領域において、無辺の対象に降下し、(八)わずかな対象によって無限の説示の位に悟入し、(九)僅少のものにせよ、広大なものにせよ、無量の法性を洞察し、(一〇)一切の世間は観念に等しいことに悟入し、(一一)一切の法の対象と一切の観念の道とに修習により随伴します。善男子よ、これが菩薩方にとっての普知の門の精察の完成の生起を内蔵するという菩薩の第八の誕生であります。

そのうち、善男子よ、菩薩方にとって法界の化作の荘厳を内蔵するという菩薩の第九の誕生とは、いかなるものでありましょうか。ここにおいて、善男子よ、菩薩は(一)一切の心刹那において様々な荘厳を具えた仏国土を(威神力によって)化現し、(二)衆生を(魔術のように)化作することに関する恐れなき自信(無畏)の最高の完成に達し、(三)諸仏を化作することにおいて巧みさを体得し、(四)諸法を化作することに関する恐れなき自信を浄化し、(五)無礙にして最高の法界を行境とし、(六)(衆生の)願いのままに一切の(衆生の)身体的所作の化現に巧みとなり、(七)不可思議なる衆生教化に巧みとなり、(八)(菩薩方の)様々な行ないと正覚とを示現し、(九)(煩悩障と所知障という二種の)障害から自由な一切智者性への道を成就することに巧みとなり、(一〇)その直後に、法輪を回転させるのに巧みなことを示現し、(一一)周辺も中央もない(無限の)衆生を教化する手段を成就するのに巧みとなり、(一二)時至って、毘盧遮那の智を内蔵する宝庫(毘盧遮那智慧之蔵〕を保有し、衆生教化に常に専心するようになります。善男子よ、これが菩薩方にとっての法界の化作の荘厳を内蔵するという菩薩の第九の誕生であります。

そのうち、善男子よ、菩薩方にとって如来の位へ躍進する衝動を内蔵するという菩薩の第十の誕生とは、いかなるものでありましょうか。ここにおいて、善男子よ、菩薩は（一）一切の三世の如来方と一体となる境界において〔正式に如来の位につける〕灌頂の式を受け、（二）一切の世界のたえまなき相続という境界に悟入し、（三）一切の衆生が過去世〔前際〕から未来世〔後際〕まで死生を繰り返す間に心がたえまなく生じることを知り、（四）一切の菩薩方の行と智のたえまなき相続という境界を熟知し、（五）過去、未来、現在の一切の諸仏の正覚のたえまなき相続を熟知し、（六）一切の法が〔衆生を〕巧みに扶助することにたえまなきことを熟知し、（七）過去世にせよ、未来世にせよ、現在世にせよ、〔宇宙が生起する〕成劫にせよ、〔宇宙が滅亡する〕壊劫にせよ、固有の名もあり、固有の教えもある一切の劫のたえまなき相続を熟知し、（八）衆生たちに、それぞれの教化の度合いに応じて、それぞれの時の到来に応じて、正覚の荘厳とさとりの境界とを示現し、化現する智を成就し、（九）無限の衆生界を教化する手段を巧みに成就することにより、一切諸仏の出現において、正覚に導く法輪を回転させるのに巧みな道のたえまなき相続を示現します。善男子よ、これが菩薩方にとっての如来の位へ躍進する衝動を内蔵するという菩薩の第十の誕生であります。

善男子よ、菩薩方には、以上十の菩薩の誕生があり、そこに菩薩方は、生まれ、現れ、（功徳を）積み、増大させ、（誓願を）満たし、発展させ、完全に発展させ、完成するのであります。一切の（仏）国土を完全に覚知するために、一つの荘厳（において種々の荘厳）の有り様を化現します。（一切の）衆生界を教化することを止めないために、未来の果ての劫（尽未来劫）まで化現することを止めません。一切の法の海の様々な対象、多くの多種多様な伝承を経た教説、無限の法の伝承の流れを正覚します。法界から虚空界に至るまでの不可思議な仏の（威神力による）神変を示現します。教化と成熟に摂取された無量の衆生の行の様々な海において法輪を転じるところを示現します。一切の世界に絶えることなく仏の生じることを化現します。一切の法雲から表現し難くすばらしい言葉の清浄な海が、一切の対象に広まるのを知らしめます。無量（の住処）に住することに通暁して無礙であり、一切法の輝きにより荘厳された菩薩の輪を拡大します。それぞれの願いと信解に応じて衆生たちに、無量の仏の位に従う一切世間を完成させるために、周辺も中央もない法の宝庫を説き明かします」

そこで妙徳円満愛敬という森の女神は、そのとき、以上の菩薩誕生の意義を明らかにしようとして、仏の威神力によって十方を観察し、善財童子に詩頌をもって次のように述べた。

汚れなく、清浄な求道心によって勝者方にお会いして、決して飽きることがなく、雲のように居並ぶ未来の一切の勝者方に（お仕えしようという）誓願をたてる方々は、第一の誕生に住する賢者たちであります。 （一）

一切の三世の世間に残りなく遍満し、一切の仏国土と法と仏とに（遍満した後）、衆生の解脱のため誓願を次々と立てる心、これが不可思議な方々の第二の誕生であると言われます。 （二）

法雲から（降りそそぐ雨を）飲んで、決して飽きることがなく、心は瞑想にふけり、体は三世において無礙であり、身心は平等で虚空界のように無垢である方々には、この比類なき第三の誕生があります。 （三）

金剛を核とする須弥山（しゅみせん）のように（堅固な）求道心によって、一切智者性の真理（ナヤ）の海に没入しつつ、大悲（だいひ）の海に悟入する、人中の牡牛の如き方々には、ここに第四の誕生があります。 （四）

慈悲のゆえに、十方において人々に遍満し、汚れなき波羅蜜の海を成就し、法の光明を放って、世の衆生を教化する偉大な方々には、この第五の誕生があります。 （五）

諸法の本質を洞察し、心は無礙であり、三世に比類なき仏の家系に生まれ、法界の真理の海に悟入する賢者方には、この広大な第六の誕生があります。（六）

法身（ほっしん）が清浄で、心が無礙であり、諸（仏）国土に自らの身体で残りなく遍満した後、すべての仏力に随順し、悟入した覚者たちに、この不可思議な第七の誕生があります。（七）

智の海へ至る道において自在に実践し、一切智者性の真理へ導く門を考察し、一切の三昧法の海に悟入し、真如を依り所とする方々には、この第八の誕生があると考えられます。（八）

法の国土の広がりを浄化し、一切の衆生を教化する方便を実践し、諸仏のみごとな神変を次々と示現する高名な方々には、この第九の誕生があります。（九）

一切智者性への広大な衝動を増大しつつ、勝者の力に如実に悟入し、法界の様々な地平に至る道において無礙である、勝者の子らには、この第十の誕生があります。（一〇）

「善男子よ、菩薩は、以上十の誕生によって如来の家系に生まれ、以上のように一切衆生に光明をそそぐのです。ところが、善男子よ、私は無量劫（むりょうごう）に亘り一切の境界における菩薩誕生の神変を示現するという菩薩の解脱〔一切菩薩自在受生解脱門〕を体得している（だけであります）」

菩薩誕生の前兆と十神変　（善財は）尋ねた。「女神よ、この一切菩薩自在受生という菩薩の解脱の境界はいかがでしょうか」

（女神は）答える。「善男子よ、私は、一切の菩薩の誕生を示現し、（彼らに）親近しようという誓願を成就しました。善男子よ、実にこの私は、尊き毘盧遮那（如来）の広大な誕生の海に悟入します。即ち、この三千大千世界における菩薩誕生に悟入しつつ、尊き四大州の中、このジャンブ州中のルンビニー園に、菩薩誕生を示現するために、往昔の誓願によって生まれてきました。ここで、私は菩薩誕生の憶念を修習しつつ住しています。ここで私が住している間に、百年経てば、世尊が兜率天宮より降誕されますように、と。

さて、このルンビニー園に、十の前兆が現れました。十とは何かといいますと、即ち、（一）このルンビニー園全体は、平坦であり、くぼんだり、ふくらんだりという凹凸がなく、割れ目や断崖もありませんでした。このような第一の前兆が現れました。（二）次に、このルンビニー園全体は、砂や石がきれいに取り除かれ、切株や刺もなく、その大地の表面は金剛から成り、多くの宝石が一面に撒き散らされていました。このような第二の前兆が現れました。㈢次に、このルンビニー園全体には、あらゆる宝樹、娑羅樹（さらじゅ）、ターラ樹の列が釣合よく美しく配置されていました。このような第三の前兆が現れました。㈣次に、このルンビニー園全体には、天上のものに優る香料の芽が生じ、一切の抹香の庫（くら）が生じ、一切の雲塊の如き幢（はた）の輪（マンダラ）が生じ、摩尼（宝珠）形の香樹がみごとに根を張っていました。このような第四の前兆が現れました。㈤次に、このルンビニー園全体には、種々の天上の華、華鬘（けまん）、装飾品の庫が現れ、あらゆる荘厳が満ちあふれていました。このような第五の前兆が現れました。㈥次に、このルンビニー園全体の、すべての樹木の上に大きな摩尼の庫が成就しました。このような第六の前兆が現れました。㈦次に、このルンビニー園全体の、すべての蓮池の中で、芽を出したあらゆる宝石の蓮華が（水中の）地表から湧き出て、水面に出て来ていました。このような第七の前兆が現れました。㈧次に、この世界にいる限りの欲界（よっかい）もしくは色界（しきかい）に属する神々の息子たち、龍、ヤクシャ、ガンダルヴァ、アスラ、ガルダ、キンナラ、マホーラガたち、世間の王もしくは世の衆生の王たちも、すべてこのルンビニー園に（来集し）合掌して立っていました。このような第八の前兆が現れました。㈨次に、この四大州から成る世界にいる限りの神々の娘たちにせよ、龍の娘たちにせよ、ヤクシャ、ガンダルヴァ、アスラ、ガルダ、キンナラ、マホーラガの娘たちにせよ、すべて心喜び、あらゆる供養の資具を手にもち、プラクシャ〔畢洛叉樹〕の木の枝に向かって身を屈めて立っていました。このような第九の前兆が現れました。（一〇）次に、十方から一切如来の臍の輪より放出される菩薩誕生の神変の燈明〔菩薩受生自在燈〕とよばれる光線が出現し、このルンビニー園全体を照らし出していました。そして、すべての光線の表面に、かの一切の如来の誕生の神変が現れる所が示し出されました。（菩薩）誕生の神変と一切菩薩の功徳とが仏の音声とともに、その光線の表面より放出されるのが聞かれました。このような第十の前兆が現れました。

以上の十の前兆が現れるのは、菩薩誕生の時節が近づいたときであり、それらが現れたから、一切の世間の王たちは菩薩が生まれるだろうと知ったのであります。善男子よ、実に私は、これら十の前兆を見て、不可思議な喜びの衝動に駆られました。

善男子よ、さらに、マーヤー王妃〔摩耶夫人〕が大都カピラヴァストゥ〔迦毘羅城〕から出られるとき、ここルンビニー園において十の大光明の前兆が現れました。それらが現れたから、無量の衆生に一切智者性の法の光明により喜びの衝動が増大したのであります。十とは何かと申しますと、即ち、（一）（ルンビニー園の）地表にある一切の宝石の楼閣の内部に光明が現れました。（二）一切の香華のつぼみに光明が現れました。（三）一切の宝石の蓮華のつぼみが開きつつあるとき、すべての葉から光明が現れました。そして、甘く、心地よい音声がそこから放出されました。㈣十方の菩薩方が初めて発心する（様子を示す）光明が、このルンビニー園を照らし出すように出現しました。㈤十方の菩薩方が菩薩の全階程〔地〕を進む（様子を示す）光明の神変が、ここルンビニー園に現れました。㈥十方の菩薩方が波羅蜜をすべて完成する智を証得する（様子を示す）光明の輝きが、ここルンビニー園に現れました。㈦十方の菩薩方がすべての誓願において自在であることを（示す）智の光明の輝きが、ここルンビニー園に現れました。㈧十方の菩薩方がみな（衆生を）教化し成熟させる（様子を示す）智の光明の輝きが、ここルンビニー園に現れました。㈨十方の菩薩方がみな法界の真理の智を証得する（様子を示す）光明の輝きが、ここルンビニー園に現れました。㈩十方の菩薩方がみな仏の神変と誕生と出家と開悟との智を証得する（様子を示す）光明の輝きが、ここルンビニー園に現れました。以上、十の大光明の前兆が現れました。それによって、周辺も中央もない（多数の）衆生の心の志願の深い暗闇が照らし出されたのです。

そこで、善男子よ、マーヤー王妃がプラクシャ樹下の休息所に近づかれたとき、（生まれて来る）菩薩に供養しようと参集している一切の世間の王たち、アプサラス天女の群や神々の娘たちとともに参集している欲界に属する一切の神々の息子たち、色界に属し、悪臭を放たず（清浄な）一切の神々の息子たち、従者とともに参集している一切の神々、龍、ヤクシャ、ガンダルヴァ、アスラ、キンナラ、マホーラガたちのあらゆる供養の荘厳を具えた身体が、マーヤー王妃の威光、威厳、美徳、美貌によって照らし出されました。すると、この三千大千世界のあらゆる光明は、（その光に）のみこまれ、圧倒されてしまいました。そして、マーヤー王妃のすべての毛孔から放出される光明の輝きは、それ以外の光によって妨害されず、遮られず、言表されず、無礙であり、あらゆる方角に遍満し、一切の地獄の苦しみ、一切の畜生道の苦しみ、一切のヤマ世界の苦しみと、あらゆる生存の境遇をさまよいめぐる衆生たちの一切の苦しみと煩悩とを鎮めて、光り、輝き、照らし出していました。善男子よ、これが菩薩のルンビニー園における誕生の第一の神変であります。

善男子よ、さらに、マーヤー王妃の胎内全体に三千大千世界が内包され、反映している様子が示現されたとき、その三千大千世界中の百コーティの四大州に属するすべてのジャンブ州において、様々な名の王都の、様々な名の叢林の、様々な木々の根元にマーヤー王妃が近づかれる様子が、全く同じように示現されました。すべての世間の王たちに囲まれた彼女は、菩薩の生母の智の不可思議な神変により、菩薩の誕生にとりかかられました。善男子よ、これが菩薩のルンビニー園における誕生の第二の神変であります。

善男子よ、さらに、マーヤー王妃のすべての毛孔の一々の毛孔から、世尊がかつて菩薩行を行なわれたとき、知遇を得、恭敬し、尊敬し、尊重し、供養されたある限りすべての如来が、示現されました。そして、その如来方がお説きになった法がすべて、仏の音声にのって、その毛孔から残りなく聞かれました。丁度、大海、大気、あるいは黄金の大気、あるいは透明な鏡面、あるいは非常に澄んだ水面に、太陽や月や星や(火星、水星、木星、金星、土星などの)遊星の群に飾られた天穹(てんきゅう)が、幽妙な雲塊からの音響を鳴り響かせつつ、反映している様子が示現されますように、善男子よ、マーヤー王妃のすべての毛孔の輪(マンダラ)に、過去の如来の神変と一切の説法の音声が示現されたのです。善男子よ、これが菩薩のルンビニー園における誕生の第三の神変であります。

善男子よ、さらに、マーヤー王妃の全身のすべての毛孔の一つ一つの毛孔から、世尊がかつて菩薩行を行なわれた、すべての(仏)国土、世界海、世界系譜、世界と名付けられるものが、ある限り(すべて示現されました)。(世尊が)菩薩行を行なわれた仏国土が、いかなる基盤、いかなる形状、いかなる構成、いかなる構造の国土であるにせよ、いかなる山に飾られ、いかなる村、都、市、邑、町に飾られ、いかなる遊園、河、池、湖、海に飾られ、いかなる空や雲に飾られるにせよ、いかなる衆生が住み、(三乗のうちの)いかなる乗が説かれ、いかなる名や数の劫にあり、いかなる仏が生まれ出、いかなる最高の浄性を具えるにせよ、いかほどの寿量の衆生がいるにせよ、いかにして世間が生を得、いかにして衆生たちが(諸仏の)知遇を得、いかにして善知識に依存し、いかにして善法を修め、いかにして法の実践を行なうにせよ、それらすべての仏国土の広がりがマーヤー王妃のすべての毛孔から示現されました。そして、世尊がかつて菩薩行を行なわれ、不退転の境地に達せられたときの、ある限りの身体と、その様相、住居、享楽、楽や苦の感受、生涯、そのすべてが一つ一つの毛孔に示現されました。そして、それらすべて(の仏国土)における、それぞれの生誕において、マーヤー王妃は菩薩の生母となられました。それらすべての菩薩の身体が、マーヤー王妃の毛孔に神変として反映する様子が示現されました。善男子よ、これが菩薩のルンビニー園における誕生の第四の神変であります。

善男子よ、世尊がかつて菩薩行を行なわれたときの、ある限りの身体が、いかなる色、いかなる形、いかなる様相、いかなる享楽、いかなる楽苦の感受を伴い、いかなる生涯にあるにせよ、すべてマーヤー王妃の身体のすべての毛孔に反映する様子が示現されました。善男子よ、これが菩薩のルンビニー園における誕生の第五の神変であります。

善男子よ、さらに、世尊はかつて菩薩行を行なわれていたとき、ある限りのなし難い喜捨をなされました。あるいは手足を喜捨し、あるいは耳や鼻を喜捨し、あるいは舌や歯を喜捨し、あるいは眼や頭を喜捨し、あるいは肉や血を喜捨し、あるいは骨や髄を喜捨し、あるいは胸や心臓を喜捨し、あるいは皮膚を喜捨し、あるいは内外の物を喜捨し、あるいは息子や娘や妻を喜捨し、あるいは自身を喜捨し、あるいは財産や宝石を喜捨し、あるいは村、都、市、邑、王国、王都を喜捨し、あるいは財宝、穀物、宝庫、穀倉を喜捨し、あるいは摩尼、真珠、瑠璃、螺貝、玻璃、珊瑚、金、銀を喜捨し、あるいは様々な宝石の装飾品を喜捨し、寝台や座具を喜捨し、あるいは家や宮殿を喜捨し、あるいはすべての生活の資具を喜捨されました。（与える方としては）布施する菩薩の肉体という形で喜捨され、（受け取る方としては）受施者の肉体という形で受け取られました。その喜捨された国土なる物、さらに、あれこれの場所、そして、取り巻く菩薩方、それらすべてがマーヤー王妃のすべての毛孔に反映する様子が示現されました。善男子よ、これが菩薩のルンビニー園における誕生の第六の神変であります。

善男子よ、さらに、[1]過去世に陸続と現れた如来方が母の胎内からお生まれになったとき、ある限りの仏国土のすばらしい荘厳が現れ、衆生がみごとに配置され、果樹がみごとに配置され、華、練香、香料、華鬘、塗香、抹香、衣、傘蓋、幢、幡がみごとに配置され、あらゆる宝石の神変がみごとに配置されており、弦楽器、合奏、歌詠、打楽器があるる限りの音を生じましたが、そのすべてもマーヤー王妃がルンビニー園に近づかれたとき、ルンビニーの叢林に普入し、人々に（そのような）観念を生じつつ、現れました。

46

善男子よ、これが菩薩のルンビニー園における誕生の第七の神変であります。

善男子よ、さらに一切の神々の王の並び立つ宮殿の享楽にまさり、一切の龍、ヤクシャ、ガンダルヴァ、アスラ、キンナラ、マホーラガ、人間の王の並び立つ宮殿の享楽にまさる一切の菩薩の享楽、即ち、一切の摩尼王から成る楼閣の享楽、あるいは摩尼王から成る邸宅の享楽、あるいは摩尼王の網の享楽、あるいは摩尼王の装飾の享楽、あるいは摩尼王の像の享楽、あるいは摩尼王の荘厳、あるいは一切の装飾品の享楽、あるいは一切の香王の享楽、あるいは清浄で好ましい一切の対象の享楽、そのすべてがマーヤー王妃の胎内から互いに混ざり合うことなく放出され、ここルンビニー園において普(あまね)き荘厳として確立されました。善男子よ、これが菩薩のルンビニー園における誕生の第八の神変であります。

善男子よ、さらに、マーヤー王妃の胎内から、十百千不可説コーティ・ニユタの仏国土の微塵の数に等しい(無数の)菩薩方が、世尊の功徳の海を讃えつつ、放出されて来ました。彼らは、毘盧遮那世尊とよく似た容姿と色と形を具え、よく似た(三十二)相と(八十種(はちじっしゅ))好(ごう)の荘厳を具え、よく似た輝きをもち、よく似た光線を放ち、よく似た特徴の遊戯(リーラー)を有し、よく似た歩みをし、よく似た照明の神変を行ない、よく似た従者を伴い、よく似た荘厳を伴っておりました。善男子よ、これが菩薩のルンビニー園における誕生の第九の神変であります。

善男子よ、さらに、菩薩誕生の瞬間が来たとき、マーヤー王妃の前の下方から、表面が金剛の大地を突き破って、一切の宝石の荘厳を内蔵する〔一切宝荘厳蔵〕という大きな摩尼宝石の蓮華が出現しました。それは、無敵の大金剛という摩尼王の芽と一切の摩尼王の芯頭とをみごとに具え、十の仏国土の微塵の数に等しい葉の列が美しく配置され、様々な摩尼王の葉の輪（マンダラ）を具え、如意宝王の清浄なつぼみを有し、一切の宝石の色を具えた無量の華芯がみごとに配列されていました。無数の摩尼王の宝石がみごとに配された網に覆われ、不壊（ふえ）なることとナーラーヤナ神の金剛杵（こんごうしょ）の如き摩尼王から成るインドラクータ山に隠されていました。一切の神々の王が（自らの）身体で取り囲み、一切の龍王が香雲より（香料の）雨を降らせ、天上の華を掌にのせた一切のヤクシャ王に取り囲まれ、一切のガンダルヴァ王がかつて仏が出現した場所を（讃える）甘く響く合唱の音色を伴う讃歌により雲の覆いを取り去り、高慢と放逸と驕慢を克服した一切のアスラ王が身を屈めて礼拝し、一切のガルダ王がそこから宝石の絹布で垂れ下がっている天空の雲に飾られ、菩薩の功徳を勧める合唱に加わり、心中歓喜する一切のキンナラ王により見守られ、一切のマホーラガ王が歓喜心を生じるため用いる方法である美しい歌声の荘厳を雲から（その蓮華に）雨降らせました。善男子よ、これが菩薩のルンビニー園における誕生の第十の神変であります。

善男子よ、以上十の菩薩誕生の神変がルンビニー園に現れたのであります。その後、菩薩は、マーヤー王妃の胎内から、不可思議にして無量の光明を放出し、示現しながら出現されました。あたかも天穹から日輪が、密雲から幾筋もの稲妻が、夕刻山頂から大雲が、暗闇から大燈明が（現れるように）。このようにして、菩薩はマーヤー王妃の胎内からの出現を示現されました。それは色彩は幻の如しという観念を示現する法性、不来（、不去）の法性、世間は不生、不滅という観念を示現する法性（を、菩薩が既に前世において理解しておられたこと）によります。

善男子よ、以上のように、私は、ここルンビニー園に住しながら、毘盧遮那世尊誕生の神変の海に悟入します。善男子よ、私は、この尊き四大州において、毘盧遮那世尊誕生の神変の海に悟入しますように、すべての三千大千世界のすべての四大州中の百コーティのジャンブ州のすべてにおいて、百コーティの毘盧遮那世尊誕生の神変に悟入します。

善男子よ、私は、このすべての三千大千世界のすべての四大州中の百コーティのジャンブ州のすべてにおいて、百コーティの毘盧遮那世尊誕生の神変に悟入しますように、すべての三千大千世界にある微塵中にあり、一切の仏国土の微塵に悟入する智に随順される（仏国土）において、各刹那に、一々の心の悟入によって、仏国土の微塵の数に等しい（多数の）毘盧遮那世尊誕生の神変に悟入します。その直後の心によって、千の仏国土の微塵中にある仏国土の一つ一つにおいて、仏に等しい菩薩誕生の神変に悟入します。
この方法で、仏国土の微塵中にある仏国土中、一つ一つの仏国土において、一切の菩薩誕生の神変に悟入します。しかし、一切の微塵中、一つ一つの微塵における仏国土の連なりの果てに達することはありません。また、一切の（仏）国土中の、一つ一つの仏国土において、菩薩誕生の連なりの果てに達することもありません。この世界において、一切の菩薩誕生の神変に悟入するように、十方の周辺も中央もない世界の一切の微塵において、各刹那に、一々の心の悟入によって、あらゆる形の一切の菩薩誕生の神変に、休むことなき（仏の）威神力のゆえに悟入いたします」

森の女神の妙徳円満愛敬の因縁譚　このように説かれて、善財童子は、妙徳円満愛敬という森の女神に、次のようにお尋ねした。「女神よ、あなたはこの一切菩薩自在受生という菩薩の解脱をどれほど久しい前に体得されたのですか」

（女神は）答えた。「善男子よ、昔の過去世、コーティ数の仏国土の微塵の数に等しい劫のさらに一層以前に、イーシュヴァラ・グナーパラージタ・ドヴァジャ〔自在天の徳にも負けない旗印をもつ、自在功徳無能勝幢〕という如来・応供・正等覚がこの世に出現されました。明行足（みょうぎょうそく）・善逝（ぜんぜい）・世間解（せけんげ）・無上士・調御丈夫（じょうごじょうぶ）・天人師である、仏・世尊は、サマンタ・ラトナー〔普宝〕という世界に、八十百千コーティ・ニユタの諸仏が現れる劫中に出現されます。善男子よ、その普宝世界に、ヴィチトラ・ヴューハ・プラバー〔種種荘厳光〕という四大州がありました。その四大州の真中に、メール・ヴィシュッダ・ヴューハ・ドヴァジャー〔清浄荘厳須弥幢〕というジャンブ州の王都がありました。その王都にラトナールチ・ネートゥラ・プラバ〔宝焔眼光〕という王がいました。

　善男子よ、宝焔眼光王には、スハルシタ・プラベーシュヴァラー〔輝く自在天に歓喜する、大焔自在歓喜光〕という夫人がいました。善男子よ、あたかもこの尊き四大州中、ここジャンブ州において、マーヤー王妃が毘盧遮那世尊の生母であるように、善男子よ、そのとき、その折、その種種荘厳光という四大州中のジャンブ州において、大焔自在歓喜光というお方が、その尊き自在功徳無能勝幢如来の母上でありました。かの八十コーティ・ニユタの諸仏の先駆けであり、まず最初の尊き自在功徳無能勝幢如来の、母上でありました。

　善男子よ、実に、その大焔自在歓喜光王妃は、菩薩誕生の時節に、二十百千ニユタの女性とともに黄金の華の輝く輪という名の大園林〔金華園〕に出かけ、そこで不可思議なる菩薩の神変によって自在天の徳にも負けない旗印をもつ〔自在功徳無能勝幢〕男子をお産みになりました。まさにそのとき、その大園林の中央に、清浄なる宝石の美しい峰〔妙宝峰〕という名の楼閣がありました。その楼閣の中で、一切の望みをかなえる木の枝の中央に寄り掛かると、大焔自在歓喜光王妃から、尊き自在功徳無能勝幢如来がお生まれになったのであります。

まさにそのとき、かの世尊がお生まれになるとき、ヴィマラ・サンバヴァ・プラバー〔無垢光〕という乳母が（王妃に）お仕えしていました。そして、生まれたばかりの菩薩を世間の王たちは、香しく心地よい様々な天上の華々が放出する、最高に香しい香水の入った桶で沐浴させ、彼にふさわしい、不可思議阿僧祇数（ふかしぎあそうぎすう）の最高の供養により敬意を表した後、その無垢光という乳母の膝に預けられました。乳母が菩薩を両手と膝で受け取るや否や、その瞬間に彼女は大いなる歓喜と愉悦の感動をおぼえ、普眼の境界という菩薩の三昧〔普眼境界三昧（ふげんきょうがいざんまい）〕を体得しました。その三昧を体得するや否や、十方の様々な世界におられる無量の如来が眼前に現れて来ました。このようにして、まことに微妙な一切菩薩自在受生という菩薩の解脱に入ったのであります。例えば、その日（菩薩が）入胎した母親の胎内において、胎児（の菩薩）を識知します。その解脱を体得することにより、他の一切の如来誕生の神変を示現するという誓願が成就されたのであります。

さて、善男子よ、そのとき、その折、無垢光という菩薩の乳母は別人であると思いますか。いや、そう考えてはいけません。私が、そのとき、その折、無垢光という菩薩の乳母でありました。さて、善男子よ、そのとき、その折、二十百千ニユタの女性は別人であると思いますか。いや、そう考えてはいけません。ここルンビニー園に住まう私の従者たちが、その二十百千ニユタの女神でありました。さて、善男子よ、そのとき、その折、自在功徳無能勝幢男子の生母、大焔自在歓喜光という王妃は別人であると思いますか。いや、そう考えてはいけません。このマーヤー王妃が、そのとき、その折、大焔自在歓喜光という王妃でありました。さて、善男子よ、そのとき、その折、宝焔眼光という王は別人であると思いますか。いや、そう考えてはいけません。このシュッドーダナ王〔浄飯王(じょうぼんおう)〕が、そのとき、その折、宝焔眼光王でありました。

善男子よ、それ以来、私は、毘盧遮那世尊の菩薩誕生の神変の海に悟入し、衆生教化の威神力による神変の海に悟入することにより、いかなる心刹那といえども(毘盧遮那世尊から)離れずにいました。善男子よ、私が、この娑婆(しゃば)世界において、毘盧遮那世尊の大誓願の海の広がりより生まれた如来方の国土の海に、一切の心刹那に、一切の微塵へ悟入し、融合する智の眼によって、一切の微塵において仏国土の海に悟入し、さらに、その(仏)国土において如来出現の海に悟入しますように、また、その如来方が行なう菩薩誕生の神変の大海に悟入しますように、十方において、周辺も中央もない如来方が一切の心刹那において行なう菩薩誕生の神変の海に悟入します。

　私が、この三千大千世界において、一切の微塵の広がりの連続に悟入することにより、正等覚者となる菩薩の誕生の現前に関わる仏の功徳に悟入しますように、十方において、百千コーティ・ニユタ・不可説数の仏国土の微塵の広がりに含まれる(仏)国土の海に悟入し、さらに、広大な仏の海に悟入します。そして、私は、その諸仏世尊が、菩薩となる誕生の神変を現前させるのを見、また、如来になられた(彼ら)を供養いたします。そして、その如来方が、説法されるのを聞き、法に従って実修いたします」

　さて、妙徳円満愛敬という森の女神は、そのとき、以上の一切菩薩自在受生という菩薩の解脱を明らかにしようとして、仏の威神力によって十方を観察し、次の詩頌を述べた。


仏子よ、あなたが敬意を表した後、尋ねたことについて、私が説く所を聞きなさい。

寂静(じゃくじょう)にして、経験し難い勝者たちの行境を因縁という形で説明しましょう。　(一)

(仏)国土の微塵の数に等しいほど過去の、不可思議なる劫を私は想起します。(それは)終りは初めの如しという名の劫〔悦楽劫〕であり、そこにおいて八十ナユタの勝者たちが出現されました。　(二)

そのとき、その中の最初の如来として、自在功徳無能勝幢というお方が現れました。かの指導者(如来)が、黄金の華が咲く至上の園林においてお生まれになるところを私は見ました。　(一三)

私は、無垢光という名で、彼の賢き乳母でありました。(衆生)世間の守護者は、黄金の至高の光明を放つ彼を、生まれるや否や、私の膝の上に置かれました。(一四)

その至上の人を膝に受け止めましたが、その頭頂を私は見ることができず、その不可思議なお方の左右を眺めても、その果てが見えません。　(一五)

彼の清浄無垢で、美しく、(三十二相に)飾られた身体を、私は見ます。宝像のような(身体)を見て、喜びの感動が比べもののないくらい増大しました。　(一六)

彼の無量の徳を考えると、私の無量の功徳の海が増大しました。彼の神変の海を見ると、私に広大な菩提心が生じました。　(一七)

勝者の善行の海を求めると、私の誓願の海が増大しました。一切の(仏)国土の広がりが浄化され、一切の悪趣(あくしゅ)への道が断滅されました。　(一八)

一切の(仏)国土の広がりにおける、未来の不可思議な善逝方に供養するために、そして、衆生を苦から解き放つために、私は誓願の海を立てました。　(一九)

かの救済者の教えを聞くと、私はすばらしい解脱の輪(マンダラ)を獲得しました。(その)劫

中のコーティ(仏)国土の(微)塵の数に等しい(多数の)修行を行なって、菩提を清めました。 (二〇)

そこに生まれたすべての指導者方に、私は残りなく供養いたしました。そして、その教えを護持し、この解脱の海を浄化しました。 (二一)

かつて出現した、コーティ(仏)国土の微塵の数に等しい十力方の法輪を私は護持しております。すばらしい解脱の輪(マンダラ)を修習しています。 (二二)

仏国土にある限りの(微)塵を(微)塵の先端の広がりの海に見、一つ一つの(微)塵の中に、かつて勝者が清めた(仏)国土の海を私は見ます。 (二三)

その(仏)国土の広がりにおいて、すばらしい園林中で指導者方がお生まれになるのを私は見ます。一心の広がりにおいて、不可思議で、広大な神変が示されます。 (二四)

また、ある(仏)国土において、指導者方が、兜率天にいたままで、コーティ・ナユタ数の不可思議な(仏)国土において、最高のすばらしい菩提を追求されるのを私は見ます。 (二五)

広大な神変によって、百(仏)国土の海に生まれた指導者が、すばらしい人々の集団(サンガ)に囲まれて法を説いているのを私は見ます。 (二六)

コーティ(仏)国土の微(塵の数)に等しい勇者たちを一心刹那のうちに私は見ます。一刹那のうちに彼らは寂静涅槃を様々な形で人々に示します。（二七）

よく見ると、微塵の上に、ある限りの勝者たちの誕生と(仏)国土の海があるのを私は見ます。その誕生ごとに、私は幾多のコーティ数の身体でもって、彼らに供養するため、私は近づきました。（二八）

不可思議な(仏)国土の海という方便によっても尽くせない(ほど多くの、輪廻の)道をさまよう者たちがいる限り、そのすべての人々の前に現れる私は、広大な法雲から(教えの)雨を降らせます。（二九）

仏子よ、不可思議なコーティ・ナユタ劫をもってしても、すべてを示すことが出来ない、この不可思議で、すばらしい解脱の輪を私は知っています。（三〇）

「善男子よ、私はこの一切菩薩自在受生という菩薩の解脱を知るだけであります。どうして、私に、各心刹那ごとに、一切劫における(菩薩の)出立の胎蔵から発心し、一切法の真理に関する思惟の生起を示し、一切の如来を供養するという誓願により願いを生じ、一切の仏法をさとろうという誓願を規範とし、一切の家系と種姓に生まれる道を示す影像の如くであり、一切の如来の足下の蓮華座に生まれ、一切の世の衆生を教化する時を熟知し、一切〔衆生〕の成熟に現前し、生死の神変を示し、一切の〔仏〕国土の広がりにおいて神変の雲を示し、一切の世の衆生の〔輪廻転生の〕道と生まれと家系との影像を獲得した菩薩方の行を知り、功徳を語ることができましょうか。

行きなさい、善男子よ。まさにここ大都カピラヴァストゥに、ゴーパー〔瞿波〕というシャカ族の娘が住んでいます。彼女を訪れて、いかにして菩薩は衆生を教化するために生死輪廻の世界を流転すべきであるか、尋ねなさい」

そこで、善財童子は、妙徳円満愛敬という森の女神の両足に頂礼し、その周りを幾百千回となく右遶し、何度も何度も見つめた後、女神の下を去った。

第四十章　シャカ族の女ゴーパー

菩薩の讃美　そこで善財童子は、妙徳円満愛敬というルンビニーの森の女神の下を辞して、カピラヴァストゥという大都城に向かって、この一切菩薩自在受生という菩薩の解脱だけに専念し、没入し、拡大し、追求し、浄化し、練磨し、考察しぬき、綿密に検討しながら、次第に、ダルマダートゥ・プラティバーサ・プラバ〔法界の影像の光、普現法界光明〕という菩薩の講堂に近づいた。彼が近づくと、菩薩の講堂の女神であるアショーカシュリー〔無憂徳〕が、一万の家の女神とともに出迎えて、善財童子にこう語った。

「大士よ、よくぞこられました。偉大な智慧と智の剛毅さを具え、不可思議な菩薩の解脱を修習し獲得しようと心に誓願を立てて、広大な法の大邸宅の構内を行き、法の都城〔法城〕に向かい、菩薩の無限の方便の道〔方便門〕によって（所化の衆生を菩提に）導き入れることをたえず続けて、如来の功徳の海の輝きを獲得され、心はすべての教化されるべき衆生を啓発する弁才の智に向かい、（また）すべての衆生の所行を知る智の身体

〔聖智身〕によって真言に適った修行に向かい、すべての世の衆生の感受の喜びの海の勢いの増大を願う誓願を保たれ、すべての如来の法を洞察する道に入られた方よ。

お見受けしますに、あなたは瞬くことのない眼をもって、清浄で深遠な行ないと行住坐臥〔威儀〕の境界におられますので、まもなくあなたは、如来の身体、言葉、心(の三業)の清浄な無上の飾りを獲得され、(三十二)相と(八十種)好(という吉相)で飾られた身体と、十力の智の光明で飾られた心とをもって、世間を遊行されることでしょう。

また、あなたの堅固な精進や(威厳ある)歩みぶりを拝見しますと、まもなくあなたは、三世のすべての如来の御前に進み、まみえる(機会)に恵まれ、すべての如来の(恵みの雨を降らせる)雲のような教えを(聞いて)受持するでしょう。(さらに)大邸宅(での生活の楽しみにも)似た菩薩のすべての禅定、解脱、三昧、等至、寂静せる法(を味わう)楽しみを享受しておいでですから、深遠な仏の解脱に入られるでしょう。

と申しますのは、あなたが善知識に近づき、まみえ、仕え、教誡を受持し、その功徳の修得に専念して、倦まず、挫折せず、苦痛を感じてもおられないからですし、また、いかなる妨げも障害も妨害もあなたには対抗できず、魔も魔の眷属である女神も対抗できないからです。ですから、あなたはまもなく、すべての衆生に喜びをもたらす者となりましょう」

そう言われて、善財童子は、菩薩の講堂の女神、アショーカシュリーにこう答えた。「女神よ、あなたが言われるとおりでありますように。ところで、女神よ、私は、すべての衆生の煩悩の熱が鎮まることによって最高の喜びを得るのです。すべての衆生の恐ろしい業の成熟が止み、すべての衆生が幸せになり、すべての衆生が非の打ち所のない行為を実践することによって、私は最高の喜びを覚えるのです。

また、女神よ、衆生たちは様々な恐ろしい業(をつくる)煩悩を起こす散乱した心の持主ですから、(地獄などの)悪い境遇に落ちるのですが、(天上などの)善い境遇にいる場合でさえも、種々の身体の苦痛や精神の苦悩を経験します。そのとき、菩薩方も苦しみ、最高に苦しみます。

例えば、女神よ、一途に愛情をそそぐ男に、可愛い魅力的な一人子がいるとしましょう。その(の男)は、その(子の)身体の大小の部分が断ち切られるとき、一途に愛情をそそぐだけに、最高に苦しみ、喜びを知らぬ者となりましょう。

まさしくそのように、女神よ、菩薩は菩薩行を行なっているので、業、煩悩によって(地獄、餓鬼、畜生の)三悪趣に衆生が落ちるのを見て、苦しみ、最高に苦しみます。

さらにまた、身体が消滅してから、衆生たちが身体、言葉、心による善行の実行を原因として、善い境遇である天上で、神々の中に生まれるか、神々と人間の境遇の中で、身心の幸せを享受するとき、そのとき、菩薩は最高に幸せになり、満ち足り、喜悦し、歓喜し、喜びと満足を生じます。

さらにまた、女神よ、菩薩方は自分のために、一切智者性を求めているのではありません。輪廻の種々の快楽や逸楽を生じるためでなく、欲界にある種々の夥しい快楽の欲求によってでもなく、想念、思考〔心〕、見解の倒錯によってでもありません。煩悩〔結〕や束縛や煩悩の余習や煩悩の活動に支配されて（輪廻を歴遊して）いるのでもなく、渇愛や謬見に操られて（輪廻を歴遊して）いるのでもなく、いろいろの衆生との交際の快楽の思いを心に募らせて、禅定の喜びと安らぎの味わいを貪り求めて、種々の障害に妨げられて、輪廻の諸境遇を歴遊しているのでもありません。けれども、女神よ、菩薩方は生存の海にいて、無量の苦しみにさいなまれている衆生に対して、大悲を起こして、すべての世の衆生を摂取するという大誓願を立てます。（菩薩方は）大悲に基づく誓願の成就力の衝動に駆られ、衆生の成熟と教化に専念する菩薩行の修行者として輪廻に現れます。（菩薩方は）すべての衆生の障害をすべて除くために、障害のない一切智者の智を求めて、すべての如来に対する供養と奉仕との誓願を立てます。（菩薩方はその）如来の供養と奉仕への誓願のおかげで、菩薩行において倦怠することがありません。（菩薩方は）菩薩行を修行しているので、汚れた国土を見て、すべての仏国土の浄化の誓願を立てます。

（菩薩方は）汚れた国土海を浄化しながら、すべての衆生の（十二）処の多様性を見て、多様でない無上の法身を清浄にするための誓願を立てます。（菩薩方は）衆生たちが汚れた身体、言葉、心をもつのを見て、すべての衆生の身体、言葉、心という飾りを清浄にするための誓願を立てます。（菩薩方は十二）処に欠陥があり、心が清浄でない衆生たちを見て、すべての衆生の心と行ないを浄化するために菩薩行を修行しているので、倦怠することがありません。

まことに、女神よ、菩薩方とはこのように心に倦怠なく、周辺も中央もない菩薩行を行なう方々です。このように修行する（菩薩方）は、（一）神々と人間に繁栄をもたらすので、神々を含む世間の飾りであり、（二）発菩提心（ほつぼだいしん）に安立（あんりゅう）させるので、父母であり、（三）菩薩道に入れるので、乳母であり、（四）悪趣への転落の恐怖から守るので、常に付き添う生得の守護神であり、（五）輪廻の海を渡るのを助けるので、偉大な渡守であり、（六）すべての魔や煩悩の恐怖を終息させるので、庇護の場所であり、（七）最高の清涼な境地に導くので、最後の依り所であり、（八）すべての仏の海の入口なので、渡し場であり、（九）法という宝島へ導くので、舵手〔導師〕であり、（一〇）心に仏のあらゆる功徳が咲きほこるので、華であり、（一一）広大な福徳と智の光を放つので、飾りであり、（一二）普く魅惑的なので、最高の喜びをもたらす方々であり、（一三）非の打ち所のない行為を実行するので、お会いしたくなる方々であり、(一四)あらゆる様相で最も優れた五体を完全に満足した身体の持主なので、普く優れた方々であり、(一五)見て快いので、魅力ある容姿の方であり、(一六)智の輝きを放つので、光輝を生じる方であり、(一七)法の燈明を掲げているので、光明をもたらす方々であり、(一八)菩提への志願を清浄にするので、光をもたらす方々であり、(一九)魔の所行を退けるので、将軍であり、(二〇)智慧の光網の光を放つので、太陽であり、(二一)法の虚空に覚知の月が昇るので、月であり、(二二)すべての世の衆生に大きな法の雲から雨を降らせるので、雲であります。実に、女神よ、このように(菩薩行を)修行しているので、菩薩方はすべての衆生の敬愛の的なのです」

そのとき、菩薩の講堂の女神であるアショーカシュリーは、かの一万の家の女神たちとともに、善財童子に天上(の華など)を凌駕する、心でできた華、華鬘、香料、抹香、練香、宝石の飾りの雨を降らせ、囲遶(いにょう)し、付き添って、菩薩の講堂に入堂する(善財)を、これらの詩頌で讃えた。

(一)
すべての衆生を慈しむので、正等覚に向けて発心され、いつの日か、智の太陽である勝者が、世間に出現される。

あなたにまみえることは、幾ナユタ劫をかけても得難い。(しかし今や、あなたにまみえることができました。)あなたは無明(むみょう)の闇に覆われた世間の人々にとって、大きな智の太陽です。

無知の眼翳（がんえい）に妨げられて倒錯した世間を見て、大いなる慈しみを起こして、あなたは自在者の境地に進み出ておられます。(二)

あなたは清らかな志願をもって、仏の菩提のために精進され、身体も生命も顧みることなく、善知識に仕えられる。(三)

あなたにはこの世間において依り所もなく、住居もなく、知己もない。あなたは執着もなく、(汚れと)混じり合いもせず、(あなたの)志願は虚空のように(何物にも)妨げられません。(四)

福徳の(日)輪（マンダラ）の妙なる光を放つあなたは、至高の菩提行を行じ、智の光線を放ちながら、無量の世間に出現される。(五)

あなたは世間から出でゆくことが決してなく、しかも世間の法によって染められることもない。あたかも風が虚空を(何物にも妨げられることなく吹き行く)ように、あなたは(何物にも)妨げられることなく、世間で(菩提行を)行じられる。(六)

劫火が焼き尽くす際に、焔を上げる火が常に燃え盛るように、(その)火にも似た精進をもって、あなたは菩提への行道（ぎょうどう）を行じられる。(七)

あなたは獅子の如き雄々しき勇士。堅固な精進をもって勇往邁進される。智と勇猛(八)

心を具えて、あなたは（菩提行を）行じて屈することがない。（九）
この法界の大海に、何か、真理の海があれば、あなたは勇士なので、善知識に仕えることによって、それら（真理の海）に入られるであろう。（一〇）

そのとき、菩薩の講堂の女神であるアショーカシュリーは、善財童子をこれらの詩頌で讃えると、（講堂に）向かっていく（善財）の後に従った。法を求めるからであった。

そのとき、善財童子は、普現法界光明という菩薩の講堂に至り、中に入り、シャカ族の女ゴーパー[1]にお目通りしたいと願っていたので、隈なく辺りを見まわした。すると、彼はゴーパーが、その普現法界光明という菩薩の講堂の真中で、すべての菩薩の普現一切宮殿影像という摩尼の蓮華台の座に座り、八万四千の女性の従者に囲遶されているのを見出した。

（それらの侍女は）すべて、王家の出自で、過去に菩薩行と同等の善根を（植え）、過去に（四）摂（法の中の）布施によって（よく衆生を）摂取し、穏やかで快い言葉で語りかける〔愛語〕（という善行を保ち）、一切智者性の目的に向けてよく（衆生を）摂取〔利行〕し、仏と菩薩の達成への事業を同じくしていること〔同事〕によって、よく（衆生を）摂取し、大悲に基づいて、息子や娘を愛護する仕方でよく（衆生を）愛護し、大慈を具備して、自己の夫への奉仕を清浄にし、過去に不可思議な菩薩の巧みな方便によって（衆生たちを）成熟させた者たちであった。

さらにまた、それら八万四千の侍女たちはすべて、（一）無上正等覚において不退転（の菩薩）であり、（二）菩薩の波羅蜜の道に入り、（三）菩薩のすべての学問について他者の指導を受けず、（四）執着をまったく離れた心の持主であり、（五）輪廻の快楽をすべて捨てた心の持主であり、（六）障礙のない法界の真理によって清浄となり、（七）一切智者性へ向かう心の勢いが充溢し、（八）すべての妨害や障礙の網を離れ、（九）あらゆる障礙の道を超出し、（一〇）法身に（あって、しかも）善く変化（身）によって遍歴し、（一一）すべての世間の人々の成熟と教化を志し、（一二）広大な福徳の海から生じた心の持主であり、（一三）普賢菩薩行と誓願に熟達し、（一四）広大な菩薩の（十）力の勢いが増強し、（一五）智の日輪によって心の燈明を輝かせていた。

そのとき、善財童子は、シャカ族の女ゴーパーの下に伺候して、彼女の両足の裏に向って全身を投じて礼拝し、立ち上がって、真正面で合掌しながら、次のように言った。

「聖者よ、私は無上正等覚に向けて発心いたしております。しかし、私には（次のことが）わかりません。（一）どうして菩薩たちは輪廻しながら、輪廻の悪徳に染まらないのか。（二）すべてのもの〔法〕の平等という本性をさとって、声聞や独覚の位に安住してしまわないのか。(三)仏の徳〔法〕の輝きを獲得していながら、菩薩行を止めないのか。(四)菩薩の位に安住していながら、すべての如来の境界を現しだすのか。(五)すべての世間の境遇を超越しながら、すべての世間の境遇を遍歴するのか。(六)法身を完成していながら、限りない外観をもつ色身（しきしん）を現すのか。(七)無相の法身を究極の目的としながら、すべての世の衆生の色形をもつ身体を示現するのか。(八)すべての法が不可説であると証悟しながら、すべての言語道と解説の言葉によって衆生たちに法を説くのか。(九)すべての法が衆生でないことを知りながら、衆生界の教化の実行を止めないのか。(一〇)すべての法が不生不滅であることを証悟しているのに、すべての如来の供養と奉仕の実行を止めないのか。(一一)すべての法には業も（結果の）成熟もないと証悟していながら、善業をつくることを実行して止めることがないのか（がわからないのです）」

こう問われて、ゴーパーは善財童子に次のように答えた。

「善いことです、善いことです、善男子よ。あなたが菩薩たちのこのような（菩薩）行の法性について質問すべきであると考えたとは。といいますのは、この問いを述べることは、まさしく普賢なる誓願の行に向かう者の（質問）だからです。善男子よ、ですから、お聞きなさい。よく適確にお考えなさい。私は御仏の威力によってお話ししましょう。

善男子よ、十の徳を具えた菩薩は、幻術〔因陀羅網（いんだらもう）〕の広がり（タラ）にたとえられ、普く現しだす智の光をもつ、このような菩薩行を完成します。十の徳とは何かというと、即ち、(一)非常に偉大な善知識を依り所にすること、(二)広大な深信(じんしん)の獲得、(三)善への崇高な志願の浄化、(四)海のような広大な福徳と智を根拠とした心をもつこと、(五)仏の出現を実現する偉大な法の教示の聴聞にあずかること、(六)三世の如来方に対して深信の心をもって暮らすこと、(七)すべての菩薩行の 輪(マンダラ) を平等であると証悟すること、(八)すべての如来の威神力の獲得、(九)大悲に基づく道心が本性として清浄であること、(一〇)すべての輪廻の車輪(チャクラ)(の転回)を止める心力の発揮の獲得です。善男子よ、これら十種の徳を具えた(菩薩)は、幻術の広がりにたとえられ、普く現しだす智の光〔普智光明〕をもつ、このような菩薩行を完成します。

善男子よ、その(の菩薩行)において、不退転の精進を続ける菩薩は、それら(十種の)徳を獲得したうえで、無尽の様相を成就することによって修習し、復習するので、善知識方に十種の様相によって喜んでいただき、お慰めするのです。十(種の様相)とはどのようなものかというと、即ち、(一)身体と生命を顧みないこと、(二)輪廻の暮らしの資具を欲求しないこと、(三)すべてのものの本性が平等であると証悟すること、(四)一切智者性を求める誓願から不退転であること、(五)すべての法界の真理を観察すること、(六)すべての生存〔有〕の海から離脱した心をもつこと、(七)虚空のように根拠のない法に無根拠に悟入すること、(八)すべての菩薩の誓願において障害がないこと、(九)すべての国土海の中に現れること、(一〇)菩薩の障害のない智の輪(マンダラ)が極めて清浄になっていることです。善男子よ、これら十種の様相によって菩薩は善知識に喜んでいただき、お慰めするのです」

そこで、ゴーパーは、この同じ道理(ナヤ)を明らかにしようとして、仏の威神力によって、十方を観察したうえで、そのとき、これらの詩頌をうたった。

無垢で広大な智慧をもち、他人の利益をはかり、優れた(善)知識にお仕えすることに専念し、偽ったり、欺いたりせず、(善知識に)師であるという思いをいだき、倦むことなく精進し、(菩薩行に)進みでた方々、その方々の行は世間における幻術のような行為です。(一)

その深信は虚空のように広大であり、三世のすべての世間はその中に入る。国土も衆生も法も、同じく諸仏も。それらの智の光〔普智光明〕をもたらす方々の、これは行です。(二)

その志願も、虚空のように周辺も中央もなく、雑染(ぞうぜん)の垢に汚されないので、最も清浄であり、そこにすべての如来方の功徳が現れる。その方々の行はこの世における種々の幻術の広がりにもたとえられます。(三)

広大無量で不可思議な一切智者の智と大海のような功徳を支えとされる賢者方、それら福徳の海と智の身体という清浄な蔵をもつ方々は世間において行をなされても、世間の垢によって染まることはありません。 (一四)

勝者方のすべての優れた音色の発声法による法の雷鳴を聞いて、聞き飽きることのない方々、法の真理に適う智慧の光を放つ燈明となる方々、それら世の衆生に燈明をもたらす方々の、これは行です。 (一五)

無量の如来が十方におられるが、そのすべて(の如来)の一人一人のみもとに、心の一刹那に入って、すべての如来の海を考察する方々、御仏の心を心とするそれらの方々の、これは境界です。 (一六)

勝者方の広大な集会を見られて、それらの(如来方の)三昧の真理の海と、周辺も中央もない誓願の海の真理に入られる、それら幻術の広がりにもたとえられる方々の、これは行です。 (一七)

十方にましますの余す所なきすべての勝者方の威神力によって現されて、未来の劫の間、普賢(行)を行ない、すべての国土の広がりにおいて影像(の分身)を得た方々、それら法の光を放たれる方々の、これは行です。 (一八)

それら大悲を(日)輪としてもつ智の太陽である賢人方は、世の衆生が苦難を得ているのを見て、（この世の中に）登場し、法の光によって世の衆生の迷いを除去される、それら太陽にもたとえられる方々の、これは行です。（一九）

生存の境遇の中を経めぐっている生命ある者たちを見て、輪廻の流れに逆らって立つ賢聖方は、無量の正しい法輪〔妙法輪〕を用意されて、普く至上で優れた智をもつ行〔普賢行〕を行なわれます。（二〇）

この道で学習したその方々は、周辺も中央もない身体を世の衆生に（彼らの）願いのままに示現され、影像にも似た無量の自分の身体によって、生存の海にいる人々を成熟させます。（二一）

非常に広大な慈しみの導きによって人々を遍満し、種々の深信をいだく人々にそれぞれに行を示現して、世の衆生に願いのままに法の雨を降りそそぐ賢者方は、幾ナユタもの衆生を菩提に導かれます。（二二）

観一切菩薩三昧境界海解脱門　そのとき、ゴーパーはこれらの詩頌を詠じてから、善財童子にこう語った。「善男子よ、まことに私はすべての菩薩の三昧の海の真理の観察の境界という菩薩の解脱〔観一切菩薩三昧境界海解脱門〕を獲得しています」

善財は問う。「聖者よ、観一切菩薩三昧境界海という菩薩の解脱の境界とはどのようなものですか」

答える。「善男子よ、私はその菩薩の解脱に到達しているので、この世界における不可説数の仏国土の微塵の数に等しい劫に悟入します。(一)それらの(劫の)間にすべての(輪廻の)境遇に属している(すべての)衆生を知り、(二)また、それらの衆生にある限りの死と生の門は、そ(のすべて)を私は知り、(三)(彼らに)ある限りの成就の門、ある限りの業の造作の完成、ある限りの業の多様な成熟、そ(のすべて)を私は知り、(四)彼らの善業の実行を知り、(五)悪(業の実行)も、出離のための(業)も、出離に資さない(業)も、(涅槃を得ることに)定まった〔正定〕(業)も、定まらない〔不定〕(業)も、悪(趣に落ちること)に定まった〔邪定〕(業)も、煩悩を伴う(業)も、煩悩のない(業)も、善根を具備した(業)も、善根を具備しない(業)も、善根に摂められる(業)も、不善根に摂められる(業)も、善根と不善根に摂められる(業)も、善法が獲得された(業の実行)も、彼らの不善法が獲得されない業の実行をも私は知ります。

そして、(一)それら不可説数の仏国土の微塵の数に等しい劫の間に出現された諸仏世尊、その方々の名号の海に私は悟入します。また、(二)それら諸仏世尊の初発心の海をも知り、(三)一切智者性に進み行く道の海をも知り、(四)すべての誓願の海の成就をも知り、(五)過去の仏の出現に進み行く海をも知り、(六)過去の仏に対する供養と奉仕の実行の海をも知り、(七)過去の菩薩行の完成の海をも知り、(八)出離の荘厳の海をも知り、(九)そして、それらの諸仏世尊による衆生の成熟と教化の海をも知り、(一〇)さとりの海をも知り、(一一)転法輪(てんぽうりん)の威力による神変をも知り、(一二)すべての仏の神変の海をも知り、(一三)そして、それら諸仏世尊の説法会(せっぽうえ)の区分をも知り、(一四)それらの説法会にいる声聞たち、彼らの(すべての)出離の道(ナヤ)をも知り、(一五)(彼らの)過去の善根をも知り、(一六)(彼らの)道(マールガ)の修習が多様であることをも知り、(一七)(彼らが)得るであろう智が(一人一人どれほど)完全であり、(どれほど)清浄であるかという区別をも知り、(一八)そして、それらの如来方によって独覚の菩提に確立された衆生が(どれほどいようと)彼らをも知り、(一九)それらの独覚たちによって過去に(積まれた)善根、それらをも知り、(二〇)それらの独覚たちによって(さとられる)個別の菩提の証悟、それらをも知り、(二一)それらの独覚たちの寂静な住処における神変の解脱門、それらをも知り、(二二)それらの独覚たちの種々の神変、それらをも知り、(二三)それらの独覚たちによる衆生の成熟、それをも知り、(二四)それらの独覚たちの説法、それをも知り、(二五)それらの独覚たちによる無限の三昧の境地における種々の解脱による遊戯(ゆげ)、それらをも知り、(二六)それらの諸仏世尊の般涅槃、それをも知ります。

(二七)(かの)諸仏世尊の菩薩の説法会の海、それらをも知り、(二八)それら(説法会にいる）菩薩たちが初めて善根を植えたことをも知り、（二九）（彼らが）初発心（で立てた）誓願をも知り、（三〇）（彼らの）誓願の相違をも知り、（三一）（彼らの）菩薩行によるすべての出離の荘厳の成就の相違をも知り、（三二）（彼らの）波羅蜜道の支分をなす（福徳と智の）清浄な資糧の相違をも知り、（三三）（彼らの）菩薩道の修行の荘厳の相違をも知り、（三四）菩薩の位〔菩薩地〕に上る資糧の相違をも知り、（三五）菩薩の位に上る勢いの相違をも知り、（三六）菩薩の位に進む三昧の輪（マンダラ）の相違をも知り、（三七）菩薩の位に上る神変をも知り、（三八）菩薩の位に上る暮らしをも知り、（三九）菩薩の位に立つことをも知り、（四〇）菩薩の位の修習と考察をも知り、（四一）菩薩の位の浄化法（ナヤ）をも知り、（四二）菩薩の位に住むことをも知り、（四三）菩薩の位の（各々の）相をも知り、（四四）菩薩の位の自在力をも知り、（四五）菩薩の位に上る智をも知り、（四六）菩薩が（衆生を）摂取する智をも知り、（四七）菩薩が（衆生を）成熟させる智をも知り、（四八）菩薩が各々別異の状態に住むことをも知り、（四九）菩薩行の輪（マンダラ）の広さをも知り、（五〇）菩薩行の神変をも知り、（五一）菩薩の三昧の海をも知り、（五二）菩薩の解脱の真理（ナヤ）の海をも知ります。（五三）そして、それらの菩薩が心の刹那（せつな）ごとに種々の三昧の海を獲得することをも知り、（五四）（彼らが）獲得している一切智者性の光輝の方法（ナヤ）をも知り、（五五）一切智者性の電光の雲をも知り、（五六）菩薩の忍辱（にんにく）の獲得方法をも知り、（五七）一切智者性に沈潜する勇猛（な智）をも知り、（五八）それらの菩薩が国土海に随順することをも知り、(五九)(彼らが)法の海の真理《ナヤ》に入ることをも知り、(六〇)衆生の海に入ることをも知り、(六一)(彼らが入る)衆生の海の種々相をも知り、(六二)(それらの)菩薩が暮らすあらゆる真理の神変をも知り、(六三)(彼らの)種々の誓願の真理の海をも知り、(六四)(彼らが現す)種々の神変の海の相違をも私は知ります。

また、善男子よ、(一)私はこの(娑婆)世界において種々様々な過去と現在の劫の海に入り、(そのすべてを知るように、)同じように、未来の果てに向かって連続的に間断なく連なる未来の劫の海をも知ります。(二)また、娑婆世界の(種々の過去、現在、未来の劫の海を)知るように、同じように私は、娑婆世界と接続し、連続的に連なるすべての世界における(種々の過去、現在、未来の劫の海を)も知り、(三)娑婆世界と接続し、連続的に連なるすべての世界における(種々の過去、現在、未来の劫の海を)知るように、同じように私は、娑婆世界の微塵の中にあって、連続的に連なるすべての世界における(種々の過去、現在、未来の劫の海を)も知り、(四)娑婆世界の微塵の中にあって、連続的に連なるすべての世界における(劫の海を)知るように、同じように私は、娑婆世界の十方に直接隣接して存立するすべての世界における(劫の海を)も知り、(五)娑婆世界の十方に直接隣接して存立するすべての世界における(劫の海を)知るように、同じように私は、娑婆世界の十方に直接隣接している(世界に)連続的に連なって存立するすべての世界における(劫の海を)も知り、㈥娑婆世界の十方に直接隣接している(世界に)連続的に連なって存立するすべての世界における(劫の海を)知るように、同じように私は、普く十方に光り輝く毘盧遮那世界系譜に属するすべての世界における(劫の海を)も知り、㈦普く十方に光り輝く毘盧遮那世界系譜に属するすべての世界における(劫の海を)知るように、同じように私は、普く十方に光り輝く毘盧遮那世界系譜の十方に直接隣接し連続的に連なって存立するすべての世界における(劫の海を)も知り、㈧普く十方に光り輝く毘盧遮那世界系譜の十方に直接隣接し連続的に連なって存立するすべての世界における(劫の海を)知るように、同じように私は、華弁や台の荘厳を飾りとするすべての世界海[2]〔華蔵荘厳世界海〕の中に含まれた世界広博[3]における(劫の海を)も知り、同じく世界安立、世界輪、世界円満、世界分別、世界河海、世界旋、世界転、世界須弥、世界成就、世界蓮華、世界草樹、世界分量、世界名号における(劫の海を)も私は知ります。

また私は、この華蔵荘厳世界海における(劫の海を)知るように、同じように、十方にあり、終りも果てもなく、法界を最高とし、虚空界を限りとするすべての世界海において、㈠毘盧遮那(世尊)が(立てられた)往昔の誓願の海をも知り、さとり、憶持していま す。㈡(その世尊がすごされた)過去世の因縁の海をもさとります。(即ち)㈢過去に成就された真理の海をもさとり、㈣周辺も中央もない劫の間、菩薩行を行なって暮らしてこられたことをもさとり、（五）（仏）国土の清浄の方法もさとり、（六）（かの世尊が）衆生を成熟する方便の方法をもさとり、（七）過去の如来方の心を安らかにし、お傍に参る神変をもさとり、（八）過去の如来方に（どのように）供養し、奉仕した（か、その）実行方法をもさとり、（九）過去の如来方の説法を受容した方法をもさとり、（一〇）過去に菩薩の三昧を獲得された方法をもさとり、（一一）（過去に菩薩の）日用品に対する自在力を獲得された方法をもさとり、（一二）過去の如来の功徳の海を実修した方法をもさとり、（一三）布施波羅蜜の方法の海をもさとり、（一四）菩薩の清浄な戒行の輪を完成する方法をもさとり、（一五）菩薩の忍辱の獲得方法をもさとり、（一六）菩薩の精進の勢いの海をもさとり、（一七）すべての禅定の支分を完成する方法の海をもさとり、（一八）智慧の輪を清浄にする方法の海をもさとり、（一九）すべての世間の生存の状態に身体の影像を示現する方便の方法をもさとり、（二〇）普賢行の誓願の輪を清浄にする方法をもさとり、（二一）すべての国土海への遍満をもさとり、（二二）すべての国土を清浄にする方法の海をもさとり、（二三）すべての如来の智の光輝の海をもさとり、（二四）すべての仏の菩提に入る神変の海をもさとり、（二五）すべての如来の智の光輝を獲得する方法をもさとり、（二六）一切智者性の証得に悟入する方法の海をもさとり、（二七）正等覚の神変の海をもさとり、（二八）転法輪の威力による遊戯の方法の海をもさとります。

(二九)種々の説法会の海をもさとり、(三〇)そして、それらすべての説法会の中にいるすべての菩薩が(植えた)過去の善根の海をもさとり、(三一)(それらの菩薩の)最初の誓願の方法の海をもさとり、(三二)(彼らが採用した)衆生の成熟と教化のための方便の方法の海をもさとり、(三三)また、(かの)世尊が過去世に菩薩行を行なったとき、成熟させた衆生の海、それらをもさとり、(三四)それらの衆生たちが心の各刹那ごとに、善根を増大する方便の方法の海をもさとり、(三五)(それらの衆生の)三昧の獲得の方法の海をもさとり、(三六)陀羅尼の門の海を獲得する方法の海をもさとり、(三七)弁才の智の輪を清浄にする方法の海をもさとり、(三八)すべての菩薩の位に上る神変を現す方法の海をもさとり、(三九)(菩薩)行(の体系の)網を成就する方法の海をもさとり、(四〇)順次に(これらの行為を)成就する方角に入る智の方法の海をもさとり、(四一)彼らのすべての(五)根、(五)力、(七)菩提の支分、(四)禅定、(八)解脱、(三)三昧、(八)等至の神変の海をも私はさとります。

　また私は毘盧遮那世尊の法界全体における菩薩行の海にも入り、知り、成就するように、同じように、すべての如来方の、十方にあり、法界を最高とし、虚空界を限りとするすべての世界海において、無区別にすべての菩薩行の海に入り、知り、成就し、同じように、すべての如来方の、十方にあり、法界を最高とし、虚空界を限りとするすべての世界海において、無区別にすべての菩薩行に入り、無限の幻の網に入り、無限の法界に遍満し、無限の門を示現し、果てしない劫の間、威神力に入って教示することに入り、知り、成就します。それは何故かと言うと、善男子よ、これこそが観一切菩薩三昧境界海という、かの菩薩の解脱の境界だからです。そして、それに到達しているので、私はすべての衆生の心の所行の真理を知り、すべての衆生の善（根）の蓄積をも知り、すべての衆生の雑染と清浄との真理をも知り、すべての衆生の種々の業をも知り、すべての声聞の三昧の門をも知り、すべての声聞の三昧の位をも知り、すべての独覚の寂静な解脱の神変にも入り、すべての菩薩の三昧の海の真理をも知り、すべての菩薩の解脱の真理の海への悟入をも知り、すべての如来の解脱の真理の海への悟入をも知るのです」

釈尊の因縁譚、威徳主太子と三十二相　そのとき、善財童子はシャカ族の女、ゴーパーにこう尋ねた。「聖者よ、あなたがこの観一切菩薩三昧境界海という菩薩の解脱を得られてからどれほどになりますか」

（ゴーパーは）答える。「善男子よ、昔、過去世に、百仏国土の微塵の数に等しい劫も以前のことですが、アバヤンカラー〔無畏〕という世界がありました。その世界にガティプラヴァラ〔勝行〕という名の劫があり、さらにその世界の中央にクシェーマーヴァティー〔安穏〕という名の四（大）州があり、その四（大）州の中のジャンブ州の中央にドゥルマ・メール・シュリー〔妙徳樹須弥〕という名の、八万四千コーティの都城の中で最高の王都がありました。さらにまた、そのドゥルマ・メール・シュリーという王都とそれら八万四千コーティの都城はどれもこれも青い瑠璃でできた地面の上に建設され、七宝でつくられた城壁によって囲まれ、種々の色の光の網をもち、清浄な芳香を漂わせる車輪の大きさをもつ青蓮華、黄蓮華、紅蓮華、白蓮華で覆われ、底は金砂が敷きつめられ、香水で満たされた七重の濠で囲まれ、(七)宝製の七重の欄楯(らんじゅん)の網と七重のターラ樹の並木で取り巻かれ、七宝製の樹木の列で囲まれ、上からは金の網で覆われ、地面には宝石の碁盤模様が種々の宝石の線によってみごとに区切られて輝き、成就者(4)の群が遊行(ゆぎょう)し、貴種の鳥の群の快い鳴き声のさえずりが響き、百千コーティもの遊園によって飾られ、富で満ちあふれ、楽しげな百千の男女の群であふれ、清浄で心地よい風に吹かれて、たえず華の雨が幾千となく降りそそぎ、王中の王が百千も居住し、さらにまた、それらの大都城にあるすべての宝樹や黄金の網の飾りなどが風によって触れ合って、多くの楽器の調べのような音を奏でて、次のような歓喜の声を響かせていました。「あなた方は沐浴をし、飲食物をとり、法を行ない、菩提心を起こし、不退転の位において自在力を獲得せよ。幸せであらんことを」と。

さて、そのドゥルマ・メール・シュリーという王都にダナパティ〔財主(ざいしゅ)〕という名の地方の領主である王がいました。彼の後宮は八万四千人の女性から成り、五百人の大臣がおり、さらにダナパティ王には五百人の王子がいました。（これらの王子たちは）すべて、勇敢で、四肢がみごとに発達し、敵軍を撃滅し、端正で、美しく、最高に清浄ですばらしい容色を具備した勇士たちでした。

さらに（その）ダナパティ王の第一の王妃は、パドマシュリー・ガルバ・サンバヴァー〔蓮華吉祥蔵〕という方で、それら八万四千の女性の中で最高の（婦人）でした。彼女にはテージョーディパティ〔威徳主〕という容姿が優れ、端正で、美しく、大丈夫のもつ三十二相で身体が飾られている太子がいました。その（太子）は、以下のような大丈夫のもつ三十二相を具えていました。即ち、㈠威徳主太子は、足が大変安定していました。（足を上げるときは）両足の裏を大地に対して平らに上げ、（下ろすときも）平らに下ろし、下ろす際には両足の裏全体で平らに大地に触れました。㈡彼の両足の裏には千本の輻を具え、軸もあり、大輪の縁のついた、あらゆる様相で完全で、光り輝き、見て快い輪（の文様）がありました。㈢彼には足の甲が盛り上がっている（という相）もありました。足の表面の肌はよく輝き、最高に美しく、華の台よりもはるかに光り輝いていました。㈣彼の両掌や両足の裏は水掻きを具えていて、色とりどりで、整然と区分され、穴があいていないので、水が漏れることがないのは、あたかもドリタ・ラーシュトラというハンサの王の（水掻きの）ようでした。㈤彼には足の踵が長い（という相も）ありました。

(その踵は)清浄で光り輝き、あらゆる宝石の色の輝きを放っていました。(六)彼の指は長くて丸く、関節は平らで長く、彼はそれら(の足指)を平らに地につけ、(地面から平らに)上げました。(七)彼の掌や足の裏は柔らかで、カーチリンディカ[5]よりもはるかに触れて心地よいものでした。彼がそれらで触れると、男でも女でも童子でも童女でも、彼らはすべて心が満ち足り、最高の安らぎと歓喜に包まれました。(八)彼には黒羚羊のような脛(という相)もありました。彼の脛は先細りにすらりと伸び、美しく、丸く、形がよく、鹿の王である黒羚羊の(脛の)ようであり、誰一人としてか(の太子)に追いすがったり、追いついたりできる者はいないし、また彼は(どれほど)歩いても、疲労することはありませんでした。

(九)さらにかの威徳主太子は七つの隆起を具えていました。彼の両足には二つの隆起が生じていました。(それらは)丸く美しく、まったく完全で、膝は見えず、大変形がよく、見て快いものでした。両手に二つ(の隆起)、両肩の背後に二つ、首に一つ、(都合七個ありました)。(一〇)彼には、陰部が内部に隠されているという大丈夫の相がありました。彼の内部に隠された陰部はよく保護され、内にもぐりこみ、普く覆われていて、あたかも貴種の象や血統の良い馬のそれのようでした。男も女も、童子も童女も、老人も中年の者も若者も、師も内弟子も、たとえ衣をつけていなくても、それを見たことは

310

ありません。ただし、自己享楽か、たまたま、愛欲が積った場合は別でした。

(一一)さらに、その威徳主太子は獅子のような上半身をしていました。(彼の)身体は上部が次第に太くなり、広く張って厚い胸をし、体軀は貴種の鹿王よりもはるかによく整っていました。(一二)さらに彼の両肩の間は盛り上がり、身体は大変よく張り、体軀はみごとに均整がとれていて、身体の各部分はすべて等しく配分され、四肢に欠ける所なく、体形は反り返りもせず、前屈みにもならず、身体は輝く宝石の板よりもはるかに光輝を発していました。(一三)さらにまた、(彼は)円い肩を具えていました。彼の両肩はともに円く、盛り上がり、美しく、よく発達していました。(一四)さらにまた、彼は両腕が(長く)垂れ下がっているという大丈夫の相を得ていました。彼は屈むことなく、身体を直立していても、両手がともに膝頭に触れ、さわりました。(一五)さらにまた、彼は体形が高くて真直ぐであるという大丈夫の相を得ていました。(彼の)身体はすべての様相で優れたものを具えた最高のものに等しく、身体は柔らかく、重く、明るく、喜びを与えるものでした。

(一六)さらにまた、彼は法螺貝(ほらがい)の(ように三条のひだのある)首という大丈夫の相を得ていました。短くない首をもち、彼ののどの近くと口の近くにある限りの味覚を伝達する器官、それらはすべて等しく、普くよく行き渡っていました。(一七)さらにまた、彼は獅子のようなあごという大丈夫の相を得ていました。即ち、あごは固く、顔の輪郭は大変円く、美しくて清浄であり、口は大変長く、しっかりと結ばれていました。(一八)さらにまた、彼は等しい四十本の歯をもつという大丈夫の相を得ていました。即ち、歯は欠けておらず、彼が何か食物を食べるときは、口中の食物はただ一回噛んだだけで、一粒の米でさえも区別できないほどに噛み砕かれました。(一九)さらにまた、彼は歯が隙間なく続き不揃いでないという大丈夫の相を得ていました。即ち、彼の歯は隙間なく生え、不揃いでなく、切れ目なく連なり、等しく、大変歯並びがよく、彼がそれら(の歯)で食物を食べているとき、(食滓(たべかす)の)付着もなく、付着で妨げられた歯もなく、化膿も潰瘍も隙間につまることも(隙間から)噴き出すこともありませんでした。(二〇)さらにまた、歯が揃っているという大丈夫の相を得ていました。即ち、歯は揃っており、不足の歯もなく、余分の歯もなく、出歯もなく、曲った歯もなく、折れた歯もなく、端と真中が等しい歯であり、失われた歯もなく、割れた歯もありません。そして、太子の糸切り歯は純白で、汚れがなく、よく輝き、まことに清らかであり、大変しっかりと生え、美しいものでした。

(二一)さらにまた、舌が大変長いという大丈夫の相を得ていました。即ち、彼の舌は(大変)長く、薄く、柔軟で、大変しなやかで、滑らかに動き、愛らしく、軽やかに回転し、顔の輪郭を覆い隠し、真実で適切な意味を伝える字音や語句や解説を説く威神力を具えていました。(三二)かの太子は妙なる音声〔梵音声〕を具えていました。即ち、音声は非常に快く、すべての楽器の調べや歌声や演奏の音色のように快い音声で話し語りかける言葉の行為によって語られる方で、言語道の喜びを生じ、すべての世間の人々を喜ばせる言葉を話しました。梵(音)を凌駕する音声によって説法会を圧倒し、すべてに鳴り渡りました。

(三三)その太子は紺青色の眼を具えていました。即ち、眼は澄み、清浄で、清く輝き、明るく輝き、美しく、見て快く、大変魅力的で、笑みを浮かべていました。(三四)その太子は牛のような睫毛を具えていました。即ち、眼の器官は赤蓮華色の紅玉のように大変清浄であり、眼は等しく、まったく類似し、美しく、切れ長で、円く大きく、しっかりとしていました。(三五)彼の眉間には(白)毫毛が生えていました。柔らかく、柔軟で、繊細で、綿のような手触りで、透明で、清浄で、清く輝き、雪の塊のように雪の色をし、純白の光線の輪のように光り輝いていました。(三六)彼の頭には肉髻がありました。美しく、どちらから見ても円く、中央が窪んだ髪の飾りをもち、百千コーティの花びらをもつ宝石の蓮華のように見え、周辺から均等に置かれ、無量の大きな価値のあるすばらしい髻を具えていました。

(二七)その太子はきめ細かな肌を具えていました。彼の身体には塵も垢も膿も、網目もしわもたるみも、縮みも伸びもゆるみもなく、張りつめていました。(二八)かの太子は黄金色の肌を具えていました。ジャンブ河産の黄金のようであり、周りに一尋の円光を放ち、黄金のような一塊の焔の光の輪(マンダラ)によって美しく飾られ、すべての毛孔から放たれた芳香の光線によって身体の飾りは明るく光り輝いていました。

(二九)その太子の毛髪は一本ずつ生えていました。一本ずつの毛が各々の毛孔に生え、青い瑠璃の色をして、右まわりに渦を巻く螺旋(らせん)を生じ、よく集められ、深く根づき、しっかりと生えていました。(三〇)また、その太子の身毛は上向きに生えていました。毛は逆向きにもならず、下向きにもならず、もつれることもありませんでした。(三一)この太子はインドラニーラ色の毛髪をもつという大丈夫の相を得ていました。即ち、彼の毛髪は青く、毘盧遮那という摩尼宝石の青色に等しく、滑らかで、柔らかく、よく巻き縮み、右まわりに渦を巻く螺旋をもち、(毛)根もよく育ち、逆立っておらず、ふんわりとまとまり、乱れておらず、均等で適当な場所に生えていました。

(三二)さらにまた、かの威徳主太子は榕樹(ようじゅ)のように円いという大丈夫の相を得ていました。即ち、どこから見てもめでたい円形をし、普く美しく、普く端麗でした。彼は前から見ても飽きることのない美しい姿をし、後ろから見ても、左右から見ても、動いていても、立っていても、座っていても、横になっていても、話していても、黙っていても見飽きることがなく、魅力的で、美しい姿をしていました。

善男子よ、かの威徳主太子はこれら大丈夫の三十二相によって身体が飾られており、容姿はすべての衆生に不快感をもたらすことなく、すべての（衆生の）願いを叶える姿をし、すべての衆生に喜びをもたらす姿をしていました。

ゴーパーの因縁譚、具足妙徳の恋物語　そこで善男子よ、かの威徳主太子はあるとき、父王の許しを受けると、ドゥルマ・メール・シュリー王都から、ガンダーンクラ・プラバメーガ〔香芽雲峰〕という遊園へ（出かけました）。その美しい場所を見物するために、二万人の娘とともに、福徳の光輝の威力によって現された幸運の神変の荘厳とともに、男女の群に四方から祝福されながら、ジャンブ河産の黄金でつくられた馬車に乗って出かけました。

（その馬車は）大きな金剛宝石の四輪を具え、ナーラーヤナ神の金剛杵(こんごうしょ)でできた固くて壊れない車軸をもち、最上の栴檀(せんだん)でつくり上げられた轅(ながえ)が各々固定され、車体はあらゆる香料の摩尼王によって美しく装飾され、荘厳はあらゆる宝石の非常に美しい色とりどりの華できらめき、あらゆる宝石の網がかけめぐらされており、大きな摩尼宝石の王で装飾された（車）内の中央に獅子座がしつらえられていました。（また、その馬車につけられた）黄金の線でできた紐を五百人の娘たちが手にもち、疾(はや)きこと、虚空で何物にも妨げられることなく（吹く）風と等しい血統のよい千頭の馬がつながれていました。（その馬車の上に）かけられた大きな宝石の傘蓋(さんがい)は、先が次第に細くなり、見て美しく、覆いは白い瑠璃摩尼王でできており、無垢で無量の光を放ち、不可思議で希有なあらゆる宝石を配列した線で描かれた模様があらゆる様相の荘厳できらめき、青瑠璃摩尼王の柄が（天高く）掲げられていて、幾百千もの命ある者に囲まれて天上の甘く楽しい調べを発する百千の楽器が奏でられ、大きな華の雲から（華の雨が）降り、百千ニユタ個の香りのよい天上の香料の香炉がたかれている中を（出かけました）。

彼がこのように進んで参りますと、八条の車道から成る（大）通りが建設されていました。（その大通りは）高低もなく、小石や砂利の堆積もなく、金銀やすべての宝石の王の地層が積み重ねられた地面を地盤とし、金の砂が撒かれており、色とりどりの宝石の華が撒き敷かれ、（道の）両側は宝石の並木で飾られ、色とりどりの宝石の欄楯で囲まれており、上からは宝石の小さな鈴の網がかけられ、様々な宝石の天幕で飾られ、幾百千もの垂れ下がってきらめく宝石の幢(はた)や幡(のぼり)や垂れ幕で荘厳(しょうごん)されていました。（また）両側には美しく飾られた種々の宝石の高楼の列が配置されていました。その中で、（一）幾つかの宝石の高楼には種々の宝石で満たされた宝石の器が、（宝石を）求める人の群に施すために置かれていました。㈡幾つかの高楼にはあらゆる種類の宝石の飾りが、装飾品を乞い求める人々を飾るために置かれ、㈢幾つかの高楼にはすべての衆生のあらゆる願いを叶えるために如意摩尼宝石が置かれ、㈣幾つかの高楼には、欲しがる人に欲しがるものを施すために、あらゆる形の種々の食物、飲物、香辛料で満たされた器が置かれ、㈤幾つかの高楼には、あらゆる形の最高に美味で楽しい色、香り、味、感触をした天上の種々の食物が置かれ、㈥幾つかの高楼には、色々の味覚や風味のある天上のあらゆる種類の果実が置かれ、㈦幾つかの高楼には、衣を欲する人々が望みのままに使用できるように、様々な光沢のあるとりどりの色に染めあげられ、線の配置で輝く様々な模様があり、最高に価値のある、織目が細かく、柔らかで美しい色をした百千コーティの天上の衣が置かれ、㈧幾つかの高楼には塗香を塗ろうと欲する人々が望みのままに使用できるように、あらゆる形の多種類の心を喜ばせる天上の色と香りをしたあらゆる種類の香料が置かれ、㈨幾つかの高楼には衆生が願いや望みのままに使用できるように、あらゆる家具が山と積まれ、㈩幾つかの高楼には美貌で、気立てもよく、魅力的で、それぞれがそれぞれに愛らしい容姿をし、種々の美しい衣裳を身にまとい、あらゆる装身具で美しく身を飾り、種々の塗香を分けて塗ることによって飾り立てられ、美しく輝く身体をもち、女性としての教養にも幻術にも技芸の方法にも通暁している女性たちが住んでいました。

ところでその当時、まさにそのドゥルマ・メール・シュリー王都に、スダルシャナー〔善現〕という名の、王の寵愛にふさわしい最高の遊女がいました。彼女にはスチャリタ・ラティ・プラバーサ・シュリー〔愛の光輝の栄光がよく輝き渡る、具足妙徳〕という娘がいました。（その娘は）美貌で、気立てもよく、魅力的で、背が高すぎも低すぎもせず、太りすぎもやせすぎもせず、色が白すぎも黒すぎもせず、瞳は紺青色で、紺青色の髪をもち、好ましい口をし、妙なる音声〔梵音〕をもち、柔らかく聞いて快い話術を心得、知的で、（六十四の）技芸すべての実際によく通暁し、すべての論書を究め、聡明で活発で、気品高く、信仰厚く、慈悲深く、憎むことを知らず、見飽きることのない魅惑的な姿をし、貪欲、瞋恚、愚痴が少なく、羞恥心〔慚〕やつつましさ〔愧〕を具え、温和で、誠実で、欺くことなく、惑わすこともなく、躾のよい（娘でした）。

その娘は母とともに多くの娘に囲遶されて、宝石の馬車に乗って、ドゥルマ・メール・シュリー王都から出て、王の命令に従って威徳主太子よりも前に、進み行き、威徳主太子を探し求めていましたが、威徳主太子にお目にかかると、激しい恋心を起こしました。娘は極度に募る愛に駆られて、心を抑えることができずに、母のスダルシャナーにこう語りました。「母上、御理解下さい。もし私を威徳主太子に差し上げて下さらないならば、私は死ぬか、死ぬほどの苦しみを受けるでしょう」

（スダルシャナーは）言いました。「娘よ、そのような気持ちを起こしてはいけません。この太子様は転輪聖王（てんりんじょうおう）の相（そう）（好（ごう））を具えておいでですので、この方は父君のダナパティ王がお隠れになれば、転輪聖王の王国に住まわれ、転輪聖王になられることでしょう。だから、このお方には天空を行く女宝が現れるでしょう。それにひきかえ、娘よ、私たちは遊女にすぎません。私たちは世間のすべての人々に快楽を与えますが、（遊女の）定めとして、一人の衆生に一生の間お仕えすることはないのです。私たちはダナパティ王の命令で威徳主太子を表敬するために出て来たのです。だから、そのような気持ちを募らせてはいけません。そんな可能性は得難いことです」

丁度そのとき、スーリヤ・ガートラ・プラヴァラ〔勝日身〕という名の如来・応供・正等覚がこの世に出現されました。（その如来は）明行足・善逝・世間解・無上士・調御丈夫・天人師・仏・世尊でした。さらに、かの香芽雲峰遊園に隣接してダルマ・メーゴードガタ・プラバーサ〔法雲光明〕という名の菩提道場があり、そこでかの尊い勝日身如来はさとりを開いて最初の七日間をすごされました。馬車に乗ってうたた寝していたかの娘が、その（如来）に夢の中でお目にかかりました。目覚めた（娘）に昔の親類縁者である女神が（こう）告げました。「娘よ、この勝日身如来は法雲光明という菩提道場でさとりをひらいてから七日間、菩薩の集団に囲遶され、神々、龍、ヤクシャ、ガンダルヴァ、アスラ、ガルダ、キンナラ、マホーラガ、神々の王インドラ神、梵天（ぼんてん）、光明神、色究竟（しきくきょう）天神（てんじん）の集団によって付き添われてすごされます。またその同じ所に、すべての地神が参集し、虚空神、水神、火神、風神、海神、河神、山神、夜神、黎明神、森林神、樹木神、薬(草)神、穀物神、都城神、動物神、道場神、身体の光明の神、衆生衆神、天空神、すべての(十)方神たちも、かの勝日身如来世尊にまみえるために参集しています」

その(娘)はそこで、(夢で)如来にまみえ、如来の功徳をお聞きしたので、畏怖心がなくなり、機会を捉えると、威徳主太子の面前で、そのとき、次の詩頌をうたいました。

私は容姿のすばらしさでは、世間で卓越しており、美徳の点であらゆる方角において知れ渡り、知力の点で私に対等の者はおりません。すべての技芸や愛や幻術の方法にも通暁しています。 (一)

愛欲の心によって私を見つめる幾百千の多数の人々がおりますが、太子よ、私の心は世の中のどなたをも恋慕しません。 (二)

私にはどの人にも嫌悪の心がなく、どの人にも愛着しません。私にはどなたに対しても恨みはなく、瞋恚もなく、私の心は衆生の利益（りやく）を喜びといたします。 (三)

太子よ、容姿も力もきわだって優れ、美徳を具備されたあなたに私がまみえたとき、

そのとき(私の)すべての感官は喜びを感じ、私に広大な歓喜が生じました。(四)
(あなたの肌の)美しい色は清浄な毘盧遮那宝石〔光明宝〕にも似て、あなたの紺青色の髪は美しく渦巻き、(その)額の眉は形よく、鼻も美しい。私はあなたにこの身を捧げます。(五)
(あなたは)優れた相(好)を具え、美しく輝き、御姿は黄金でできた山のようです。あなたの御前に出ると、私は輝きを失い、黒ずみ、煤を塗った像のようになります。(六)
紺青色で大きく切れ長の眼をもたれ、端正な御顔は円満で、獅子の頰をもち、あなたの言葉は妨げられることがありません。声のすばらしくよい方よ、私を受け入れて下さい。(七)
あなたの口にある舌は長く、赤く、薄く、大きく、宝石の輝きをもっています。きわだって美妙な音色の音声を具えられるあなたは語りかけると、世間の人々を喜ばせます。(八)
あなたの口の歯は隙間なく並び、法螺貝のようで、汚れなく、よく輝き、それらを示しながら笑われて、あなたは人々を喜ばせます。人々の中の勇士よ。(九)
あなたの身体は三十二相で美しく、光り輝いて、清浄です。美しい御姿がそれらに

よって飾り立てられて、あなたは車輪の保持者（転輪王）になられます。人々の中の王よ。（一〇）

そのとき、威徳主太子は具足妙徳という娘にこう言いました。「娘よ、あなたは誰のものか。あなたの保護者は誰か。娘よ、他人のものになった女性に執心することは、私のなすところではない」

彼はそのとき、これらの詩頌を述べました。

容姿の美しさに恵まれた見目麗しき娘よ、すばらしい資質を具え、福徳で清められた身体の持主よ、私があなたに尋ねるこのことを私に答えなさい。優れた肢体の娘よ、あなたは誰のものなのかを。（一一）

あなたには父か母がいるかを。夫か主人か所有者がいるかを。また、姿やさしき者よ、あなたを私のものだ、と思う他の衆生がいるか否かを。（一二）

あなたの心が（人を）傷つけることを楽しむことはないか、他の人々が与えもしないものを盗みはしないか、よこしまな淫行をあなたが楽しむことはないか、あなたの心が虚言をつくことにふけりはしないかを。（一三）

あなたの知恵が友人の間を引き裂くことをもくろまないか、致命的に人を傷つける言葉を述べることはないか、（所有主が）いないからとて、（その）財産を欲求することはないか、人々に対して悪意の心をいだくことはないかを。（一四）

謬見の荒野の道に入りはしないか、業の相続を無視する心はないか、奸詐の力に追随するごまかし屋ではないか、あなたが邪悪（な行ないをすること）によって世間の人々を苦しめはしないかを。（一五）

父母、親族、友人、師に対してあなたは愛と尊敬の念をいだいているか、貧窮に陥った人々を愛護するために、あなたの心は施与することに専念するかを。（一六）

さらにまた、法に従って、適時にあなたに説き、身体の健康や精神の柔軟性を正しくあなたの中に育ててくれる善知識に対して愛情をいだくかを。（一七）

あなたには諸仏に対して尊崇の念があるか、あるいは仏子たちに対する激しい愛情があるか、善逝の子がそこから生まれでるかの至上の法を、あなたは知っているかを。（一八）

あなたは最高の法の系譜の中にとどまるか、あなたには非法を行なおうとする考えはないか、また無限の賞讃に価する功徳の海（である僧）に対して、あなたは最高の愛情と尊敬の念をいだいているかを。（一九）

寄る辺なく指導者のいない人々に、あなたは慈愛の心をいだくか、悪趣に導く業に

ふけって激しい苦悩に陥った人々にあなたは(大)悲の心をいだくかを。　(二〇)

他人が最高の完成を得るのを見て、あなたは最高の満足を覚えるか、煩悩から自立できない人々に対して、智慧の力よりして平等の心をあなたは起こすかを。(二一)

無知の眠りに陥っている多くの人々を見て、あなたは不動の至上の菩提を求めるか、無限の劫の間、行をなし続けても、あなたは求めることによって倦み疲れることがないかを。　(二二)

そのとき、具足妙徳の母である最高の遊女スダルシャナーは威徳主太子にこう言いました。「太子よ、これは私の娘で、蓮華の台の中に生まれた化生(けしょう)のものです。未だかつて家から外に出たことはありません」

そしてそのとき、(スダルシャナーは)これらの詩頌を述べました。

太子よ、私が説明いたしますので、お聞き下さい。あなたがこの娘に尋ねられたことを、私が初めから順を追ってあなたに申しましょう。この娘がどのように生まれ、そして育ったかを。やさしき方よ。　(二三)

あなたがお生まれになった夜明けに、その同じ(夜明け)に私のこの娘も生まれました。無垢の蓮華の台の中にひとりでに生まれ、五体満足でとても大きな眼をした

（この娘が）。

季節の中でも一番よい春、穀物や薬草の芽がことごとく萌え出た頃、サーラプラバ〔沙羅園〕という美しい私の遊園に、久しぶりに私は出かけました。（二四）

（木々の）枝先には色とりどりの芽が芽ばえ、樹木は華をつけ、（華の）色は瑞雲〔慶雲〕のようで、木立ちの中ではいろいろの鳥がさえずる、（そういう）森の中で私は憂いもなく楽しく憩いました。（二五）

私は八百人の娘たちを伴っていました。（その娘たちは）飾りをつけ、大変魅力的で、色とりどりの宝石の衣裳をまとい、歌唱にも演奏にも大変熟達していました。（二六）

種々の芳香を放つドヴァジャ・プンダリーカ〔蓮華幢〕という池のほとりに、私は座っておりました。地面には花びらが散り敷かれ、しとやかな娘たちの群に満ちていました。（二七）

そのとき、その（池の）水の真中に千葉の華弁をもつ最高の宝石の蓮華が出現しました。茎は瑠璃でき、華弁は摩尼王ででき、華芯〔台〕は清らかなジャンブ河産の黄金でできていました。（二八）

非常によい香りのする最上の宝石の華糸が多くあり、（その蓮華の）大きな光輝がジ

ヤンブ州に広がりました。そのとき、そこにいた人々の群は、夜中に太陽が昇ったのか、といぶかりました。（三〇）

夜が明けますと、太陽の光によって華を開くこの大きな太陽の王（である蓮華）から光輝と妙なる音響が放たれました。それがこの（娘の）誕生の前兆でした。（三一）

実に、この女宝がこの人の世に出現したのです、最高の清らかな資質を具えて。またことに、つくられた業が（報われずに）なくなることはありません。これは（この娘が）過去世においてなした善業の果報です。（三二）

紺青色の髪をし、青蓮華のように青い円（つぶ）らな瞳をもち、妙なる声〔梵音〕に恵まれ、（肌は）黄金のように清らかな色をし、華鬘や飾りをつけ、美しく装い、吉祥天女（シュリー）のように無垢の光明を放ち、蓮華の中から生まれました。（三三）

四肢は清らかで、身体の各部は（左右が）等しく、五体満足で、均整が大変よくとれており、摩尼で磨かれた黄金の像のように、あらゆる方角に光輝を放って輝いていました。（三四）

梅檀の王の香料の香りが彼女の身体から生じて、あらゆる方角に広がって、香っておりました。また、天上の妙なる音声を発するとき、彼女は口から青蓮華のような香りを漂わせます。（三五）

彼女が笑い声をあげたとき、天上の楽器の音(のような快い声)が響きます。まことに、この女宝がこの世に生まれたのです。凡俗な(男)の支配に服する(ような娘で)はありません。(三六)

まことに、この人の世でこの娘の夫となれる人はあなたを除いて外にはおりません。ですから、よい相(好)に飾られた美しい容姿のあなたが、この娘をお受け下さいますように。(三七)

この娘は背が低すぎも高すぎもしません。太りすぎてもやせすぎてもいません。腹部は弓のようにくびれ、乳房も豊かです。非の打ち所のない四肢に恵まれたこの娘こそあなたにお似合いです。(三八)

こ(の娘)は、計算や書き方といった知的手段に、同じように、印の結び方や学術体系にも通暁し、すべての世界にある限りの教養、そのすべてを究めております。(三九)

弓矢の道においても充分に技を磨いており、衆生たちの議論を正しく裁決し、魅力で惹きつけることや敵の心を和らげること、すべてのことにおいてこの娘は最高の奥儀を究めています。(四〇)

こ(の娘)は、至上で清浄な宝石の身体全体から発する光の輪によって輝き、過去に

行なった自分の福徳で美しく飾られております。この娘はあなたにふさわしい侍女です。（四一）

この人の世にあるどのような病でも、それらの治療法に明るく、またそれらの根治の達成や薬の正しい処方にも大変優れております。（四二）

ジャンブ州において人々の(用いる)すべての異なる言葉《マントラ》や語義解釈のことごとく、あらゆる所における様々な世間の言語表現や連声法《れんじょうほう》に関しても、こ(の娘)は蘊奥《うんのう》を究めています。（四三）

優れた音色の発声法が(多く)ありますが、それらの種々の方法に熟達しており、世間における歌唱や舞踊のすべてにも大変よく通暁しております。（四四）

こ(の娘)は楽器や打楽器や恋愛劇、喜劇、舞踊劇にも巧みであり、男が思いを寄せているか否かをよく知り、愛着も、嫌悪もいたしません。（四五）

この世において女性の美質として賞讃されるもの、それらを余す所なく知り、女性の量り知れぬ欠点、それらは(この娘には)一つとしてありません。（四六）

じっと見つめたり、そっと見つめたり、手足を与えたり、手足を示したり、すべての技芸の蘊奥を究めており、あなたの願いを満たしてくれる娘です。（四七）

こ(の娘)は羨望することなく、嫉妬することもなく、愛欲を貪ることもなく、邪悪を欲求することもありません。やさしく、誠実で、穏やかで、暖かで、怒ることもなく、荒々しく(罵ること)もなく、賢明です。　(四八)

性格は勤勉で、言葉は聞いて快く、常に師の心に適い、尊敬心が厚く、善を求め、(あなたと)同じ行ないをする点でも、こ(の娘)はあなたにふさわしい(娘です)。　(四九)

老いたる人々、衰えた人々、病にかかった人々、貧窮に陥った人々、とても苦しんでいる人々、眼を失った人々、庇護者のいない人々に対して、この娘はいつでも慈悲の雲を生じます。　(五〇)

この娘は常に他の人々が利益を得るように心を配り、自分の利得を考えることはありません。世間全体の利得を願う者であり、広大な心の功徳によって美しく飾られています。　(五一)

立っていても座っていても、寝ていても歩いていても、黙していても話していても、ほほえんだだけでも、常に放逸でなく、注意深く、思慮深い(ので)、こ(の娘)はいつも世間の人々に愛されています。　(五二)

福徳を具える(この娘)は十方を隈なく明るくし、人々に常に愛を吹きこむ者です。こ(の娘)を見て飽きることはありません。しかし、こ(の娘)は世間の何ものにも執着しておりません。

こ(の娘)は善知識に尊敬の念をいだき、彼らにお会いすることを常に熱望しています。遠い(未来)を予見して悪(行)を行なわず、心は須弥山のように堅く清らかです。(五三)

こ(の娘)はよい福徳で常に普く身を飾り、敵はどこにもおりません。知識についてもこ(の娘)に匹敵する娘はおりません。太子よ、こ(の娘)はあなたにふさわしい者です。(五四)

(五五)

そのとき、威徳主太子は、遊園に入って、具足妙徳という娘の母で、最高の遊女であるスダルシャナーの面前で、その娘にこう言いました。「娘よ、私は無上正等覚に進み出ている。だから、私は一切智者になるために無量の(福徳と智の)資糧を獲得しなければならない。(一)周辺も中央もない(数限りない)劫の間、菩薩行を行なって、(私は)すべての波羅蜜を清浄にしなければならない。(二)未来の果ての劫の間、如来方に供養しなければならない。(三)すべての仏の教えを護持しなければならない。(四)すべての仏国土を清浄にしなければならない。(五)すべての如来の系譜を断絶しないようにしなければならない。(六)すべての衆生の系譜を成熟させなければならない。(七)すべての衆生の輪廻の苦しみを除いてやらなければならない。(八)絶対的な幸福(の境地)に衆生を安住させなければならない。(九)すべての衆生の智の眼を澄明にしなければならない。(一〇)すべての仏と菩薩によって到達された所に向けて専念しなければならない。(一一)すべての菩薩との平等性を確立しなければならない。(一二)すべての菩薩の境位(菩薩地)を成就しなければならない。(一三)すべての衆生界を清浄にしなければならない。(一四)すべての衆生の貧困を除くために自分の所有物をすべて捨てなければならない。(一五)未来の果ての劫の間、布施波羅蜜を行なって、(私は)飲食物の布施によって衆生を満足させなければならない。(一六)生活に必要なすべてのものを(喜)捨して、(それらを)乞い求める人々の群をすべて満足させなければならない。(このように)自分の全所有物の(喜)捨を行なっているから、そういう私には、そのとき(喜)捨してならないものは内にも外にも何一つない。それゆえに私は息子も娘も妻も施与すべきであるし、眼も頭も、手足などの身体の大きな部分も、(耳などの)小さな部分も、すべてを(喜)捨すべきなのである。そのとき、あなたは他の人々に施しをする私の布施の妨げとなるであろう。いとしい息子たちが(喜)捨されたとき、あなたは喜ばないであろう。多くの身心の苦しみをなめるであろう。私に自分の所有物をすべて(喜)捨しようという心が起こったとき、あなたは物惜しみの心を起こすであろう。私が(手足などの)大きな部分も、(耳などの)小さな部分も切断して、懇望する人々に（喜）捨するとき、あなたは苦しみ悲しむであろう。私があなたを捨てて、如来の教えに従って出家するときも来るであろうが、そのとき、あなたは喜ばないであろう」

そこでそのとき、威徳主太子は、その娘に（次のように）詩頌で語りました。

菩提に必要な無量の（福徳と智の）資糧の大海を私は満たさなければならない。そのためにすべての世の衆生に対して慈しみをいだいて、私は大変長い間、菩提に向かって進んできた。（五六）

周辺も中央もない虚空のように無量の劫の海の間、（私は）誓願を清浄にしなければならず、無限の劫をかけて、如来方がおられる場を清浄に整えなければならない。（五七）

私は（過去、現在、未来の）三世におられる勝者方の波羅蜜の道を学び、無上の智の大いなる真理によって、最高の菩提への道を清浄にしなければならない。（五八）

私はあらゆる方位にある汚れたすべての国土をことごとく清浄にしなければならず、すべての世間にあるすべての不遇な境遇やすべての不幸な境遇を私は絶滅しなければならない。（五九）

煩悩に覆われ、愚痴の闇黒によって盲目となったすべての衆生を残らず清浄にしなければならず、種々の方便によって成熟させて、一切智者性への道の真理に入れなければならない。　　　　　　　　　　　　　　　　　　　　　　　　　　　　　（六〇）

私は障礙（しょうげ）のない位を清浄にしなければならず、劫の海の間、勝者方を供養し続けなければならない。残りなきすべての世の衆生に慈しみの心を起こして、世間において施物をすべて施与しなければならない。　　　　　　　　　　　　　　　（六一）

常にすべての施与を喜びとする私の下に集まって来た物乞いたちを見て、そのとき、あなたは私と同じ気持ちにならずに、気が遠くなったり、煩悶したり、物惜しみするようなことがあってはならない。　　　　　　　　　　　　　　　　　　（六二）

私の頭を求める者が来るのを見て、私が広大な賢者の（菩薩）行を喜ぶとき、そのとき、あなたは激しい苦しみにさいなまれるであろう。このことを聞いて、あなたは確固たる信念を固めなさい。　　　　　　　　　　　　　　　　　　　　　　（六三）

私が手足を断ち切るのを見て、あなたは悲嘆にくれ、あなたは（かよわき）女だから、苦悶の叫びをあげ、乞い求める人々を罵るであろう。このことを聞いて、よくよく考えなさい。　　　　　　　　　　　　　　　　　　　　　　　　　　　　（六四）

私は、大切なものも、同じく息子も、あなたさえも、乞い求める者がいるならば与えるであろう。このことを聞いてもしあなたが絶望に陥らなければ、すべてはあな

たが望むとおりとなろう。（六五）

このように言われて、具足妙徳は、威徳主太子にこう言いました。「太子様、あなたがおっしゃるとおりでありますように。私は、あなたの思いのままになる者、欲するままにあなたが享受する者、あなたが望む所に行く者、あらゆる所へどこまでもついて行く者、常に後ろに従ってお仕えする者、すべてのなすべきことに専念し、御意向に適うようにお仕えし、正しく努力し、正しい実践法でお仕えするでありましょう」

そこで具足妙徳は、威徳主太子に詩頌で申し上げました。

たとえ私のこの身は地獄の火に焼かれて消失するようなことがありましょうとも、あなたと行動をともにする召使である私は、輪廻の生存の荒海をも喜んで耐えましょう。（六六）

無限の輪廻の生存において生まれ代わるたびごとに、たとえ私の身体が限りなく切り裂かれましょうとも、私は堅く強い心で、喜んでそれに耐えます。清らかな姿の方よ、あなたは私の夫になって下さい。（六七）

無限の劫の間、たとえ鉄囲山（てっちせん）が私の頭を粉砕し続けたとしても、心に倦むことなく、私は喜んでそれに耐えます。思いも及ばないほど善い方よ、あなたは私の主人になって下さい。

無量の生存の間、あなたは手足や肉を切りとって、他の人々にお与え下さい。私の心を自在に支配して、私を御自分の法にしっかりと立たせて下さい。　（六八）

人間の天子よ、私はこの身をあなたにすべて捧げます。劫の大海の間、なすべきことをなさりながら、あなたは乞い求める人々に私をお与え下さい。（私は）喜んで（参りましょう）。　（六九）

衆生に無限の慈しみを起こし、すべての衆生の荒海を摂取するために、崇高で至上の菩提に向かってあなたは出でたたれました。ですから、慈愛の心で私をも摂取して下さい。　（七〇）

（物質的な）享楽のために、財物のために、愛欲の行ないの快楽を生じるために、私は至上の衆生（であるあなた）を主人にしたいのではありません。そうではなくて、あなたと同じ行ないをするためにあなたを（欲する）のです。　（七一）

清らかで紺青の瞳をもち、慈しみの心を具えたあなたは、すべての世界をありのままに御覧になります。貪りの心がなく、（すべてのものに）慈悲の心をそそぐあなたは、疑いもなく、牟尼（むに）の王（である御仏）となられましょう。　（七二）

あなたが歩まれ進まれることから、この大地は汚れがなく宝石の輝きを放つように

なります。ですから、あなたが人の世で善い(三十二)相に飾られた転輪(聖)王となられることは疑いありません。（七四）

夜、私は夢の中で、樹木の王(である菩提樹)の下で、法雲光明という菩提道場において、善逝が多くの仏子たちにかしずかれて座っておられるのを見ました。（七五）

ジャンブ河産の黄金の輝く大きな山にも似た、かの勝日身という勝者の王に夢の中で今日(お会いすると)、か(の御仏)は御手で私の頭をなでて下さいました。そこで、私は目覚めて歓喜に包まれました。（七六）

ラティプラバー〔喜光明〕という名の、清浄な身体をもつ、かつて親族であった女神が、私に「この如来はこのすばらしい菩提道場に上られた」と告げました。（七七）

今まで私は、威徳主太子にお会いしたい、とこのように思い続けて参りました。(かの)女神は昨夜、真夜中に「あなたは太子にお会いすることでしょう」と私に告げました。（七八）

私は今日夢の中で善逝にお目にかかり、まったく清浄な衆生であるあなたにお会いできました。願いが叶えられましたので、私はあなたとともに、今日、かの牟尼の王に供養するでありましょう。（七九）

そこで、威徳主太子は勝日身如来の御名をお聞きし、御仏にお会いする機会を得ましたので、大きな歓喜と浄信の衝動を生じ、具足妙徳に五百個の摩尼宝石を振りかけたうえで、妙蔵光明という名の頭髪に飾る摩尼宝石を彼女に与え、雑色火焔という大きな摩尼宝石で彩られた宝石の衣で彼女を包みました。

彼女はこのように厚遇されたのに、合掌し、まばたきもせず、威徳主太子の顔を見つめながら佇んでいる以外に、歓喜も踊躍もせず、身動きもせず、放逸に走ることもありませんでした。

そのとき、最高の遊女であるスダルシャナーは、威徳主太子に詩頌で申し上げました。

私はあなたにこの娘を差し上げたい、と長い間このように思いつづけて参りました。それゆえに、(今日)あなたに容姿が美しく、華やかに飾られ、福徳と功徳に恵まれたこの(娘)を差し上げました。　(八〇)

道徳的にも知的にも、徳の点でも、その他の点でも、この(娘)に匹敵する優れた娘は人の世のどこにもおりません。真にこの(娘)はすべての世界における女性の中で第一の者です。　(八一)

この(娘)は蓮華(の台)から生まれた者です。無垢ですから、出生のいわくは不名誉とはなり得ません。余すことなき悪徳に汚されない心をもつ(この娘)は、あなたと行動をともにいたします。

彼女の身はまことに柔らかく、触れれば、あらゆる最高の心地よさをもたらします。(八二)

その(身)に触れることで、病に苦しむ人々は、たちどころに無病になります。(八三)

彼女の身体からは清らかな香りが漂い、それ以外の芳香を圧倒してしまいますが、その香りを嗅ぐと、すべての人は清浄な戒を保つ者となります。(八四)

黄金の輝きを放つ彼女の身体は、無垢の蓮華の台の上で輝いています。すべての衆生はみなことごとく、憎悪をいだいていても、それを見れば、慈しみの心をもつ者となります。(八五)

この娘のやさしい声は甘く、快く、魅力的で、人々は聞いて喜びます。その悪徳の闇黒を破る(声)を聞くだけで、(人々は)清らかでない行為はしたくなくなります。(八六)

この娘は清らかな願いをいだき、心も無垢で、彼女はすべてのものに対して詐術(さじゅつ)を用いません。述べたことと心とは完全に一致しています。ですから、言葉によって人々を満足させるのです。(八七)

幻術によって衆生を惑わすこともなく、利得のために誘惑することも決してありま

せん。こ(の娘)はしとやかで控え目で、常に老人にも若者にも尊敬を払います。　（八八）

こ(の娘)は生まれや家系の点でも、容姿の点でも誇ることなく、同じく従者の点でも高慢になりません。驕りも高ぶりもいたしません。常に頭を垂れて勝者たちを礼拝しています。　（八九）

勝日身如来と威徳主太子　そこで威徳主太子は、従者を伴った具足妙徳という娘と、二万人の侍女から成る従者とともにその香芽雲峰遊園を発って、法雲光明という菩提場がある、尊い勝日身如来がおられる所に向かって行きました。尊い勝日身如来にまみえ、礼拝し、供養し、奉仕するためでした。乗物(が行く)地の限界まで乗物で行き、乗物から降りて、両足だけで尊い勝日身如来の下に伺候して、威徳主太子は尊い勝日身如来にまみえました。(その如来は)応供・正等覚で、遠くからでも人を惹きつける魅力をもち、美しく、感官は寂静し、心も寂静し、感官は制御され、象のように大変穏やかで、湖のように澄みきっており、純粋で清らかな方でした。(如来を)仰ぎ見ると、彼の心は浄信に満たされました。浄信に満たされた心は、御仏にまみえた大きな喜びと浄信の衝動を増大させました。大きな喜びの衝動と浄信と喜悦に満たされた心で、その如来の周

112

りを幾百千回となく右遶して、その世尊の両足に頂礼し、具足妙徳を初めとするすべての従者とともに、五百千の摩尼宝石の大蓮華でその如来を包みました。そして、その世尊のためにあらゆる香料の摩尼宝石ででき、色とりどりのあらゆる摩尼宝石で飾られた五百の精舎を造営させ、その各々の精舎を五百千の大きな摩尼宝石王で飾らせました。

そこで、善男子よ、その尊い勝日身如来は、威徳主太子の道心を知って、普く見渡す眼の門を照らす燈明〔普眼燈門〕という経典を説かれました。それを聴聞して、彼はすべての法の真理に関して十種の海のような三昧門を体得しました。即ち、(一)すべての如来の誓願の海から生じる光輝〔一切如来願海出現光明〕という三昧の門を体得し、(二)三世を照らす光輝の蔵〔普照三世光明蔵〕という三昧門を体得し、(三)すべての仏の輪（マンダラ）に向かう出離〔現見一切仏道場〕という三昧門を体得し、(四)すべての衆生の広がりを照らす光輝の入口〔入一切衆生界光明普照〕という三昧門を体得し、(五)すべての世間の生起の原因を知る智の光輝の獲得〔普照一切世間智聚光明燈〕という三昧門を体得し、(六)すべての衆生の機根（きこん）の海を照らす燈明〔普照一切衆生諸根海智燈〕という三昧門を体得し、(七)すべての世の衆生を救う智の雲〔救護一切衆生智光明雲〕という三昧門を体得し、(八)すべての衆生の成熟と教化を現前する燈明〔教化衆生現前智燈〕という三昧門を体得し、(九)すべての如来の法輪を説く音声を知らしめる〔聞持諸仏転法輪声悉現前〕という三昧門を体得し、(一〇)

普賢行の輪（マンダラ）の清浄を誓う誓願の雲（円満普賢清浄行願海雲）という三昧門を体得しました。

これら十の三昧門を初めとして、すべての法の真理に関して十の三昧門の海を体得しました。一方、具足妙徳は制圧し難い智の海の蔵（難摧伏智海蔵）という心の瞑想を体得し、無上正等覚に不退転となりました。

そこで、威徳主太子は、尊い勝日身如来の両足に頂礼し、その世尊の周りを幾百千回となく右遶して、具足妙徳とすべての従者とともに、その世尊の下を出発しました。彼はドゥルマ・メール・シュリー王都に行き、父王ダナパティがおられる所に到着しました。到着すると、父王ダナパティの両足に頂礼してから、彼はこの出来事を申し上げました。「天よ、御報告させて下さい。勝日身といわれる如来・応供・正等覚がこの世に出現されました。（その如来は）明行足であり、善逝であり、世間解・無上士・調御丈夫・天人師・仏・世尊です。最近に菩提を開かれた（その如来）は、あなたのこの領国の中の、法雲光明という菩提道場におられます」

そこで、ダナパティ王は、威徳主太子にこのように語りました。「太子よ、お前に誰がこのことを告げたのか。神なのか、人なのか」

彼はお答えしました。「（私に）具足妙徳という娘が（話してくれたのです）」

そのとき、ダナパティ王は、仏の出現を聞いて、大きな宝庫の獲得であると思い、非常に得難い仏宝の獲得であると思い、如来にまみえれば、すべての悪趣への転落の恐れが止むと思い、すべての煩悩の大病を癒す偉大な医者の王の獲得であると思い、すべての輪廻の苦しみから解放して下さる方であると思い、絶対的な安穏の境地に立たせて下さる方であると思い、眼翳のない智の光明を現す方であると思い、無明の闇を除く大きな燈火の出現であると思い、指導者のいない世間の人々にとっては法の真理の指導者の獲得であると思い、案内人のいない者にとっては一切智者性への乗物の案内人の出現であると思いました。仏の出現を聞いて、大きな喜びと浄信と歓喜に包まれた(王)は、王族(クシャトリヤ)、婆羅門(ばらもん)、市民、国民、大臣、国師、王子、城主、領主の集会者を(すべて)集めて、仏の出現という喜ばしい知らせを伝えた威徳主太子に、その王権を法の贈物として譲りました。

彼は灌頂(かんじょう)してかの太子を王位につけると、一万人の人々とともに、尊い勝日身如来のおられる所に向かって行きました。到着すると、その世尊の両足に頂礼し、その世尊の周りを幾百千回となく右遶して、その世尊の前に自分の従者とともに座りました。

そこで善男子よ、かの尊い勝日身如来はダナパティ王とすべての説法会を見られて、そのとき、眉間の白毫から一切衆生心燈という光線を放たれました。その(光線)は十方にあるすべての世界を照らし出し、すべての世間の王を面前に立たせて、不可思議な仏の神変を示現し、仏を指導者とする衆生たちの志願や道心を清浄にしました。そしてそのとき、不可思議な仏の威神力によって、すべての世間を超出した仏身とあらゆる音色の海を具えた仏の音声とをもって、（その如来は）仏国土の微塵の数に等しい陀羅尼門を伴った、あらゆる法に関して暗翳のない意味を明かす燈明〔一切法義離翳燈〕という陀羅尼門を説かれました。

そこで、その陀羅尼門を聴聞して、ダナパティ王（の心）には、すべての法に関して大きな法の光明が点火されました。そして、その集会の中にいたジャンブ州の微塵の数に等しい菩薩たちは一切法義離翳燈という陀羅尼（門）を得、六十ニユタの生命ある者は執着を離れ、煩悩から心が解放され、一万の生命ある者は塵を払い、垢を除いて（多くの）法に関して法眼（ほうげん）が清浄になりました。無量の（衆生）は、無上正等覚に向けてかつて起こしたことのない心を起こしました。十方においても、（その）不可思議な仏の神変の示現によって、周辺も中央もない衆生界が三乗によって教化されました。

（そのとき）大きな法の光明を得たダナパティ王にはこのような考えが浮かびました。在家の生活をしていてはこのような法を信じることも、このような智を成就することも不可能である。私は世尊の下で出家しようではないか、と。

そこでダナパティ王は、かの世尊にこう申し上げました。「（世尊よ、）私は世尊の下で出家し、具足戒の比丘の身になりたいのですが」（かの世尊は）仰せになりました。「大王よ、あなたが今こそその時であると考えるならば、そうなされよ」

そこでダナパティ王は、一万の生命ある者とともに勝日身如来の下で出家しました。出家してほどなく、彼は一切法義離翳燈という陀羅尼門を、（それを）取り巻く（陀羅尼門）ともども成就し、修習し、完全に身につけました。その間に、三昧門をも獲得し、菩薩の十種の神通力をも獲得し、周辺も中央もない（四）無礙の弁才の真理の海に入り、十方の如来の下に赴くために、無礙の境界をもつという身体の清浄を獲得しました。彼は、かの世尊の法輪を受けいれ、保持し、（法）話の語り手となり、偉大な説法者[6]〔大法師〕となり、説教を護持しました。また神通力の獲得による力で全世界に遍満して、願いのままに衆生たちに身体を示現して、この仏の出現を説き明かし、すべての如来の生起の原因であるかの法性を説示し、かの過去世の因縁の完成を明示し、かの仏の神変の威力を賞讃して、教説を護持しました。

威徳主太子は、その同じ日に、（転輪聖王の）七宝を得ました。高楼の屋上で、女性の群に取り巻かれていた彼の眼の前に、妨げられることのない推進力〔無礙行〕という名の大きな輪宝――百千の車輪の輻を具え、すべての宝石で飾られ、天上のジャンブ河産の黄金でつくられ、普く輝き、あらゆる形の最高のものを具備した（車輪）――が現れ、金剛宝石の山の輝き〔金剛山〕という名の大きな象宝が現れ、青い山風の勢い〔迅疾風〕という名の馬宝が現れ、日光蔵雲という名の大きな摩尼宝石の（珠）宝が現れ、そしてかの具足妙徳という女宝が現れ、多くの財産の集まり〔大財〕という名の家長である（主蔵）宝が現れ、離垢眼（りくげん）という名の大臣である七番目の（主兵）宝が現れました。彼は七宝を所有した転輪聖王となり、四州の支配者、敬虔な有徳の王として勝利を収め、（自らの）領国の国力を隆盛にしました。

さらにまた、彼の息子は丁度千人いて、（みな）勇敢な勇士で優れた四肢と容姿に恵まれ、敵の軍勢を討ち滅ぼす者でした。彼は海と山を境とし、欠陥もなく、敵もなく、悪疾もなく、災厄もなく、豊かで、繁栄し、平安で、豊穣で、快適で、多くの人々が住民としてあふれたこの大地を法によって統治して住んでいました。

彼はそのジャンブ州にある八万四千の王都の、その一つ一つの王都に五百の精舎（しょうじゃ）を建立させました。（精舎はすべて）あらゆる形で最も優れたものを具え、あらゆる享受の品や生計の資や荘厳具を完備し、あらゆる遊園や堂宇（どうう）や経行（きんひん）の場所や、いつも出離の楽しみを享受できる森の小路で美しく飾られていました。

そして、一つ一つの精舎には広大で高い如来の塔廟（とうびょう）が建立されていました。内部は多種類の宝石で荘厳され、すべての摩尼宝石王によって彩られていました。そして、それらすべての王都においてかの尊い勝日身如来が従者とともに都城に入るように招請され、すべての王都にかの如来はあらゆる様相の不可思議な如来への供養によって供養されながら入城しました。彼は仏が都城に入城するという奇蹟の神変を演じることによって無量の衆生に善根を生じさせました。そこで浄信の心をもたない衆生たちは浄信を獲得し、心に浄信をいだく衆生は仏にまみえる歓喜の衝動を増大し、歓喜の衝動を増大した衆生は菩提への清浄な志願を体得し、菩提への志願を清浄にした衆生は大悲の心を生じ、衆生の利益を行なう衆生はすべての仏の法の追求に専念し、仏の法の真理に通暁した衆生はすべての法の自性(じしょう)を熟考することに心を向けました。法の平等性に悟入した衆生は三世の平等性に悟入することに心を向け、三世の智の光輝を得た衆生は、すべての仏の相続の次第を顕現させるために智の光明に入り、種々の如来を顕現させることに入った衆生はすべての世の衆生を摂取することに心を向け、すべての世の衆生を摂取することに努める衆生は、菩薩道の浄化のために誓願を立て、道の平等性に悟入した衆生は、すべての如来の法輪を実現するために智の光明を生起させ、法の海の探求に向かう衆生はすべての国土の網に自己の身体を遍満することに心を向け、国土の平等性に悟入した衆生はあらゆる衆生の機根の海を知るために誓願を立て、あらゆる世の衆生の機根と深信のままに考察することに努める衆生は、一切智者性の証悟のために道心を清浄にしました。

以上、このような衆生が（各々）このような目的を実現するとさとって、威徳主王は、不可思議な仏が演じる神変の奇蹟の示現によってそれらの衆生を成熟する教化のために、かの勝日身如来にすべての王都に入城する（よう招請）したのです。

善男子よ、そこであなたはどう考えますか。そのとき、その時代に威徳主という名のかの太子は誰か別の方であったでしょうか。あなたは決してそう見てはなりません。かの尊い釈迦牟尼如来が、転輪聖王の位を得て、かの勝日身という如来を喜ばせた、そのとき、その時代の威徳主というこの太子だったのです。

善男子よ、そこであなたはどう考えますか。そのとき、その時代の、威徳主太子の父君であるかのダナパティという王は誰か別の方であったでしょうか。あなたは決してそう見てはなりません。ラトナクスマ・プラバ〔宝華光〕という如来が、そのとき、その時代のダナパティという王で、今その方は東の方角に、世界海の微塵の数に等しい世界海のかなたにある法界の虚空の影像の雲〔現法界虚空影像雲〕という世界海の中に、普現三世影像摩尼王を生じる家系という中間の世界系譜（があり、さらにそ）の中にある仏の光輪の光輝の燈明〔仏円満光妙徳燈〕という世界の中にある、美しい月のような身体の影像の旗印〔一切世主身影像幢〕という菩提道場において、無上正等覚をさとられて不可説数の仏国土の微塵の数に等しい菩薩の集会に囲まれて法を説いておられます。そしてその尊い宝華光如来は、かつて菩薩行を行なっておられたとき、すべての現法界虚空影像雲という世界海を清浄にされました。そして、その世界海には如来方が（かつて）生じもしたし、（今）生じてもいるし、（未来にも）生じるでありましょうが、その限りの如来方はすべてみな、尊い宝華光如来が過去に菩薩行を行なわれたとき、無上正等覚に向けて成熟されたのです。

善男子よ、そこであなたはどう考えますか。そのとき、その時代の、かの蓮華吉祥蔵という名の王妃で、八万四千の女性の中で最高である威徳主太子の母君は誰か別の方であったでしょうか。あなたは決してそう見てはなりません。善男子よ、かの菩薩であった（釈迦牟尼）をお産みになった、世尊の母君であるマーヤー王妃、普く光輝を発し障害のない解脱に安住され、数えきれないすべての如来の（菩提への）到達を目の当りに見られ、すべての菩薩の誕生の示現に通暁された（そのマーヤー王妃）がそのとき、その時代の蓮華吉祥蔵という名の、ダナパティ王の第一妃その方でした。

善男子よ、そこであなたはどう考えますか。そのとき、その時代のかのスダルシャナーという名の最高の遊女は誰か別の人であったでしょうか。あなたは決してそう見てはなりません。かのスネートラ〔善目〕という名の、私の母で、シャカ族のダンダパーニ[7]〔執杖」の妻が、そのとき、その時代の、このスダルシャナーという最高の遊女だったのです。

善男子よ、そこであなたはどう考えますか。そのとき、その時代の具足妙徳という名の遊女の娘は誰か別の人であったでしょうか。あなたはそう見てはなりません。私がそのとき、その時代のかの具足妙徳という遊女の娘だったのです。

善男子よ、そこであなたはどう考えますか。そのとき、その時代に威徳主の従者たちは誰か別の人々であったでしょうか。あなたは決してそう見てはなりません。これらの菩薩方すべて——如来によって普賢菩薩行の誓願の成就に向けて立ち上がらされ、まさにこの説法会の中に座っておられ、あらゆる世界において影像として得られた身体を具え、すべての菩薩の三昧の境地と無区別の心を具え、すべての如来の尊顔を現前に拝して識知する眼を具え、すべての如来の虚空のような音質の雲の輪(チャクラ)が響く音声を識別する耳を具え、あらゆる法の考察に自在である呼吸を具え、あらゆる仏国土に響く音声を具え、すべての如来の説法会に近づくことを止めない菩薩の身体を具え、すべての衆生の願いのままに(彼らの)前に現前して、(彼らの)成熟と教化にふさわしい身体の完成を具え、残りなくあらゆる方角に網を広げて、未来のすべての劫に亘って間断なく続く、普賢菩薩行の誓願の円満成就を具えて、世尊の説法会の中に座っておられる——(これらの菩薩方すべて)が彼ら(従者たち)だったのです。

諸仏の供養　善男子よ、威徳主転輪聖王と私とは、命ある限り、(一)かの勝日身如来に、法衣(ほうえ)、施食(せじき)、寝具、座具、病人に必要な薬、日用品で奉仕いたしました。さらにまた、善男子よ、かの勝日身如来が完全な涅槃に入られると、すぐ続いてその世界に(二)プラサンナ・ガートラ〔明浄身〕という名の如来が世に出現されましたが、私どもはその方にも喜んでいただき、もてなし、崇め、敬い、供養しました。

そのすぐ後に、(三)サルヴァガートラ・ジュニャーナ・プラティバーサ・チャンドラ〔一切智影像月身〕という名の如来が世に出現されました。その(如来)にもまた神々の主となった私どもは喜んでいただきました。そのすぐ後に、(四)ジャーンブーナダ・テージョーラージャ〔閻浮檀金光明王〕という名の如来に喜んでいただき、そのすぐ後に、(五)ラクシャナ・ブーシタ・ガートラ〔諸相荘厳身〕という名の如来に喜んでいただき、そのすぐ後に、(六)ヴィチトラ・ラシュミ・ジュヴァラナ・チャンドラ〔種種焰妙月光〕という如来にお仕えし、そのすぐ後に、(七)スヴィローキタ・ジュニャーナ・ケートゥ〔優れた観察智の燈明、智観幢〕という名の如来にお仕えし、そのすぐ後に、(八)ヴィプラ・マハージュニャーナ・ラシュミラージャ〔広大智光明王〕という名の如来にお仕えし、そのすぐ後に、(九)ナーラーヤナ・ヴァジュラ・ヴィーリヤ〔精進金剛那羅延〕という名の如来にお仕えし、そのすぐ後に、(一〇)アパラージタ・ジュニャーナ・スターマ〔智力無能勝〕という名の如来にお仕えし、そのすぐ後に、(一一)サマンタ・ヴィローキタ・ジュニャーナ〔普観察智〕という名の如来にお仕えし、そのすぐ後に、(一二)ヴィマラ・シュリーメーガ〔浄徳智雲〕という名の如来にお仕えし、そのすぐ後に、(一三)シンハ・ヴィジュリンビタ・プラバ〔師子智光〕という名の如来にお仕えし、そのすぐ後に、(一四)ジュニャーナ・ラシュミ・ジュヴァラナ・チューダ〔智の光の焔を放つ髻、光明髻〕という名の如来にお仕えし、そのすぐ後に、(一五)グナラシュミ・ドヴァジャ〔功徳光幢〕という名の如来にお仕えし、そのすぐ後に、(一六)ジュニャーナ・バースカラ・テージャ〔智日幢〕という名の如来にお仕えし、そのすぐ後に、(一七)ラトナパドマ・プラプリタガートラ〔開宝蓮華身〕という名の如来にお仕えし、そのすぐ後に、(一八)プニヤ・プラディーパ・ドヴァジャ〔福徳厳浄光〕という名の如来にお仕えし、そのすぐ後に、(一九)ジュニャーナ・ラシュミ・メーガプラバ〔智の光線の雲の光、智焔雲〕という名の如来にお仕えし、そのすぐ後に、(二〇)サマンタ・ヴァイローチャナ・チャンドラ〔普照月〕という名の如来にお仕えし、そのすぐ後に、(二一)アーバラナ・チャトラ・ニルゴーシャ〔荘厳蓋妙音声〕という名の如来にお仕えし、そのすぐ後に、(二二)サマンタ・ジュニャーナーローカ・ヴィクラマ・シンハ〔師子勇猛智光明〕という名の如来にお仕えし、そのすぐ後に、(二三)ダルマダートゥ・ヴイシャヤ・マティチャンドラ〔法界境界智月王〕という名の如来にお仕えし、そのすぐ後に、(二四)サットヴァ・ガガナ・チッタ・プラティバーサ・ビンバ〔虚空のような衆生の心に影像を現す本像、普現影像開悟衆生如虚空心〕という名の如来にお仕えし、そのすぐ後に、(二五)プラシャマ・ガンダ・スナーバ〔寂静の香りの良い麝香の持主、恒嗅寂滅香〕という名の如来にお仕えし、そのすぐ後に、(二六)サマンターヌラヴィタ・シャーンタ・ニルゴーシャ〔普く唱和される寂静の響き、普震寂静声〕という名の如来にお仕えし、そのすぐ後に、(二七)スドリダ・ジュニャーナ・ラシュミジャーラ・ビンバ・スカンダ〔非常に堅固な智の光網の像の集合、堅固智無障礙光網〕という名の如来にお仕えし、そのすぐ後に、(二八)アムリタ・パルヴァタ・プラバーテージャ〔甘露山威徳王〕という名の如来にお仕えし、そのすぐ後に、(二九)ダルマサーガラ・ニガルジタ・ゴーシャ〔教えの海潮音、法海雷音〕という名の如来にお仕えし、そのすぐ後に、(三〇)ブッダガガナ・プラバーサ・チューダ〔仏虚空光照髻〕という名の如来にお仕えし、そのすぐ後に、(三一)ラシュミ・チャンドラ〔光の月〕という名の如来にお仕えし、そのすぐ後に、(三二)ラシュミ・チャンドロールナ・メーガ〔月光白毫相雲〕という名の如来にお仕えし、そのすぐ後に、(三三)スパリプールナ・ジュニャーナ・ムカヴァクトラ〔まことに円満な智の顔の口をもつ者、円面浄慧〕という名の如来にお仕えし、そのすぐ後に、(三四)スヴィシュッダ・ジュニャーナ・クスマーヴァバーサ〔大変清浄な智の華の光、善覚智華光〕という名の如来にお仕えし、そのすぐ後に、(三五)ラトナールチッヒ・パルヴァタ・シュリーテージョー・ラージャ〔宝石の焰が燃える山の栄光の威力王、宝焰山妙徳王〕という名の如来にお仕えし、そのすぐ後に、(三六)ヴィプラグナ・ジョーティヒ・プラバ〔広大功徳星宿光〕という名の如来にお仕えし、そのすぐ後に、(三七)サマーディ・メールヴァビウドガタ・ジュニャーナ〔三昧の須弥山を凌駕した智の持主、具一切智三昧身〕という名の如来にお仕えし、そのすぐ後に、(三八)ラトナチャンドラ・ドヴァジャ〔妙宝月幢〕という名の如来にお仕えし、そのすぐ後に、(三九)アルチル・マンダラ・ガートラ〔焰円満身〕という名の如来にお仕えし、そのすぐ後に、(四〇)ラトナーグラ・プラバテージャ〔宝石の至上の光の威力、最勝威徳宝光明〕という名の如来にお仕えし、そのすぐ後に、(四一)サマンタ・ジュニャーナ・チャリヤー・ヴィランバ〔普き智行に遅延なきもの、普智速疾行〕という名の如来にお仕えし、そのすぐ後に、(四二)アルチヒ・サムドラムカ・ヴェーガ・プラディーパ〔焰の海の門の衝動の燈火、焰海門燈〕という名の如来にお仕えし、そのすぐ後に、(四三)ダルマヴィマーナ・ニルゴーシャ・ラージャ〔大法宮殿妙声王〕という名の如来にお仕えし、そのすぐ後に、(四四)アサドリシャ・グナキールティ・ドヴァジャ〔無比徳名称幢〕という名の如来にお仕えし、そのすぐ後に、(四五)プラランバ・バーフ〔腕を垂れた、修臂〕という名の如来にお仕えし、そのすぐ後に、(四六)プールヴァ・プラニディ・ニルマーナ・チャンドラ〔往昔の誓願の変化の月、清浄本願神変化月〕という名の如来にお仕えし、そのすぐ後に、(四七)アーカーシャ・ジュニャーナールタ・プラディーパ〔虚空の智の対象の燈明、虚空智実義燈〕という名の如来にお仕えし、そのすぐ後に、(四八)ダルモードガタ・ナベーシュヴァラ〔法上虚空自在王〕という名の如来にお仕えし、そのすぐ後に、(四九)ヴァイローチャナ・シュリー・ガルバラージャ〔毘盧遮那勝蔵王〕という名の如来にお仕えし、そのすぐ後に、(五〇)ダルマ・ナーラーヤナ・ケートゥ〔法のナーラーヤナの松明、那羅延法聚〕という名の如来にお仕えし、そのすぐ後に、(五一)ジュニャーナ・ケートゥ〔智の松明、諸乗智積幢〕という名の如来にお仕えし、そのすぐ後に、(五二)ダルマ・サーガラ・パドマ〔法海蓮華〕という名の如来にお仕えしました。

善男子よ、このように、これらの如来方を初めとして、その世界には六十百千コーティ・ニユタの仏が出現されましたが、それらの(すべての仏)に、私どもは法衣、施食、寝具、座具、病人に必要な薬、日用品によって喜んでいただき、もてなし、崇め、敬い、供養しました。

善男子よ、これら六十百千コーティ・ニユタの仏のすべての最後に、ヴィプラ・ダルマーディムクティ・サンバヴァテージャ〔広大な教えの深信から生じる威光、広大歓喜出現威徳〕という名の如来が出現されました。その世尊が都城に入られたとき、王妃であった私は夫とともに、あらゆる種類の供養の門を用いた如来の供養によって供養したうえで、その世尊の下で、すべての如来の出現から生じる燈火〔一切如来受生出現燈〕という如来の法門を拝聴しました。それを聴聞するや否や、私は智の眼を具え、観一切菩薩三昧境界海というこの菩薩の解脱を体得したのです。

菩薩の解脱の真理としての普賢なる菩薩の身体　そこで善男子よ、その私はこの解脱を修習しながら、菩薩と一緒に菩薩行を行じつつ、百の仏国土の微塵の数に等しい劫の間、すごしました。そして、その仏国土の微塵の数に等しい劫の間に、私は周辺も中央もない（数限りない）如来方に喜んでいただきました。ある劫では、その劫におられる一人の如来にお仕えし、ある劫では二人の如来にお仕えし、乃至(ないし)、ある劫では不可説数の如来にお仕えし、ある劫では仏国土の微塵の数と等しい如来方にお仕えしました。しかし、私は決して菩薩の身体を知ることは（できま）せんでした。大きさはどれほどであり、容姿は何に似、容色はどのようであるかを。身体の行為をも知らず、言葉の行為も心の行為も知らず、智見も、智の境界も智の三昧の境界も知りませんでした。

さらにまた、善男子よ、菩薩行を行なっている菩薩を見て、（その）菩薩に愛情の心を起こし、種々の会話や種々の共住によって浄信を生じた衆生たち、彼らはすべて菩薩によって、世間と出世間の様々な種類の方便によって摂取され、菩薩の信奉者となり、彼らは菩薩行を行なう菩薩の信奉者の生活の中で、無上正等覚に不退転となりました。

善男子よ、それゆえ、私は広大歓喜出現威徳如来にお目にかかるや否や、この観一切菩薩三昧境界海という菩薩の解脱を体得して、菩薩と一緒に百の仏国土の微塵の数に等しい劫の間、この解脱をともに修習しながらすごしました。それら百の仏国土の微塵の数に等しい劫の間に出現された如来方、そのすべての如来に私は喜んでいただき、供養し、奉仕しました。そして、私はそれらすべての如来の説法を聞き、聞いて理解し、保持しました。私はそれらすべての仏世尊の下で、この解脱を体得しました。種々の真理によって、種々の経典の真理(を説く)音声によって、種々の解脱の身体によって、種々の解脱の門、種々の解脱の考察、種々の(三)世への悟入、種々の仏国土の海への悟入、種々の仏にまみえる海の識知、種々の如来の説法会への参入、種々の菩薩の誓願の海の真理の道、種々の菩薩行の広がり、種々の菩薩行の成就、種々の菩薩の解脱の広がりによって(この解脱を体得しました)が、菩薩の普賢なる解脱の真理には入りませんでした。それは何故かと言いますと、実に善男子よ、普賢なる菩薩たちの解脱の真理は、(一)天穹に入ることのように無量であり、(二)すべての衆生の名称の広がりのように無量であり、(三)三世の回転の海の広がりのように無量であり、(四)方角の海の広がりのように無量であり、(五)法界の真理の海の広がりのように無量だからです。

実に善男子よ、普賢なる菩薩たちの解脱の真理は、（それらの菩薩たちの）如来の境界と等しい身体なのです。ですから、私は、善男子よ、仏国土の微塵の数に等しい劫の間、菩薩の身体を見続けても見飽きることがないのです。

善男子よ、たとえば、ひたむきに愛欲に走り、逢引の約束ができた男女には、浮薄な熱中から生じ、好ましいという思いや妄想や迷いから生じた無量の決心が起こります。善男子よ、それとまったく同じように、私が菩薩の身体を拝見しているとき、（菩薩の御身の）毛孔の一つ一つから（現れる）、周辺も中央もない無量無数の世界系譜の広がり、（即ち）種々の基盤、種々の境界の荘厳、種々の形状、種々の山の荘厳、種々の地表の無数の荘厳、種々の雲で覆われた虚空の飾り、種々の劫の無数の名称や数、種々の仏の出現と如来の系譜の出現、種々の菩提道場の飾り、種々の如来の転法輪の神変、種々の如来の説法会の荘厳、種々の経典の真理の説示の声の響き、種々の乗物の道の成就の出現、種々の清浄な光と光明の輝き、未だかつて見たことのない諸相が心の各刹那ごとに視界に現れます。毛孔の一つ一つから、周辺も中央もない仏の海が視界に現れます。種々の菩提道場の飾り、種々の転法輪の神変、種々の経典（の真理）を説く声の神変が止むことなく、心の各刹那に視界に現れます。毛孔の一つ一つから、周辺も中央もない衆生の海、（即ち）種々の住居、園林、山、大邸宅、河川、海洋に住み、種々の色身をもち、種々の享楽の対象物を所有し、種々の行ないや行動範囲に専念し、種々の機根の完成の状態にある者たちが心の各刹那ごとに視界に現れます。毛孔の一つ一つから、周辺も中央もない三世の海へ参入する道が視界に現れます。周辺も中央もない菩薩の誓願の海が浄化され、周辺も中央もない菩薩の位における修行の相違の海が視界に現れ、周辺も中央もない菩薩の波羅蜜の真理（ナヤ）の海の清浄が視界に現れ、周辺も中央もない菩薩の過去世の因縁の海が視界に現れ、周辺も中央もない仏国土の清浄の真理の海が視界に現れ、周辺も中央もない菩薩の大慈の真理の海、すべての衆生の大慈の真理の道、すべての衆生を成熟し教化する勇猛心の実行の海に入り、周辺も中央もない菩薩の大悲の雲の真理の海も現れ、周辺も中央もない菩薩の大喜の衝動の海が増大し、心の各刹那ごとに、周辺も中央もないすべての衆生の摂取の実行の海も成就します。

善男子よ、その私は、百の仏国土の微塵の数に等しい劫の間に、毛孔の一つ一つから心の各刹那ごとに、周辺も中央もない法の真理の海に入りながらも、その究極の果てを証悟することはありませんでした。しかも私は、かつて入ったところに入らず、かつて得たものを得たこともありませんでした。善男子よ、乃至、種々の解脱の真理の海に入ることによって、（即ち）法界へ入る真理の海に入ることによって、サルヴァールタシッダ[8]〔すべての目的を成就した、悉達〕（太子）が後宮の真中にいて、女性の群に取り巻かれているとき、(その菩薩である太子の)毛孔の一つ一つから(現れた)、周辺も中央もない三世の真理の海に私は入ります。

善男子よ、私は観一切菩薩三昧境界海というこの菩薩の解脱を知り、それに心を集中しています。しかし菩薩方は、(一)周辺も中央もない方便の真理の海に進み、(二)すべての衆生と同じような形態をとった身体の外観を示現し、(三)すべての世の衆生の願いに適った行ないを示現し、(四)すべての毛孔から、周辺も中央もない色の変化(身)の雲の海を放ち、(五)あらゆる身体の法性である無自性として本性が清浄であり、(六)人々の本性を虚空の特徴をもつとさとって分別せず、(七)あらゆる所に適う覚知の決定によって如来と同じ神変に専念し、(八)周辺も中央もない解脱の境界の神変に通暁し、(九)広大な法界へ(一)発心によって入り、暮らし、自在であり、(一〇)普門のあらゆる法の位の解脱の海で遊戯する方々ですから、どうして私が(そのような菩薩方の)行を知り、功徳を説き、あらゆる功徳の宝庫を開示することができましょうか。

行きなさい、善男子よ。この同じ(世界)に、毘盧遮那世尊の足下に、種々の宝石の光輝という大きな摩尼宝石王の蓮華台の座に、菩薩の母君であるマーヤー〔摩耶〕という名の王妃が座っておられます。その方の所へ行って、尋ねなさい。どのように菩薩行を行なっている菩薩は、(一)あらゆる世間法の垢によって汚染されないのか。(二)如来に対する供養を実行して止めることがないのか。㈢すべての菩薩の事業から退転しないのか。㈣菩薩の解脱に入っていてすべての障害を離れているのか。㈤すべての菩薩の暮しにおいて他に依存しないのか。㈥すべての如来の現前にあることになるのか。㈦すべての衆生の摂取の実行から退転しないのか。㈧未来の果ての劫に亘って菩薩のあらゆる修行の生活から退転しないのか。㈨大乗の誓願から後戻りしないのか。㈩すべての世の衆生の善根の保持と増大のために倦むことがないのかを」

ゴーパーの本生譚　そこで、シャカ族の女、ゴーパーはまさにこの解脱の門の真理を示現しつつ、仏の威神力によって、そのとき、次の詩頌を唱えた。

完全なさとりへの修行の実行に専念する至高な衆生（である菩薩）にまみえる衆生たちは、浄信の心の持主であれ、憎悪をいだく者であれ、そのすべてが、かの（菩薩によって）摂取されます。（九〇）

百の国土の微塵の数ほど、それほどの数の劫を私はここで想起します。それよりかなたに、荘厳という劫に、須弥光というすばらしい世界がありました。（九一）

そ（の世界）に二十六百千コーティ・アユタの数の牟尼がおられました。それら（牟尼方）の最後の牟尼の王は、ダルマ・ドヴァジャ〔法幢燈〕という名の世の燈火でした。（九二）

さて、その牟尼の王が完全な涅槃に入られると、そのとき、シュリーテージャ〔智威徳山〕という名の国王が、このジャンブ州で敵軍を討ち破り、命令が背かれることなく行なわれる最高の帝王となりました。（九三）

ところで、彼には、勇敢で、姿の美しい勇士である五百人の息子がいました。五体満足で清浄な身体をもち、無上の美質によって飾られていました。（九四）

王は息子ともども善逝に浄信をいだき、勝者に広大な供養を行ないました。彼は常に正しい教えを護持し、教えに専念して動ずることがありませんでした。（九五）

その王の太子はスラシュミ〔善光〕という名で、清浄な衆生であり、大変見て美しく、魅力のある姿の持主で、身体の各部は三十二相で飾られていました。（九六）

王国を捨てて、彼は五コーティの人々に取り巻かれ、そのとき、出家しました。出家して彼は堅固な精進に励み、勝者の法を護持しました。（九七）

ドゥルマーヴァティー〔智樹〕という名の王都は千コーティの最高の都城によって取り巻かれていました。そこにはプラシャーンタ・ニルゴーシャ〔音響の鎮まった、静徳〕という、このうえない光輝のある、種々の色の枝のある森がありました。（九八）

出家したスラシュミはそ（の森）で、畏れることなく、智と弁才を清浄に保って居住

し、汚れた衆生の群を清浄にするために、勝者の教えを説き明かしました。〔九九〕
その賢者は托鉢のために町に入り、清々しい威儀を保ち、落ち着いた様子で、眼をそらさず、心は冴え、思慮深く、重々しい態度で、しっかりと堂々たる歩みをしていました。〔一〇〇〕
そのとき、ナンディー・ドゥヴァジャ〔歓喜幢〕という町一番の長者がおり、名声が広く喧伝されていました。私はその人の娘で、魅力的で、姿も美しく、バーヌプラバー〔浄日光〕という名でした。〔一〇一〕
さて、私はそのすばらしい都市の城門で、集団を伴ったスラシュミをお見かけしました。清々しく、身体の各部分は(三十二)相で飾られておられました。私はその方に非常に強い浄信をいだきました。〔一〇二〕
その方が、私の家の門口に来られたとき、その方の鉢に私の宝石を布施し、すべての装身具をとりはずして、愛情をこめて、私は(それらを)そのとき、その方に差し上げました。〔一〇三〕
善逝の御子、スラシュミ・ケートゥ〔良き光線の輝き、焰光〕に、愛欲を伴う心で供養を行なったのに、最後の二百五十劫の間、私は決して(三)悪趣に落ちることはありませんでした。〔一〇四〕

私は天上では神々の王の家柄に生まれ、人間界では王の娘でした。私はあらゆる所で無限の色の身体をもって自分を現しました。（一〇五）

二百五十劫が過ぎると、アバヤンカラー（という世界）において、スダルシャナーという最高の遊女の娘として私は生まれました。そのとき（私は）、サンチャーリター〔具妙徳〕という名でした。（一〇六）

そこで（私は）、威徳主太子にお目にかかり、歓喜して私はその方に供養を捧げました。私自身をその方に捧げて、私はかの人の従順な妻となりました。（一〇七）

私は彼とともにかの大聖仙である勝日身（如来）に供養を捧げました。浄信をもってかの御仏を仰ぎ見ると、私には至上の菩提心が起こりました。（一〇八）

その同じ劫の間に（私たちによって）奉仕された勝者方は、満六十コーティの数になりました。それらの勝者方の最後の御仏はそのとき、アディムクティ・テージャス〔広大解〕でした。（一〇九）

その（御仏の）下で、私の法眼は清浄となり、私は法の自性をさとりました。非根源的な分別が絶対的に寂静し、その後私は光明を体得しました。（一一〇）

そのとき以降、私は勝者の子らの三昧の位を観察し、心の一刹那の間に十方の思議を超えた国土海に入りました。（一一一）

私はあらゆる方角に、種々で清浄な、量り知れない希有な国土を見ますが、見ても私の心はそれら（の国土）に執着せず、汚染された（国土）をも厭いません。（一一二）

それらすべての国土の悉くにある菩提道場に余す所なき御仏を私は拝見します。それら（御仏方）の無量の光の海をも私は心の一（刹那の）間に観察します。（一一三）

同じく私は、それら（御仏方）の集会の無礙の海に、心の刹那に入り、それら（御仏方）の三昧を余す所なく知り、無量の解脱をもすべて（さとります）。（一一四）

その方々の広大な行を保持し、（菩薩の）位の真理〔地方便〕にも余す所なくすべてに入り、無数の誓願の果てしない大海にも、刹那ごとに私は入ります。（一一五）

善き人（菩薩）の御身を充分に観察し、無限の劫の間、修行を行ないながらも、私は、かの方の毛孔の一つ一つ（に現れる）神変の究極をこの世では決して理解しませんでした。（一一六）

私はその方の一つの毛孔にさえも、数を超えた国土海を見ます。風の集まり、大きな水量、火の充満、地の塊〔地水火風輪〕を。（一一七）

種々の場所によって区別された形状、様々な生存状態のあり方に入り、身体の諸要素や骨格の相違によって（区別された）多種多様な周辺も中央もない（ほど多くの）外観の身体を（見ます）。（一一八）

無量の国土海にある不可説数の(世)界を私は別々に観察し、それら(の世界)に教えを説くことで教化された人々と、(教化)に努める勝者方をも私は拝見しました。(二九)

(しかし)幾劫もの間、広大な善行を行なっているのに、私にはその方の身体の業が理解できず、言葉も心も、それらの二つの業も理解できず、その方の神通や個々の神変も理解できませんでした。(三〇)

そこで善財童子は、シャカ族の女ゴーパーの両足に頂礼し、ゴーパー(の周り)を幾百千回も右遶し、繰り返し何度も仰ぎ見て、彼女の下を去った。

第四十一章　菩薩の母マーヤー王妃

そこで善財童子は、マーヤー王妃[1]の下へ行こうと思い、仏の境界を観察する智を働かせて、次のように考えた。

私はいかなる方法によって善知識方――(一)彼らの六種の認識の場〔六処〕はすべての世間を超出しており、(二)無住処に住し、(三)身体はすべての障礙を超越し、(四)無礙自在の境地に導く道を行ない、(五)法身はきわめて清浄であり、(六)幻のような身体の行為によって(様々な)身体を巧みに化作し、(七)幻のような智によって世間を観察し、(八)幻のような誓願によって色身を具え、(九)仏の威神力によって意成身[2]を具え、(一〇)不生不滅の身体を具え、(一一)不去不来の身体を具え、(一二)不実不虚の身体を具え、(一三)移行もせず絶滅もしない身体を具え、(一四)出生もせず消滅もしない身体を具え、(一五)無相を唯一の相とする身体を具え、(一六)不二への執着を離れた身体を具え、(一七)無依処に住する身体を具え、(一八)無滅尽の身体を具え、(一九)影像のような無分別の身体を具え、(二〇)夢のような観察する身体を具え、(二一)円鏡(に映る影像)のような無移行の身体を具え、(二二)無方角のような寂静にとどまる身体を具え、(二三)すべての方角に遍満する化身を具え、(二四)三世に無区別な身体を具え、(二五)身心をもたない無分別の身体を具え、(二六)すべての世間の視界を超えた身体を具え、(二七)普賢なる視野で知られるものを教化する身体を具え、(二八)障害のない虚空を境界とする善知識方――にまみえる機会を得、面前にあることを得、一緒にいることを得、(その方々の)特徴を把握し、音声の輪(マンダラ)を知り、言葉の働きを完全に了解し、教誡を理解することができるであろうか、と。

このように、思惟思考にふけっているとき、ラトナネートラー〔宝眼〕という名の都城の女神〔主城神〕が、虚空の女神の集団に囲遶されて、天穹にいる自分を現した後、(その女神は)種々の装身具で身を飾り、多種多様の色彩の天上の華籠をもっていたが、それらの華々を善財の)面前に撒き降らせながら、善財童子にこう語った。「(一)善男子よ、あなたはすべての輪廻の対象への享楽に耽溺(たんでき)しないことによって、心の城の守護に励みなさい。(二)善男子よ、あなたは如来の十力を獲得することによって、心の城の装飾に励みなさい。(三)善男子よ、あなたは嫉妬や物惜しみや詐術を除くことによって、心の城の浄化に励みなさい。(四)善男子よ、あなたはあらゆる法の自性を瞑想することによって、心の城の熱火の鎮静に励みなさい。(五)善男子よ、あなたは一切智者性の資糧を求める激しい精進の勢いを増大させることによって、心の城の増強に励みなさい。(六)善男子よ、あなたはあらゆる三昧、等至、禅定、解脱の広大な法の大邸宅の暮らしに自在であることによって、心の城の宮殿や宝庫の荘厳と警備に励みなさい。(七)善男子よ、あなたはすべての如来の説法会の集まりにおいて普位の般若波羅蜜の獲得を求めることによって、心の城を輝かすことに励みなさい。(八)善男子よ、あなたはすべての如来から生じる方便の道を通って自分の心の城に入ることによって、心の城の支えに励みなさい。(九)善男子よ、あなたは普賢菩薩行の誓願を成就する清浄な心によって、心の城の堅固な城壁の完成に励みなさい。(一〇)善男子よ、あなたはあらゆる煩悩、魔の眷属、悪しき友人、魔の軍勢に蹂躙されないことによって、心の城の攻め難さ、近づき難さの完成に励みなさい。

(一一)善男子よ、あなたはすべての衆生に如来の智の輝きを浴びせることによって、心の城の顕示に励みなさい。(一二)善男子よ、あなたはすべての如来の法雲(の雨)を受け入れることによって、心の城の灌漑に励みなさい。(一三)善男子よ、あなたはすべての如来の福徳の海を自分の心の志願により受け入れることによって、心の城を支えることに励みなさい。(一四)善男子よ、あなたは大慈ですべての世の衆生を遍満することによって、心の城の拡張に励みなさい。(一五)善男子よ、あなたはあらゆる不善法の対治となる広大な法の傘蓋を完成することによって、心の城(を守護するための)覆蔽に励みなさい。(一六)善男子よ、あなたは広大な大悲をもってすべての世の衆生を慈しむことによって、心の城を潤すことに励みなさい。(一七)善男子よ、あなたはすべての世の衆生に内と外のものを獲得させることによって、心の城門を開くことに励みなさい。(一八)善男子よ、あなたは輪廻の世界のすべての対象の享楽に背を向けることによって、心の城の浄化に励みなさい。(一九)善男子よ、あなたはすべての不善法を自己の相続に生じないことによって、心の城の堅い(防衛)力の成就に励みなさい。(二〇)善男子よ、あなたは一切智者性の資糧を獲得するための精進を生じることによって、心の城の確立に励みなさい。

(二一)善男子よ、あなたは三世のすべての如来の輪(マンダラ)の憶念により照らし出すことによって、心の城の照明に励みなさい。(二二)善男子よ、あなたはすべての如来の法輪や経典の様々な法門を識別する聖語を熟知することによって、心の城の弁別の法則に通暁しなさい。(二三)善男子よ、あなたはすべての世の衆生の面前で一切智者性の門への道を様々に示すことによって、心の城の決定の法則に通暁しなさい。(二四)善男子よ、あなたは三世のすべての如来の誓願の海の清浄なる完成によって、心の城の基盤の法則に通暁しなさい。(二五)善男子よ、あなたはすべての法界の広大な福徳と智の資糧を増大することによって、心の城の資糧の力を増大する法則に通暁しなさい。(二六)善男子よ、あなたはあらゆる衆生の心の願い、機根と信解、雑染と清浄の智をさとることによって、心の城から普く光を発する法則に通暁しなさい。(二七)善男子よ、あなたはすべての法界の真理(ナヤ)を包摂することによって、心の城を自在にする法則に通暁しなさい。(二八)善男子よ、あなたはすべての如来の憶念により照らし出すことによって、心の城を清く輝かすことに専念しなさい。(二九)善男子よ、あなたはすべての法の真理を身体なきものと洞察することによって、心の城の自性の遍智に専念しなさい。(三〇)善男子よ、あなたは一切智者性の法城に赴くことによって、心の城は幻の如くであると観察することに専念しなさい。

善男子よ、このように心の城の浄化に専念する菩薩は、あらゆる善の獲得に至ることができるのです。それはどうしてかというと、このように心の城を浄化した菩薩の行く手を、仏にまみえることの障害であれ、法の聴聞の障害であれ、如来の供養や奉仕に対する障害であれ、衆生の摂取を行なう際の障害であれ、仏国土の清浄の障害であれ、いかなる障害も遮ることはないからです。善男子よ、いかなる障害もない求道心によって善知識を求めることに専念する菩薩には、大した労苦もなしに善知識が眼の前に現れます。善男子よ、菩薩たちが一切智者になるのは善知識に依存しているのです」

そこへ、ダルマパドマ・シュリークシャラー〔蓮華のような法の光輝に巧みな、蓮華法徳〕とフリーシュリー・マンジャリ・プラバーヴァー〔しとやかで気品のある一束の華の光輝、妙華光明）という身衆神（しんじゅしん）が量り知れない神々の集団に囲まれ、マーヤー王妃の賞讃を述べながら、菩提道場から出て、善財童子の面前の天穹にあって、各々自分の耳飾りから多くの宝石の色をした光網を（放ち）、多くの香料や練香の無垢の光線の色、心の願いを明浄にする色、心の歓喜の勢いを増大する色、身体の苦痛を喜びに変える色、身体の清浄を示現する色をもち、無礙の身体による勇猛を生じる境界をもつ光網を放った。それら（の光網）は広大な（仏）国土を照らし出し、あらゆる所に偏在し、普く（十方）を向いたすべての如来の身体を善財童子に示現したうえで、世間全体を右遶した後、善財童子の頭頂に入った。それらは頭を初めとするすべての毛孔に入って（身体全体に）広がった。その両女神の光線に触れるや否や、善財童子は、そのとき、直ちにそれによって、㈠あらゆる（愚痴の）闇を離れる浄光明という眼を得、㈡衆生の本性を洞察する離翳という眼を得、㈢すべての法の自性全体（マンダラ）を見る離垢という眼を得、㈣すべての国土の本性を見る浄慧という眼を得、㈤すべての如来の法の身体を見る毘盧遮那（光）という眼を得、㈥不可思議な如来の色身の完成の区別を見る普光明という眼を得、㈦すべての国土海に広がる世界の生成と消滅の区別を見る無礙光という眼を得、㈧すべての如来の法輪において経典の道（ナヤ）を成就する方角を見る普照という眼を得、㈨周辺も中央もない仏の神変によって衆生を教化する威神力を見る普境界という眼を得、㈩あらゆる国土への誕生を産み出す仏の出現を見る普見という眼を得た。

そのとき、（かの）菩薩の講堂の門衛をしていたスネートラ〔善眼〕という名のラークシャサの王で、一万のラークシャサの上首が、妻とともに、子とともに、一族郎党とともに、善財童子に種々の色の快い香りの華を撒きかけたうえでこう言った。「善男子よ、十種の徳を身につけた菩薩があらゆる善知識のお傍近くにいます。十種とは何か、即ち、㈠欺瞞（ぎまん）や奸詐を離れたきわめて清浄な願い、㈡すべての人々を分け隔てなく摂取する大悲、㈢すべての衆生は本性として衆生でないと瞑想する観察、㈣一切智者性に向かって退転することなく赴く道心の力、㈤如来の輪に近づく深信の力、㈥すべての法の本性に対して無垢清浄な眼、㈦すべての衆生の輪を分け隔てしない大慈、㈧すべての障害を一掃する智の光明、㈨すべての輪廻の苦しみの対治の傘蓋となる大きな法の雲、㈩あらゆる法界の流れに普く入り、善知識への随順に向かう智の眼であります。

善男子よ、これら十種の徳を身につけた菩薩がすべての善知識のお傍近くにいます。また、十種の三昧の深い瞑想の門を通して見る菩薩はすべての善知識と対面の機会を獲得します。十種とは何か。㈠虚空のように塵のない法を観察領域（マンダラ）とする三昧の深い瞑想の門、㈡すべての方角の海に向かう眼を具える三昧の深い瞑想の門、㈢すべての対象を分別せず、観察もしない三昧の深い瞑想の門、㈣すべての方角に如来の雲から生じる三昧の深い瞑想の門、㈤一切智者の智と福徳の海の集積を内蔵する三昧の深い瞑想の門、㈥すべての発心において、善知識の出現と離れないで近くにいる三昧の深い瞑想の門、㈦すべての如来の功徳が善知識の口から生じる三昧の深い瞑想の門、㈧すべての善知識とまったく離れることのない三昧の深い瞑想の門、㈨すべての善知識の平等性に常に普く近づくことを行ずる三昧の深い瞑想の門、㈩すべての善知識の方便行において、倦むことなく行ずる三昧の深い瞑想の門。

善男子よ、これら十種の三昧の深い瞑想の門を身につけた菩薩は、すべての善知識との対面の機会を獲得します。善知識の口からすべての如来の法輪が鳴り響く〔善知識転一切仏法輪〕という名の三昧による解脱――それを修行して菩薩はすべての仏の無区別の平等性に入り、区別なくあらゆる所に遍在する善知識を得ることができる〔三昧による解脱〕――を獲得します」

ラークシャサ王のスネートラがこのように言ったとき、善財童子は天穹を見つめてこう言った。「聖者よ、私たちを慈しみ、摂取に従事し、善知識を示される方は善い方です、実に善い方です。さらにまた、善知識にまみえるためにどのように遍歴し、どの方角に向かってまっしぐらに行き、どの住処を探しまわり、いかなる対象を瞑想したらよいのか、正しい方法の門を教えて下さる方は善い方です」

（ラークシャサ王は）言った。「善男子よ、あなたは普く（十）方に五体投地した身体により、すべての対象を善知識の憶念と結びつける願いにより、普くまっしぐらに向かい行く三昧への随順により、夢のように速やかな心の勢いにより、影像のような心で考察し、心から成る身体で赴くことによって、善知識の下に近づきなさい」

そのとき、善財童子が、ラークシャサ王のスネートラによって諭されたとおりに行なっていると、目の前の地面から大きな宝石の蓮華――茎はあらゆる金剛でき、台はあらゆる世の衆生の海という摩尼王から成り、華弁の群もあらゆる摩尼王から成り、華芯は毘盧遮那摩尼王（びるしゃなまにおう）から成り、華糸はあらゆる宝石の色と香りをもつ摩尼王から成り、無数の宝石の網で覆われている――が出現するのを見た。また、その大きな宝石の王の蓮華の華芯には、（十）方の法界を包摂する蔵〔普納十方法界蔵〕という名の楼閣を見た。（その楼閣は）色どり豊かで、見て快く、金剛毘盧遮那の地面を住処とし、あらゆる摩尼宝石の王でつくられた丁度千本の柱で美しく飾られ、（荘厳の）広い（表面）にはあらゆる宝石がはめこまれており、（壁は）ジャンブ河産の無垢の黄金の天上の布に（絵が）描かれ、種々の真珠の無数の紐でできた網に包まれ、種々の摩尼宝石王の色とりどりの線が描かれ、ジャンブ州の摩尼宝石で普く荘厳され、無量の宝石の欄楯で囲まれ、あらゆる方角に摩尼王の階段が対照的に形よく設けられていた。

また（善財は）その楼閣の中央に、如意王摩尼宝石の蓮華座を見た。（一）世間の王の形をした摩尼の身像が安置され、（二）あらゆる摩尼宝石の粒の色をし、（三）インドラの幢《はた》の輝きの形をし、（四）金剛摩尼の輪《チャクラ》の地面に置かれ、（五）種々の摩尼王の連珠で荘厳され、（六）多くの宝石の欄楯によって取り巻かれ、（七）星の幢という宝石の王によってよく固定され、（八）種々の宝石の荘厳によって美しく飾られ、（九）天上のものを凌駕した摩尼王の布がよく敷かれ、（一〇）多彩な種々の宝石の布で美しく装飾され、（一一）あらゆる宝石の布の天蓋が広げられて虚空を飾り、（一二）あらゆる宝石の網で覆われ、（一三）普く（十）方に美しく配置された金剛の幢が音を立て、（一四）あらゆる宝石の布の幢が美しく翻ってきらめき、（一五）あらゆる香料の摩尼王の幢が立てられて辺り隈なく装飾され、（一六）あらゆる華の幢から色とりどりの多くの華が雨のように降り、（一七）すべての宝石の鈴のついた幢が美しく奏でる、聞いて心が安らぐ甘い調べが流れ、（一八）種々の宝石の宮殿の門口には（宝石の華鬘《けまん》が）懸けられ、（一九）種々の宝石の摩尼の身像の口から多くの色と香りをもつ水がほとばしり、（二〇）毘盧遮那摩尼王でできた象王の像の口から蓮華の網が広がり、（二一）種々の金剛の獅子の口から無限の色の香料の雲が漂い、（二二）梵天の形をした毘盧遮那摩尼王の口から大慈の道《ナヤ》を説く清浄な音声が響き、（二三）種々の宝石（をちりばめた）銀の口から（月の明るい）白分《びゃくぶん》の輝きを（述べる）甘く鳴り渡る声が響き、（二四）三世の諸仏の

148

御名が黄金の鈴の華鬘から放たれた美しい音で響き、（二五）大きな摩尼王の鈴の華鬘からすべての仏の法輪を（転じる）快い声が響き、（二六）種々の金剛の鈴からすべての菩薩の誓願が言葉として放たれ、（二七）月幢という摩尼王の列からすべての仏の影像が現れて、種々の音声を響かせ、（二八）浄蔵という摩尼王の列は三世のすべての如来の出生の連続を影像の形で知らしめ、（二九）日蔵という摩尼王の列は、あらゆる神変の実行によって虚空界の果てまで続く十方すべての仏国土の種々の道に光明を現し、（三〇）光輝の幢という摩尼王の列は、すべての如来の光の輪（マンダラ）（と同じ）光輝を放ち、（三一）毘盧遮那という摩尼王の列はすべての世の衆生の王のように変化の雲から如来を供養し奉仕する（光を）放ち、（三二）如意宝珠王の列は普賢なる菩薩の神変によって各刹那に法界全体を遍満し、（三三）一連の須弥（山）の幢という摩尼王（須弥宝王）の列はすべての神々の王の宮殿の雲からアプサラス天女の（美しい）声の調べを奏でており、あらゆる場所で如来への賞讃の雲を湧き起こし、不可思議な功徳と讃美を語る座が、不可思議な宝石の荘厳（に飾られた）座に取り巻かれているのを（善財は）見た。

その座にマーヤー王妃が座っておられるのを見た。（王妃は）（一）すべての世間に直面し、三界（さんがい）に属するものを超えた姿をされ、（二）世の衆生の願いどおりに見られ、すべての生存の境遇を超え出た姿をされ、（三）広大な福徳より生じ、すべての世間によって汚されない姿をされ、㈣すべての衆生の顔を示現し、すべての世の衆生と同じ姿をされ、㈤すべての衆生の面前に(身)をかがめ、すべての世の衆生の成熟と教化にふさわしい姿をされ、㈥すべての世の衆生に果てしなく見せる威神力により、㈢時のすべてにおいて虚空(のように)世の衆生に分け隔てなく見せる姿をされ、㈦すべての世間の境遇〔趣〕において滅している不去の姿をされ、㈧いかなる世(界)にも生まれない不来の姿をされ、㈨不生起に等しい法に専念する不生の姿をされ、㈩すべての世間の言語的慣行に専念する不滅の姿をされ、(一一)如実に証得された不真の姿をされ、(一二)世間に応じて見られた不虚の姿をされ、(一三)死と生とのない不移行の姿をされ、(一四)法界の本性として不滅である不消失の姿をされ、(一五)三世の言語道に専念する無相の姿をされ、(一六)無相というよき相から生じた一相の姿をされ、(一七)すべての世の衆生の心の願いどおりに見られた影像のような姿をされ、(一八)幻のような智によって成就された幻のような姿をされ、(一九)各刹那に世の衆生の思いを威神力によって現すことに専心している陽炎のような姿をされ、(二〇)誓願によってすべての世の衆生に随順する影のような姿をされ、(二一)世の衆生の願いどおりに無区別に見られる夢のような姿をされ、(二二)虚空界のように本性が清浄であり、すべての法界に専心する姿をされ、(二三)衆生の系譜の守護に励み、大悲から生じた姿をされ、(二四)各刹那に法界に遍満し、障礙のない門から生じた姿をされ、(二五)汚濁なくすべての世の衆生に依拠し、周辺も中央もない姿をされ、(二六)すべての言語道を超えでている無量の姿をされ、(二七)すべての世の衆生の教化を威神力によって成し遂げる、不住の姿をされ、(二八)威神力によって世の衆生の利益に励む、威神力によって化現されない姿をされ、(二九)幻のような誓願によって成就された不起の姿をされ、(三〇)すべての世間を超越している無敵の姿をされ、(三一)止心の光明によって見られた如実でない姿をされ、(三二)業のままに世の衆生に従い行く不生起の姿をされ、(三三)願いどおりにすべての衆生の願望を満たす誓願を成就する如意摩尼王のような姿をされ、(三四)すべての人々の分別のままである無分別の姿をされ、(三五)すべての世の衆生の構想として分別されない無分別の姿をされ、(三六)輪廻から脱出しないことに専心する、障害のない姿をされ、(三七)真如と等しく無分別で清浄な姿をされ(て座っておられるのを拝見した)。以上、このような種類の姿で、善財童子は、マーヤー王妃を拝見した。

(三八)姿のようであるが姿でない(姿)をされ、(三九)世間の苦しみの感受の寂滅(じゃくめつ)に専心するが、感受のない姿をされ、(四〇)すべての衆生の想念によって見られるが、すべての衆生の想念を超え出た姿をされ、(四一)幻の業から生じ、(業を)つくらない法性から出現した姿をされ、(四二)菩薩の誓願の智から生まれ、認識の対象を超えた姿をされ、(四三)あらゆる世の衆生の言語道に専心する身体を具え、無自性の姿をされ、(四四)法身の最高の清涼性を具え、輪廻における熱(悩)の消滅した姿をされて、(マーヤー王妃は)願いどおりに世の衆生に色身を示現し、衆生の願いによって、すべての世の衆生と等しく、しかもすべての世の衆生の色身を凌駕する色身を示現して(座っておられるのを)拝見した。

そこ(蓮華座)において、ある衆生たちは、その(色身)は魔の娘の姿をしてはいるが、魔の娘を凌駕する美しさのマーヤー王妃を見た。またある衆生たちは他化自在天のアプサラス天女を凌駕する美しさの王妃を、ある衆生たちは化楽天のアプサラス天女を凌駕する美しさの王妃を、ある衆生たちは兜率天のアプサラス天女を凌駕する美しさの王妃を、ある衆生たちは夜摩天のアプサラス天女を凌駕する美しさの王妃を、ある衆生たちは三十三天のアプサラス天女を凌駕する美しさの王妃を、ある衆生たちは四天王天のアプサラス天女を凌駕する美しさの王妃を、ある衆生たちはクンバーンダ王の娘を凌駕する美しさの王妃を、ある衆生たちはマホーラガ王の娘を凌駕する美しさの王妃を、そしてある衆生たちは人間の王の娘を凌駕する美しさのマーヤー王妃を見た。

344

そこでいかなる世の衆生の色想をも離れた善財童子は、他の衆生たちの願いを洞察して、あらゆる衆生の心の願いの中にいるマーヤー王妃を見た。王妃の福徳はあらゆる衆生の生命の糧であり、その身体は一切智者になるための福徳の集積であり、(衆生たちを)区別しない布施波羅蜜に専念し、あらゆる世の衆生が平等であることを実践し、大悲の牛舎としてあらゆる衆生がそこに一つに融合し、あらゆる如来の功徳の修得に精通し、あらゆる忍辱の方便の海に悟入し、その意志は一切智者になるための精進の勢いによって増大し、その精進はあらゆる法の全体(マンダラ)を清めることから不退転であり、あらゆる法の自性の瞑想に精通し、その心はあらゆる禅定の支分の方便を完成し、禅定の支分の方便を区別なく保持する如来の禅定の輪(マンダラ)の輝きを得ており、あらゆる衆生の煩悩の海を枯渇させようと決意して種々の瞑想に専念し、あらゆる如来の法輪を検討する方法を知っており、あらゆる法の真理(ナヤ)の海に通達する智をもち、あらゆる如来にまみえて飽きることなく、三世の如来たちを次々に審観して倦怠なく、あらゆる仏にまみえる門が現前し、あらゆる如来が到達する道の多様性を巧みに知っており、あらゆる如来(と同様に)虚空を行動領域とし、あらゆる衆生を摂取する方便を巧みに知っており、周辺も中央もない(無限の)世の衆生を成熟させ教化するために願いに応じて(姿を)現しだすことを得ており、あらゆる清らかな仏身の多様性に悟入しており、あらゆる(仏)国土の海の完全な清らかさを誓願として具足し、あらゆる衆生界を教化する威神力をきわめつくそうという誓願が清められており、あらゆる如来の境界に供養でもって遍満したいと思い、あらゆる菩薩の神変の精進に精通し、無上の法身が完全に清められており、無限の色身を示現し、あらゆる魔の力を粉砕し、広大な善根の力を得ており、法の力から生じた覚知と仏の力の光明を得ており、あらゆる菩薩の自在力を完成しており、一切智者性の勢いの力が生じており、あらゆる如来の智の稲妻によって照らされた智慧をもち、周辺も中央もない衆生の心の海を熟慮する智をもち、広大な世の衆生の願いを洞察し、他の衆生たちの機根の多様性を知る方便（ナヤ）に通暁し、無限の衆生たちの信解の多様性を知る巧みさに通達し、その身体は十方の無量の国土の海に遍満し、あらゆる世界の多様性を知る方便（ナヤ）に通暁し、あらゆる国土のそれぞれの区別を巧みに知る方便の巧みさに通達し、あらゆる十方の海の果てまで広がった智を示現し、その覚知はあらゆる（三）世の海の果てにまで広がっており、あらゆる仏の海が現前し、（その前で）身体をひれ伏しており、その心はあらゆる仏法の雲の海を修得することに向けられ、あらゆる如来の功徳を円満に成就する修行の熟達に専念し、その覚知はあらゆる菩提の資糧を産み出すものに広がり及んでおり、あらゆる菩薩が旅立った行路を吟味して進み行き、発菩提心に必要なあらゆる要因を成就し、あらゆる衆生の守護に専念し、あらゆる仏の名声の雲の光明を広め、あらゆる菩薩と勝者の生母となる誓願を成就した女性であった。

　善財童子は、以上を初めとして、ジャンブ州の微塵の数に等しい現れ方をするマーヤー王妃を見た。善財は、王妃を見た後、マーヤー王妃と同じだけの数の自分の身体を化現し、その身体でもってあらゆる場所に赴いて、普き方向に遍在するマーヤー王妃にひれ伏した。彼がひれ伏すとすぐに、周辺も中央もない三昧門が現れた。彼はそれらの三昧門をよく見て、それらを（自らの）目印とし、瞑想し、堅固にし、常に心に保ち、遍満させ、充満させ、一望し、増大させ、成就し、完了した後に、それらの三昧門より立ち出でて、従者たちに囲まれ宮殿の座に座っているマーヤー王妃の周りを右遶して、その前に合掌して立ち、次のように言った。「聖者よ、私は無上正等覚に向けて発心し善知識に奉仕するよう、文殊師利(もんじゅしり)法王子によって、勧められました。私は、順次、善知識たちに奉仕しながら、ついにあなたの下にやって来ました。聖者よ、どうか教えて下さい。いかにして菩薩は菩薩行を学び一切智者性を成就するのかを」

王妃は答えた。「善男子よ、私は偉大な誓願の智の幻の荘厳〔大願智幻荘厳(たいがんちげんしょうごん)〕という菩薩の解脱を獲得しています。この解脱を得ている私は、善男子よ、この世界海に在るあらゆる世界のあらゆるジャンブ州において、尊き毘盧遮那仏が最後の生存に菩薩として誕生する時に起こったある限りの奇蹟、そしてこれらの奇蹟を伴って誕生するある限り（の菩薩たち）、それらすべての最後の生存として生まれる菩薩たちの生母なのです。それらの菩薩たちのすべてが私の胎内で生を受けるのです。私の右脇より生まれ出るのです。ついに私は、善男子よ、この四大州から成る祝福された世界にあるカピラヴァストゥ〔迦毘羅〕の大都城において、シュッドーダナ王〔浄飯王(じょうぼんおう)〕にふさわしい妃として、菩薩

345

誕生のとても不可思議な神変とともに、シッダールタ〔悉達多〕菩薩を出産しました。

そういう私はそのとき、善男子よ、シュッドーダナ王の王宮にいましたが、いよいよ（菩薩が）兜率天宮から降誕する時になって、菩薩の身体のあらゆる毛孔の一々から、あらゆる菩薩の生母の功徳の真実の荘厳であり、あらゆる如来の生母の功徳の輪から生じる光明〔一切如来受生円満功徳〕という名の、不可説数もの仏国土の微塵の数に等しい光明が発して、それが世界の悉くを照らし出し、私の身体に落ちてきて、私の額から始まってあらゆる毛孔に入り込みました。善男子よ、それぞれが多くの名称をもつそれらの菩薩の光明が、多種多様な菩薩の生母の神変の荘厳を放出しながら、私の毛孔に入り込むと直ちに、私の身体には菩薩の光明の門の輪によって露にされた菩薩の誕生の神変の次第と荘厳のすべてが、従者たちとともに（私の体内に）はいるのが見られました。善男子よ、それらの菩薩の光明が私の身体に入り込むと直ちに、菩薩の光明の門の輪が現れ出でて、それらの菩薩たちの誕生の真実と神変が（目前で）起こったのです。それらのすべてを私は自分の眼で見ました。即ち、菩薩たちが（王宮や従者を捨てて）、最高無上の菩提道場に上っており、仏の獅子座に座っており、菩薩の説法会に取り囲まれており、世間の王たちに供養されており、法輪を転じている（有り様を見ました）。さらに過去世で菩薩行を修行していた（現在の）如来たちが過去世で仕えた如来たち、それらのすべてを自分の眼で見ました。それらの如来たちの最初の発心や誕生の神変を、完全なさとりや転法輪や完全な涅槃の神変とともに、またあらゆる仏国土が清められている荘厳を、それらの如来たちの化身の輪（マンダラ）が各心刹那に法界全体に遍満する有り様を、それらのすべてを自分の眼で見ました。善男子よ、そのような菩薩の光明がこの私の身体に入り込むと、私の身体はあらゆる衆生を覆い尽くし、また私の胎は虚空界のように広大となりましたが、しかし同時に人間の身体の大きさを超えることはなかったのです。そして十方に（遍在する）菩薩の胎児が宿るべき宮殿の荘厳のある限り、それらのすべてが私の身体の内部に入り込み、それらのすべてが見られたのです。

さらに善男子よ、菩薩の胎児が宿るべき宮殿の荘厳と享楽が、この私の身体の上に顕示されると直ちに、かの菩薩は、十の仏国土の微塵の数に等しい菩薩たちと一緒に、私の胎に入りました。その菩薩たちはみなかの菩薩と同じ誓願をいだき、同類の修行に励み、同じ善根を積み、荘厳を同じくし、同じ解脱に安住し、同じ智の位に居住し、同じ神変に通達し、同じ誓願を成就し、同じ修行に通達し、法身は完全に浄化され、周辺も中央もない色身（を現す）神通をもち、普賢菩薩行の誓願の神変に熟達した菩薩たちでありました。また龍王たちで満たされた摩尼宝石の楼閣にいたサーガラ龍王を先頭とする八万の龍王たちや八万のあらゆる世間の王たちによって迎えられて、かの菩薩が偉大な神変でもってあらゆる兜率天宮からの降誕を示現しますと、(多くの菩薩たちがその)一々の兜率天宮から降下して全世界の隅々まで広がる四大州に誕生する有り様が示現され、不可思議数の衆生たちを成熟させるための巧みな方便を得て迷妄の衆生を教化してあらゆる執着から離脱させ、大きな光明の網を放出してあらゆる世界の暗闇を除去し、あらゆる悪趣の苦しみを終止させ、あらゆる地獄の生存から引き戻すために衆生たちのあらゆる前世の業を諭し、あらゆる衆生界を救護するためにあらゆる衆生の面前に身体を現す(という有り様を示現して)、かの菩薩は兜率天宮から降下すると、大勢の従者(の菩薩)たちと一緒に私の胎に入りました。

それらの菩薩たちはすべて、三千世界のように広大な、あるいは不可説数の仏国土の微塵の数に等しい世界のように広大で勇猛な足どりでもって、私の胎中を闊歩しました。また十方の世界の隅々にまで遍在するあらゆる如来の足下に集まっている不可説数ものあらゆる菩薩たちが、各心刹那の瞬間に、菩薩の胎児が宿るという神変を見るために、私の胎内に入り込んだのです。また四天王や帝釈天(たいしゃくてん)や須夜摩天(しゅやまてん)や兜率天や化楽天や(他化)自在天などの諸天の王たちが、さらには梵天の王たちが、胎児として宿るに至った菩薩に直接にまみえ、頂礼し、奉仕し、聞法(もんぽう)し、対話を経験するために、(私の胎内に)集まってきました。しかし私のこの胎が、それほど多くの会衆(えしゅ)を受け入れることによって、大きくなったわけでもなく、あるいは私のこの身体があの通常の人間の身体とは特別に異なったものとなっていたわけでもありません。それでもそれほど多くの会衆を完全に受け入れたのです。そして、それらの神々や人間たちのすべてが種々の菩薩の享楽と清浄な荘厳とを眼にしたのです。それは何故にでありましょうか。それは当然、それによってかの大願智幻荘厳という菩薩の解脱が雄弁に語られたからであります。

さらに善男子よ、私がこの四大州から成る祝福された世界のジャンブ州においてかの菩薩を胎内に受け入れたように、三千大千世界のあらゆる四大州世界のジャンブ州においても同じように、この神変の荘厳でもって菩薩を私は受け入れました。しかし、私のこの身体が一つ以上に分かれたのでもなく、また一つのままで分かれないのでもありません。私の身体は、一の状態のままだったのでもなければ、多の状態になったのでもありません。というのも、当然それによってかの大願智幻荘厳という菩薩の解脱が雄弁に語られたからです。さらに善男子よ、私がこの尊き毘盧遮那如来の生母となったように、同様に私は、周辺も中央もない過去の如来たちの生母でもありました。(過去世の修行によって)この世に化生する菩薩が蓮華の中に生まれるとき、そのときは私は蓮池の女神となって、菩薩を受け入れます。そして、世界はこの私を菩薩の生母と認めるのです。あるいは菩薩が私の膝の上に姿を現したときに、私はその菩薩の生母となりました。あるいは菩薩が仏国土に姿を現すとき、そのとき私は菩提道場の女神となります。このようにして、善男子よ、どれほどの方便門によって最後の生を生きる菩薩たちがこの世界に現れたとしても、それだけの方便門によって私は菩薩たちの生母となるのです。

善男子よ、この世界において、かの尊き（毘盧遮那如来）が一切の菩薩の誕生の神変を示現するとき、（常に）私が（その）生母であったように、（過去世において）尊きクラクッチャンダ〔拘留孫〕如来、カナカムニ〔拘那含牟尼〕、カーシャパ〔迦葉〕如来の生母でもありました。同様に、私は、（目下の）賢劫に属す一切の未来の如来方の生母となるでしょう。たとえば、（現在）兜率天宮におられる弥勒菩薩が、下天を示現するときに至り、一切の菩薩が受生し、母胎に住する神変を示現する一筋の光明が放たれ、一切の法界の真理の地平が照らし出されるとき、ある限りの法界の真理の地平が私の眼に映るでしょう。弥勒菩薩が、人間界において、人間の王家への誕生を示現することにより、衆生を教化するとき、私は常に（弥勒）菩薩の生母となるでしょう。

弥勒菩薩と同様に、弥勒菩薩の後に、無上正等覚を開かれるシンハ〔師子〕（如来）の（生母となるでしょう）。同様に、プラディヨータ〔輝き〕、ケートゥ〔法幢〕、スネートラ〔善眼〕、クスマ〔浄華〕、クスマシュリー〔華徳〕、ティシュヤ〔提舍〕、プシュヤ〔弗沙〕、スマナス〔善意〕、ヴァジュラ〔金剛〕、ヴィラジャス〔離垢〕、チャンドロールカー・ダーリン

〔大月光持炬〕、ヤシャス〔名称〕、ヴァジュラ・シュッダ〔金剛楯清浄義〕、エーカールタ・ダルシン〔見一義〕、アシターンガ〔紺身〕、パーランガタ〔到彼岸〕、ラトナールチッヒ・パルヴァタ〔宝焔山〕、マホールカー・ダーリン〔持大炬〕、パドモーッタラ〔勝蓮華〕、ヴィグシュタ・シャブダ〔鳴り響く音声、名称声〕、アパリミタ・グナダルマ〔無量徳持〕、ディーパシュリー〔最勝燈吉祥〕、ヴィブーシターンガ〔荘厳身〕、スパラヤーナ〔善威儀〕、マイトラシュリー〔慈徳〕、ニルミタ〔変化〕、アニケータ〔無住〕、ジュヴァリタ・テージャス〔勝威光〕、アナンタ・ゴーシャ〔無辺声〕、アーニネーマ〔勝怨敵〕、アーニネートラ、ヴィマティ・ヴィキラナ〔除疑惑〕、パリシュッダ〔清浄〕、スヴィシャーラーバ〔広博光〕、ヤシャッハ・シュッドーディタ〔出現清浄名称〕、メーガシュリー〔雲徳〕、ヴィチトラ・チューダ〔荘厳頂髻〕、ドゥルマ・ラージャ〔樹王〕、サルヴァラトナ・ヴィチトラヴァルナ・マニクンダラ〔一切宝、種種色、宝耳璫〕、サーガラマティ〔海慧〕、シュバラトナ〔浄宝〕、アニハタ・マッラ〔勝力士〕、パリプールナ・マノーラタ〔満願〕、マヘーシュヴァラ〔大自在〕、インドラシュリー〔妙徳王〕、アグニシュリー〔火の栄光〕、チャンダナ・メーガ〔栴檀雲〕、アシタ・ヴィシャーラークシャ〔紺青広博眼〕、シュレーシュタ・マティ〔殊勝慧〕、ヴィバーヴィタ・マティ〔修習慧〕、アヴァローパナ・ラージャ〔(善根を)植える王〕、ウッターパナ・ラージャ〔熾盛王〕、ヴァジュラ・マティ〔堅固慧〕、ヴィブーシタ〔荘厳王〕、ヴィブーティ〔威力ある、自在名〕、ケーシャラ・ナンディン〔師子喜〕、イーシュヴァラ・デーヴァ〔自在天〕、イーシュヴァラ〔自在〕、ウシュニーシャ・シュリー〔妙徳頂〕、ヴァジュラ・ジュニャーナ・パルヴァタ〔金剛智山〕、シュリーガルバ〔妙徳蔵〕、カナカジャーラ・カーヤ・ヴィブーシタ〔宝網厳身〕、スヴィバクタ〔善慧〕、イーシュヴァラ・デーヴァ〔自在天〕、マヘーンドラ・デーヴァ〔大自在天王〕、アニラシュリー〔風の栄光、無衣徳〕、ヴィシュッダ・ナンディン〔清浄喜〕、アルチシュマット〔焔慧〕、ヴァルナシュリー〔水天吉祥〕、ヴィシュッダ・マティ〔清浄智〕、アグラヤーナ〔至高の乗物、乗高峰〕、ニヒタ・グノーディタ〔陰徳より生じた、出生無上功徳〕、アリグプタ〔敵より護られた、護世怨〕、ヴァーキャ・ヌダ〔言葉を排除する、随順語〕、ヴァシーブータ〔自在となった〕、グナテージャス〔功徳の威光、功徳自在〕、ヴァイローチャナ・ケートゥ〔毘盧遮那妙幢〕、ヴィバヴァ・ガンダ〔富としての香、離有香〕、ヴィバーヴァナ・ガンダ〔修習香〕、ヴィバクターンガ〔妙身〕、スヴィシャーカ〔妙広博身〕、サルヴァ・ガンダールチ・ムカ〔一切香焔王〕、ヴァジュラマニ・ヴィチトラ〔金剛宝厳〕、プラハシタ・ネートラ〔微笑眼〕、ニハタ・ラーガ・ラジャス〔滅欲塵〕、プラヴリッダ・カーヤ・ラージャ〔増長身〕、ヴァース・デーヴァ〔財天〕、ウダーラ・デーヴァ〔広大天〕、ニローダ・ニムナ〔順寂滅〕、ヴィブッディ〔覚智〕、ドゥータ・ラジャス〔離塵垢〕、アルチル・マヘーンドラ〔大焔王〕、ウパシャマヴァット〔寂諸有〕、ヴィシャーカ・デーヴァ〔毘舎佉天〕、ヴァジュラギリ〔金剛山〕、ジュニャーナールチ・ジュヴァリタ・シャリーラ〔智の焔の燃え盛る身体、智焔徳〕、クシェーマンカラ〔作安楽〕、アウパガマ・シャールドゥーラ〔近寄る虎、師子出現〕、パリプールナシュバ〔円満清浄〕、ルチラバドラ・ヤシャス〔喜ばしく美しい名声、楽賢徳〕、パラークラマ・ヴィクラマ〔勇猛精進〕、パラマールタ・ヴィクラーミン〔第一義勇〕、シャーンタ・ラシュミ〔寂静光〕、エーコーッタラ〔一増上〕、ガンビーラ・スヴァラ〔甚深声〕、ブーミマット〔大地王〕、アシタ〔紺青光〕、ゴーシャシュリー〔妙音声吉祥〕、ヴィシシュタ〔殊勝〕、ヴィブータ・パティ〔威力ある主、尊勝吉祥〕、ヴィブータ・ブータ〔威力ある存在、最勝自在〕、ヴァイディヨーッタマ〔無上医〕、グナ・チャンドラ〔功徳月〕、プラハルシタ・テージャス〔微笑光〕、グナ・サンチャヤ〔功徳聚〕、チャンドロードガタ〔月出〕、バースカラ・デーヴァ〔日天〕、ビーシュマ・ヤシャス〔勇猛名称〕、ラシュミ・ムカ〔焔光面〕、シャーレーンドラ・スカンダ〔娑羅王〕、ヤシャス〔名称聚〕、オーシャディ・ラージャ〔薬王〕、ラトナ・ヴァラ〔宝勝〕、ヴァジュラマティ〔金剛慧〕、シタシュリー〔白浄吉祥〕、ニルダウタ―ラヤ〔寂静住処〕、マニラージャ〔摩尼王〕、マハー・ヤシャス〔大名称〕、ヴェーガ・ダーリン〔速疾受持〕、アミターバ〔無量光〕、マハーサナールチス〔大いなる座の焔、大荘厳焔〕、アモーガ・ダルメーシュヴァラ〔法自在不虚〕、ニハタ・ディーラ〔隠れた堅固さ、不退地〕、デーヴァ・シュッダ〔清浄天〕、ドリダ・プラバ〔堅固なる光明、堅固苦行〕、ヴィシュヴァー・ミトラ〔一切善友〕、ヴィムクティ・ゴーシャ〔解脱音〕、ヴィナルディタ・ラージャ〔(獅子)吼する王、遊戯王〕、ヴァーキャ・チェーダ〔(虚)言を滅す、滅邪曲〕、チャンパカ・ヴィマラ・プラバ〔薝蔔浄光〕、アナヴァディヤ〔非難の余地のない、具最勝徳〕、ヴィシシュタ・チャンドラ〔最勝月〕、ウルカーダーリン〔執明炬〕、ヴィチトラ・ガートラ〔殊妙身〕、アナビラーピョードガタ〔不可説なる出現、不可説〕、ジャガン・ミトラ〔友安衆生〕、プラブータ・ラシュミ〔豊かな光線、無量光〕、スヴァラーンガ・シューラ〔音声の英雄、無畏音〕、カルナー・ヴリクシャ〔慈悲の樹、水天徳〕、ドリタマティ・テージャス〔不動慧光〕、クンダシュリー〔華勝〕、アルチシュ・チャンドラ〔月焔〕、アニヒタ・マティ〔隠れなき智慧、不退慧〕、アヌナヤ・ヴィガタ〔離愛〕、アニランバ・マティ〔無著慧〕、ウパチタ・スカンダ〔集功徳蘊〕、アパーヤ・プラマタナ〔滅悪趣〕、アディーナ・クスマ〔立派な華、普散華〕、シンハ・ヴィナルディタ〔師子吼〕、アニヒーナールタ〔第一義〕、アナーヴァラナ・ダルシン〔見無礙〕、パラガナ・マタナ〔摧伏他衆〕、アニラ・ネーマ〔疾風行〕、アカンピタ・サーガラ〔不動なる海、不動性〕、ショーバナ・サーガラ〔清浄海〕、アパラージタ・メール〔不可沮壊須弥山〕、アニラヤ・ジュニャーナ〔無著智〕、アナンターサナ〔無辺座〕、ユディシュティラ〔武装堅固、闘戦勝〕、チャリヤーガタ〔随師行〕、ウッタラ・ダッタ〔最上施〕、アティアンタ・チャンドラマス〔常月〕、アヌグラハ・チャンドラ〔摂益する月、饒益王〕、アチャラ・スカンダ〔不動蘊〕、アグラサーヌ・マティ〔極妙意〕、アヌグラハ・マティ〔饒益慧〕、アビウッダラ〔救済者、持寿〕、アルチタマナ〔敬意を抱く、寿名〕、アヌパガマ・ナーマン〔具足名称〕、ニハタ・テージャス〔隠れた威力、大威力〕、ヴィシュヴァ・ヴァルナ〔種種色相〕、アニミッタ・プラジュニャ〔無相慧〕、アチャラ・デーヴァ〔不動天〕、アチンティヤ・シュリー〔不思議吉祥〕、ヴィモークシャ・チャンドラ〔解脱月〕、アヌッタラ・ラージャ〔無上王〕、チャンドラ・スカンダ〔満月蘊〕、アルチタ・ブラフマン〔梵供養〕、アカンピヤ・ネートラ〔不動眼〕、アヌナヤ・ガートラ〔愛しい身体、愛境界〕、アビウドガタ・カルマン〔最上業〕、アヌダルマ・マティ〔順法智〕、アヌッタラ・シュリー〔無上吉祥〕、ブラフマ・デーヴァ〔無勝梵天〕、アチンテイヤ・グナ（プラバ）〔不思議功徳光〕、アヌッタラ・ダルマ・ゴーチャラ〔無上法境界〕、アパリアンタ・バドラ〔無辺際賢〕、アヌルーパ・スヴァラ〔ふさわしい音声、普順自在〕、アビウッチャー・デーヴァ〔最尊天〕菩薩の（生母となるでしょう）。

善男子よ、以上のように、私は、この三千大千世界において、弥勒を上首とする未来の如来方を初めとして、すべての賢劫の如来・応供・正等覚の生母となるでありましょう。さらに、この世界におけると同様に、十方の無量の世界において、周辺もなく中央もない（無限の）法界の真理に悟入し、あたかも不可説数の優れた功徳を具えて弥勒如来の生母となるのと同様に、不可説数の優れた功徳を具えてシンハ(如来)からローチャマ〔楼至〕如来に至るまでの生母となるでありましょう。さらに、賢劫の如来方の(生母となる)ように、この普き華蔵荘厳世界海の中の一切の世界系譜、一切の世界の広がり、一切の世界、一切のジャンブ州において、未来の果て〔尽未来際〕の劫までの間、普賢菩薩行を行ないつつ、一切の劫のすべての衆生の教化と成熟を(威神力によって)化現して、一切の未来の如来が菩薩とな(って出生され)るとき、その生母となるでありましょう」

マーヤー王妃の因縁譚　このように言われて、善財童子は、マーヤー王妃に次のようにお尋ねした。「聖者よ、あなたが、この大願智幻荘厳という菩薩の解脱門を体得されて以来、どれほど久しい時間が経過しましたでしょうか」

(マーヤー王妃は)答えた。「善男子よ、かつて過去世に、不可思議にして、心の領域を超え、神通力ある菩薩の眼(のみ)が認識し、(凡夫の)識別や計数を超えた昔に、シュバプラバ〔浄光〕という劫がありました。さらに、その浄光劫に、メールードガタ・シュリー〔須弥徳〕という世界があり、清浄もしくは汚れた多数の宝石より成り、鉄囲山と須弥山と大海を具え、五趣(の衆生)が出没し、多様にして、眼に美しい所でありました。その須弥徳世界に、一千コーティの四大州がありました。その一千コーティの四大州の中に、シンハ・ドゥヴァジャーグラ・テージャス〔獅子の幢の至高の栄光、香風威徳師子幢〕という中位の四大州がありました。そこには、八万コーティの王都がありましたが、その八万コーティの王都の中に、ドヴァジャーグラ・ヴァティー〔最勝具足幢〕という中位の王都がありました。そこに、マハー・テージャッハ・パラークラマ〔勇猛精進大威徳〕という転輪聖王がいました。さらに、その最勝具足幢という王都には、チトラ・マンジャリ・プラバーサ〔種種妙色光〕という菩提道場がありました。そこに、ネートラシュリー〔吉祥眼〕という菩提道場の女神がいました。

その種種妙色光菩提道場の上に、ヴィマラ・ドヴァジャ〔離垢幢〕という菩薩が、一切智者性の法を証得するために座っていました。彼が一切智者性の法を証得するのを妨げようとして、スヴァルナ・プラバ〔金色光〕という魔が、大軍勢を率いて、（自らは）姿を隠して、（菩薩に）近づいてきました。（そのとき）かの勇猛精進大威徳という転輪聖王は、既に菩薩の自在力を体得していたので、大神通の神変を出現させました。（即ち）かの大軍よりも（数が）多く、恐ろしい軍勢を化作して、魔の軍勢を制圧するために、かの菩提道場の周囲を取り囲ませました。それゆえ、魔の大軍は退散し、尊き離垢幢如来は、無上正等覚を開かれたのです。

そのとき、この菩提道場の女神である吉祥眼は、勇猛精進大威徳転輪聖王について、（わが）子であるという想念を生じ、かの如来の足下にひれ伏して、次のような誓願をた

349

てました。世尊よ、私が(今後)どこに生まれましょうとも、願わくはこの勇猛精進大威徳転輪聖王が私の息子となりますように。また彼が無上正等覚を開くときにも、願わくは私が彼の生母となりますように、と。

このように誓願をたてた後、彼女は、その同じ種種妙色光菩提道場において、その同じ浄光劫の間、十ナユタの如来方に親しくお仕えいたしました。

さて、善男子よ、そのとき、その折の吉祥眼という菩提道場の女神を別人であると、あなたは考えますか。善男子よ、そのように見てはなりません。私こそ、そのとき、その折の吉祥眼という菩提道場の女神であったのです。また、善男子よ、そのとき、その折、既に菩薩の自在力を体得していたので、大神通の神変を出現させ、魔の大軍を退散させた勇猛精進大威徳という転輪聖王を別人であると、あなたは考えますか。そのように見てはなりません。この尊き毘盧遮那如来・応供・正等覚こそ、そのとき、その折の勇猛精進大威徳という転輪聖王であったのです。

善男子よ、それ以来、私がどこに生まれようと、いつも彼は私の息子となりました。あらゆる仏国土において菩薩行を行ないつつ、あらゆる境遇の門において、あらゆる受生の門において、あらゆる善根の門において、あらゆる菩薩行の観察と実行において、あらゆる前生の方便において、あらゆる神々の王としての誕生において、あらゆる世間の王としての境遇において、あらゆる自在神の境地において、あらゆる境遇の配分において、（彼が）どこに生まれようとも、一切衆生を教化し、成熟させる原動力である彼の生母は、常に私でありました。そして、最後の生存〔最後身〕において、どこまでも彼に随順し、私は生母となりました。あらゆる菩薩誕生の門において、毎刹那に、彼が示現した限りのすべての菩薩誕生の神変において、常に私が、彼の母親でありました。また、過去の周辺もなく中央もない無量の如来方についても、私が生母でありました。また、十方の現在の周辺もなく中央もない無量の如来方についても、私が生母たる栄誉を享受しています。そして、ある限りの如来方の最後の生存において、私は菩薩の母親となったのですが、そのすべての如来方の臍輪（さいりん）から光線が放たれ、（私の）大きな身体と座とを照らし出したのであります。

善男子よ、私はこの大願智幻荘厳という菩薩の解脱を知るのみであります。どうして、私に、大悲を内に秘め〔大悲蔵〕、一切智者性へ（衆生を）教化し、成熟させて飽きることがない肚をもち、一切如来の神変が毛孔から出現するように示現する自在力をもつ菩薩方の行を知り、功徳を語ることができましょうか。

行きなさい、善男子よ。まさにこの三十三天の宮殿に、スレーンドラーバー〔天主光（てんしゅこう）〕という天の娘がいて、スムリティマット〔具足正念（ぐそくしょうねん）〕という天子の娘であります。彼女の所に行って、いかにして菩薩は菩薩行を学ぶべきか、いかにして実践すべきか尋ねなさい」

そこで、善財童子は、マーヤー王妃の足下に頂礼し、王妃の周りを幾百千回となく右遶して、繰り返し見つめた後、マーヤー王妃の下を辞した。

第四十二章　天の娘スレーンドラーバー

そこで善財童子は三十三天の宮殿のある所、天子スムリティマットの娘でスレーンドラーバーという天の娘のいる所に赴いた。近づいて、スレーンドラーバーの両足に頂礼し、彼女の周りを幾百千回となく右遶した後、その前に合掌して立つと、次のように言った。「聖者よ、私は既に無上正等覚に向かって発心いたしております。しかし、いかにして菩薩は菩薩行を学ぶべきか、いかにして実践すべきか、私は知りません。ところで、あなたは菩薩方に教訓と教誡を授けられると私は聞いております。女神よ、どうか私に、菩薩はいかにして菩薩行を学ぶべきか、いかにして実践すべきかお説き下さい」

このように言われて、天の娘スレーンドラーバーは、善財童子に、次のように答えた。

「善男子よ、私は無礙の憶念の清浄なる荘厳〔無礙念清浄荘厳（むげねんしょうじょうしょうごん）〕という菩薩の解脱を体得しています。(1) 善男子よ、私は次のように記憶しています。かつて、ウトパラカ〔青蓮華〕という劫があり、そのとき、私は、ガンジス河の砂の数に等しい（ほど多くの）如来方にお仕えしました。彼らが出家するときには、守護し、供養し、居住のための精舎を建設しました。かの尊き仏たちは、菩薩となって、母の胎内に入り、(母胎から)生まれ、(生まれて直ちに)七歩進み、(「天上天下唯我独尊」と)大獅子吼し、青年の状態にあっては、後宮の中にいたり、出家したり、菩提を開いたりし、また法輪を転じて、一切の仏の神変を示現して、衆生の教化と成熟に励まれますが、そのすべて、初めて発心するときから正法(の時代)が終るまでを、私は知っています。記憶し、想起し、受持し、保持し、考究し、追跡します。

スブーティ〔善地〕という劫があり、そのとき、私は十のガンジス河の砂の数に等しい如来方にお仕えしました。スバガ〔妙徳〕という劫があり、そのとき、私は仏国土の微塵の数に等しい如来方にお仕えしました。アニランバ〔無所得〕という劫があり、そのとき、私は八十四・百千コーティ・ニユタの仏たちにお仕えしました。スプラバ〔善光〕という劫があり、そのとき、私はジャンブ州の微塵の数に等しい如来方にお仕えしました。アトゥラプラバ〔無量光〕という劫があり、そのとき、私は二十のガンジス河の砂の数に等しい如来方にお仕えしました。ウッタプタシュリー〔精進徳〕という劫があり、そのとき、私はガンジス河の砂の数に等しい如来方にお仕えしました。スーリョーダヤ〔出現日〕という劫があり、そのとき、私は八十のガンジス河の砂の数に等しい如来方にお仕えしました。ジャヤン・ガマ〔勝遊〕という劫があり、そのとき、私は六十のガンジス河の砂の数に等しい如来方にお仕えしました。スチャンドラ〔妙月〕という劫があり、そのとき、私は七十のガンジス河の砂の数に等しい如来方にお仕えしました。

善男子よ、このような仕方で、私はガンジス河の砂の数に等しい劫を想起するのに、たえまなく常に、応供・正等覚である如来と一緒におりました。また、そのすべての如来方から、この無礙念清浄荘厳という菩薩の解脱を聴聞しました。聴聞した後、受持し、説かれたとおりに実践しました。このように、私は、(この)解脱にたえまなく常に没入し、かのすべての如来方が菩薩地(に入るとき)から、正法(の時代)が終るまでの、仏の神変のすべてを、この無礙念清浄荘厳という菩薩の解脱によって想起し、受持し、保持し、考究し、記憶しています。

善男子よ、私は、この菩薩の解脱を知っています。(しかし)どうして、私に、(無知の)暗闇を離れ、輪廻の夜から抜け出て、諸々の苦悩〔蓋〕を離れ、眠気を催さず、惛沈と睡眠を離れ、身体の機能が安穏〔軽安〕であり、一切法の自性の覚知により浄化され、十力の清浄をさとらせる菩薩方の行を知り、功徳を語ることができましょうか。

行きなさい、善男子よ。大都カピラヴァストゥに、ヴィシュヴァーミトラ〔遍友〕という子供の先生〔童子師〕が住んでいます。彼の所に行って、尋ねなさい。いかにして、菩薩は菩薩行を学ぶべきか、いかにして実践すべきかを」

そこで善財童子は、歓喜し、踊躍し、喜悦し、狂喜し、深い満足を生じ、不可思議な善根の衝動が増大して、天の娘スレーンドラーバーの両足に頂礼し、彼女の周りを幾百千回となく右遶し、繰り返し見つめた後、天の娘の下を去った。

第四十三章　ヴィシュヴァーミトラ童師

　そこで善財童子は、三十三天の宮殿から降りて、次第に大都カピラヴァストゥの童師ヴィシュヴァーミトラのいる所にやって来た。近づいて、童師の両足に頂礼し、その周りを幾百千回となく右遶した後、童師ヴィシュヴァーミトラの前に合掌して立つと、次のように言った。「聖者よ、私は既に無上正等覚に向かって発心いたしております。しかし、いかにして菩薩は菩薩行を学ぶべきか、いかにして実践すべきか、私は知りません。ところで、あなたは菩薩方に教訓と教誡を授けられると私は聞いております。聖者よ、どうか私に、菩薩はいかにして菩薩行を学ぶべきか、いかにして実践すべきかお説き下さい」

　このように言われて、童師ヴィシュヴァーミトラは、善財童子に、次のように答えた。「善男子よ、ここにシルパービジュニャ〔善知衆芸（ぜんちしゅげい）〕という長者の子がいて、菩薩から文字に関する知識〔字智〕を学んでいます。彼の所に行って、尋ねなさい。あなたに、いかにして菩薩行を学ぶべきか、いかにして実践すべきか説き明かしてくれるでしょう(1)」

第四十四章　長者の子シルパービジュニャ

そこで、善財童子は、長者の子シルパービジュニャの所に近づき、その両足に頂礼し、彼の前に合掌して立つと、次のように言った。「聖者よ、私は既に無上正等覚に向かって発心いたしております。しかし、いかにして菩薩は菩薩行を学ぶべきか、いかにして実践すべきか、私は知りません。ところで、あなたは菩薩方に教訓と教誡を授けられると私は聞いております。聖者よ、どうか私に、菩薩はいかにして菩薩行を学ぶべきか、いかにして実践すべきかお説き下さい」

彼は答えた。「善男子よ、私は、工巧に通じた〔善知衆芸〕という菩薩の解脱を体得している。善男子よ、私が字母表を読誦するとき、(一)ア音の文字(a)を唱えると、菩薩の威神力により、純一無雑の境界〔無差別境界〕という般若波羅蜜門に悟入する。[1]

(二)ラ(ra)字を唱えると、無限の地平の区別〔無辺差別門〕という般若波羅蜜門に悟入する。

（三）パ（pa）字を唱えると、法界の地平の区別〔法界無異相〕という般若波羅蜜門に悟入する。

（四）チャ（ca）字を唱えると、普き輪（チャクラ）の区別を断つ〔普輪断差別〕という般若波羅蜜門に悟入する。

（五）ナ（na）字を唱えると無所依（むしょえ）を体得した〔得無依無上〕という般若波羅蜜門に悟入する。

（六）ラ（la）字を唱えると、名を離れ、無所依のゆえに無垢〔離名色依処無垢汚〕という般若波羅蜜門に悟入する。

（七）ダ（da）字を唱えると、不退転の修行〔不退転之行〕という般若波羅蜜門に悟入する。

（八）バ（ba）字を唱えると、金剛輪（マンダラ）〔金剛輪道場〕という般若波羅蜜門に悟入する。

（九）ダ（ḍa）字を唱えると、普き輪（チャクラ）〔普輪〕という般若波羅蜜門に悟入する。

（一〇）シャ（ṣa）字を唱えると、海を内蔵する〔海蔵〕という般若波羅蜜門に悟入する。

（一一）ヴァ（va）字を唱えると、普き増長の確立〔普生安住〕という般若波羅蜜門に悟入する。

（一二）タ（ta）字を唱えると、星辰（せいしん）の輪（マンダラ）〔星宿月円満光〕という般若波羅蜜門に悟入する。

（一三）ヤ（ya）字を唱えると、区別の集積〔差別積聚〕という般若波羅蜜門に悟入する。

（一四）シュタ（ṣṭa）字を唱えると、普く熱悩を鎮める光明〔普光明息煩悩〕という般若波羅蜜門に悟入する。

(一五)カ(ka)字を唱えると、純一無雑の雲〔無差別雲〕という般若波羅蜜門に悟入する。

(一六)サ(sa)字を唱えると、(法雨を)真向から降り注ぐ〔降注大雨〕という般若波羅蜜門に悟入する。

(一七)マ(ma)字を唱えると、大いなる衝動と多様なる衝動の峰〔大速疾現種種色如衆高峰〕という般若波羅蜜門に悟入する。

(一八)ガ(ga)字を唱えると、普き地平の確立〔普安立〕という般若波羅蜜門に悟入する。

(一九)タ(tha)字を唱えると、真如の無区別を内蔵する〔真如平等蔵〕という般若波羅蜜門に悟入する。

(二〇)ジャ(ja)字を唱えると、世の衆生の海へ浄化のために跳び込む〔遍入世間海遊行清浄〕という般若波羅蜜門に悟入する。

(二一)スヴァ(sva)[2]字を唱えると、一切諸仏を憶念し、荘厳する〔一切諸仏正念荘厳〕という般若波羅蜜門に悟入する。

(二二)ダ(dha)字を唱えると、法の全領域(マンダラ)を観察し、検討する〔観察揀択一切法聚〕という般若波羅蜜門に悟入する。

(二三)シャ(śa)字を唱えると、一切諸仏の教えの輪(チャクラ)の光明〔一切諸仏教授輪光〕という般若波羅蜜門に悟入する。

（二四）カ（kha）字を唱えると、実修の根拠となる境地の智を内蔵する〔修因地智慧蔵〕という般若波羅蜜門に悟入する。

（二五）クシャ（kṣa）字を唱えると、業の滅した海の蔵の吟味〔息諸業海蔵〕という般若波羅蜜門に悟入する。

（二六）スタ（sta）字を唱えると、一切の煩悩を吹き散らし、浄化する光明をもつ〔蠲諸惑障開浄光明〕という般若波羅蜜門に悟入する。

（二七）ニャ（ña）[3]字を唱えると、世間の出現を識知する門〔作世間智慧門〕という般若波羅蜜門に悟入する。

（二八）ルタ（rtha）字を唱えると、輪廻に逆らう車輪（チャクラ）の智の輪（マンダラ）〔智慧輪断生死〕という般若波羅蜜門に悟入する。

（二九）バ（bha）字を唱えると、一切の宮殿の輪（マンダラ）を識知する荘厳〔一切智宮殿円満荘厳〕という般若波羅蜜門に悟入する。

（三〇）チャ（cha）字を唱えると、蓄積を内蔵する方便を行ずる種々の傘蓋の輪（マンダラ）〔増長修行方便蔵普覆輪〕という般若波羅蜜門に悟入する。

（三一）スマ（sma）字を唱えると、一切の仏を現見する諸方に直面する旋回〔随順十方現見諸旋転蔵〕という般若波羅蜜門に悟入する。

(三二)フヴァ(hva)字を唱えると、一切衆生に対するありえぬような観察力から生じた(海を)内蔵する〔観察一切微細衆生方便力出生海蔵〕という般若波羅蜜門に悟入する。

(三三)トゥサ(tsa)字を唱えると、一切の功徳の海において修行し、悟入し、没入する〔修行趣入一切功徳海〕という般若波羅蜜門に悟入する。

(三四)ガ(gha)字を唱えると、一切の法雲を護持する堅固な海を内蔵する〔持一切法雲堅固海蔵〕という般若波羅蜜門に悟入する。

(三五)タ(ṭha)字を唱えると、一切諸仏の誓願の諸方に向かって進む〔随願普見十方諸仏〕という般若波羅蜜門に悟入する。

(三六)ナ(ṇa)字を唱えると、コーティ数の輪をなす文字の相を観察する(4)〔観察字輪有無尽諸億字〕という般若波羅蜜門に悟入する。

(三七)パ(pha)字を唱えると、一切衆生を成熟させる究極の輪(マンダラ)(5)〔教化清浄究竟円満処〕という般若波羅蜜門に悟入する。

(三八)スカ(ska)字を唱えると、諸(菩薩)地を内蔵する無礙の弁才の光明の輪(マンダラ)が遍満する〔広大蔵無礙弁光明輪遍照〕(6)という般若波羅蜜門に悟入する。

(三九)イサ(ysa)字を唱えると、一切諸仏の法の説示を対象とする〔宣説一切仏法境界〕という般若波羅蜜門に悟入する。

（四〇）シュチャ（śca）字を唱えると、衆生の虚空を法雲から咆哮を響きわたらせながら遍満する〔入虚空一切衆生界法雷大音遍吼〕という般若波羅蜜門に悟入する。

（四一）タ（ṭa）字を唱えると、衆生のために無我（を説き、その）結果、究極の依り所（である涅槃を明らかにする）燈火〔暁諸迷識無我明燈〕という般若波羅蜜門に悟入する。

（四二）ダ（ḍha）字を唱えると、法輪の区別を内蔵する〔一切法輪差別蔵〕という般若波羅蜜門に悟入する。

実に、善男子よ、私が、以上の字母を唱えるとき、これら四十二の般若波羅蜜門を初めとする無量無数の般若波羅蜜門に悟入する。

善男子よ、私は、この善知衆芸という菩薩の解脱を体得している。（しかし）どうして、私に、一切の世間や出世間の工巧の分野に関して完成の域に達した菩薩方の行を知り、功徳を語ることができようか。（彼らには）たとえば、一切の工巧の分野への悟入に関して、一切の文字、数字、計算、書字への悟入に関して、一切の呪文や薬草に関する法則の知識と実践への通暁に関して、一切の亡霊、（魔力によって人間を捉える火星などの）遊星、星辰、（癲癇をもたらす悪鬼）アパスマーラ、（呪いの悪鬼）カーコールダ、（死体にとりつく悪鬼）ヴェーターラの撃退に関して、衆生界を治療する薬物投与の知識に関して、体内三要素に関する学問の集成の実践に関して、黄金、摩尼、真珠、瑠璃、螺貝、玉石、珊瑚、紅玉、硨磲(しゃこ)、ケーシャラ石、徳蔵、瑪瑙(めのう)(など)一切の宝石の産出する種々の鉱脈や(それらの)価格の知識に関して、遊園、苦行林、村落、町、都市、王国、王都の成立に関して、動物や旋輪(チャクラ)の学、人相や前兆、地震、地平線の(異常な)輝き、流星、安全と危険、豊作と飢饉(など)の一切の世間的な明暗への悟入に関して、一切の出世間法の分析や伝達などの説示への悟入と真理に随順する知識に関して、障害にせよ、反省にせよ、異論にせよ、疑問にせよ、疑惑にせよ、迷妄にせよ、愚鈍にせよ、憂悩にせよ、落胆にせよ、無知にせよ、無覚にせよ、まったく存在しないのである。

行け、善男子よ。まさに、このマガダ〔摩竭提〕国のケーヴァラカ〔有義〕地方にヴァルタナカ〔婆怛那(ばたんな)〕という都城があり、バドローッタマー〔最勝賢(さいしょうけん)〕という優婆夷(うばい)が住んでいる。彼女の所に行って、尋ねよ。いかにして、菩薩は菩薩行を学び、いかにして実践すべきかを」

そこで善財童子は、長者の子シルパービジュニャの両足に頂礼し、その周りを幾百千回となく右遶し、繰り返し見つめた後、長者の子の下を去った。

第四十五章　バドローッタマー優婆夷

　そこで、善財童子は、ケーヴァラカ地方のヴァルタナカという都城、そして、バドローッタマー優婆夷のいる所に赴いた。近づいて、バドローッタマー優婆夷の両足に頂礼し、その周りを幾百千回となく右遶した後、優婆夷の前に合掌して立ち、次のように言った。「聖者よ、私は既に無上正等覚に向かって発心いたしております。しかし、いかにして菩薩は菩薩行を学ぶべきか、いかにして実践すべきか、私は知りません。ところで、あなたは菩薩方に教訓と教誡を授けられると私は聞いております。聖者よ、どうか私に、菩薩はいかにして菩薩行を学ぶべきか、いかにして実践すべきかお説き下さい」

　彼女は答えた。「善男子よ、私は、無依所(むえしょ)の輪(マンダラ)〔無住処無尽輪(むじゅうしょむじんりん)〕という法門を知っていて、（それを）説示します。また、私は、無礙の三昧を体得しています。その三昧においては、いかなる法に対しても無礙であります。そこにおいては、一切智者性の無礙の眼が発動し、一切智者性の無礙の耳、一切智者性の無礙の鼻、一切智者性の無礙の舌、一切智者性の無礙の身、一切智者性の無礙の意が発動します。一切智者性の無礙の大波、一切智者性の無礙の稲妻、一切智者性の無礙の驀進という世の衆生を照らし出す（光）輪（マンダラ）が発動します。善男子よ、私は、この無依所の輪という法門を知る（だけ）であります。どうして、私に、無礙の菩薩行のすべてを知ることができましょうか。

行きなさい、善男子よ。かの南の地方にバルカッチャ〔沃田（よくでん）〕という都城があります。そこにムクターサーラ〔堅固解脱（けんごげだつ）〕という金細工師が住んでいます。彼の所に行って、尋ねなさい。いかにして、菩薩は菩薩行を学び、いかにして実践すべきかを」

そこで善財童子は、バドローッタマー優婆夷の両足に頂礼し、その周りを幾百千回となく右遶し、繰り返し見つめた後、優婆夷の下を去った。

第四十六章　金細工師ムクターサーラ

そこで善財童子は、次第に南の地方を行き、バルカッチャという都城の金細工師ムクターサーラがいる所に近づいて、彼の両足に頂礼した後、前に合掌して立ち、次のように言った。「聖者よ、私は既に無上正等覚に向かって発心いたしております。しかし、いかにして菩薩は菩薩行を学ぶべきか、いかにして実践すべきか、私は知りません。ところで、聖者は菩薩方に教訓と教誡を授けられると私は聞いております。聖者よ、どうか私に、菩薩はいかにして菩薩行を学ぶべきか、いかにして実践すべきかお説き下さい」

彼は答えた。「善男子よ、私は無礙の憶念の荘厳〔無著念清浄荘厳（むじゃくねんしょうじょうしょうごん）〕という菩薩の解脱を承知している。そして、十方の一切の如来の下で、法の探求を決して止めることはない。善男子よ、私は、この無著念清浄荘厳という菩薩の解脱を承知し、了解する（だけ）である。どうして、私に、恐れなき獅子吼を放ち、大いなる福徳と智とに安立した菩薩方の行を知り、功徳を語ることができようか。

行け、善男子よ。まさにこのバルカッチャという都城にスチャンドラ〔妙月(みょうがつ)〕という家長が住んでいて、彼の家は常に輝いている。彼の所に行って、尋ねよ。いかにして、菩薩は菩薩行を学び、いかにして実践すべきかを」

そこで善財童子は、金細工師ムクターサーラの両足に頂礼し、彼の周りを幾百千回となく右遶し、繰り返し見つめた後、金細工師の下を去った。

第四十七章　スチャンドラ家長

そこで善財童子は、スチャンドラ家長のいる所に近づいて、彼の両足に頂礼した後、前に合掌して立ち、次のように言った。「聖者よ、私は既に無上正等覚に向かって発心いたしております。しかし、いかにして菩薩は菩薩行を学ぶべきか、いかにして実践すべきか、私は知りません。ところで、聖者は菩薩方に教訓と教誡を授けられると私は聞いております。聖者よ、どうか私に、菩薩はいかにして菩薩行を学ぶべきか、いかにして実践すべきかお説き下さい」

（スチャンドラは）答えた。「善男子よ、私は、汚れなき智の光明〔無垢智光明（むくちこうみょう）〕という菩薩の解脱を体得している。善男子よ、私は、この無垢智光明という菩薩の解脱を知る（だけ）である。どうして、私に、無量の解脱を体得した菩薩方の行を知り、功徳を語ることができようか。

行け、善男子よ。まさにこの南の地方にロールカ〔広大声（こうだいしょう）〕という都城がある。そこには、アジタセーナ〔無勝軍（むしょうぐん）〕という家長が住んでいる。彼の所に行って、尋ねよ。いかにして、菩薩は菩薩行を学び、いかにして実践すべきかを」

そこで善財童子は、スチャンドラ家長の両足に頂礼し、彼の周りを幾百千回となく右遶し、繰り返し見つめた後、スチャンドラ家長の下を去った。

第四十八章　アジタセーナ家長

そこで善財童子は、次第にロールカという都城に赴き、アジタセーナという家長のいる所に近づき、彼の両足に頂礼した後、前に合掌して立ち、次のように言った。「聖者よ、私は既に無上正等覚に向かって発心いたしております。しかし、いかにして菩薩は菩薩行を学ぶべきか、いかにして実践すべきか、私は知りません。ところで、聖者は菩薩方に教訓と教誡を授けられると私は聞いております。聖者よ、どうか私に、菩薩はいかにして菩薩行を学ぶべきか、いかにして実践すべきかお説き下さい」

（アジタセーナは）答えた。「善男子よ、私は、無尽の相〔無尽相（むじんそう）〕という菩薩の解脱を体得している。それを体得するや否や、仏にまみえる無尽の蔵を体得するのである。

行け、善男子よ。まさにこの南の地方のダルマ〔達磨〕村に、シヴァラーグラ〔最寂静（さいじゃくじょう）〕という婆羅門が住んでいる。彼の所に行って、尋ねよ。いかにして、菩薩は菩薩行を学び、いかにして実践すべきかを」

そこで善財童子は、アジタセーナ家長の両足に頂礼し、彼の周りを幾百千回となく右遶し、繰り返し見つめた後、アジタセーナ家長の下を去った。

第四十九章　シヴァラーグラ婆羅門

そこで善財童子は、次第に、ダルマ村へと行き、シヴァラーグラ婆羅門のいる所に近づいて、彼の両足に頂礼した後、前に合掌して立ち、次のように言った。「聖者よ、私は既に無上正等覚に向かって発心いたしております。しかし、いかにして菩薩は菩薩行を学ぶべきか、いかにして実践すべきか、私は知りません。ところで、聖者は菩薩方に教訓と教誡を授けられると私は聞いております。聖者よ、どうか私に、菩薩はいかにして菩薩行を学ぶべきか、いかにして実践すべきかお説き下さい」

彼は答えた。「善男子よ、私は、真実（サティヤ）の決断(1)によって行動する。即ち、真実にかけて、真実語にかけて、三世において、いかなる菩薩も、無上正等覚から退転したことはなく、現に退転せず、将来退転することもないだろう。その真実語による決断にかけて、この私の目的が成就するように、と(私は誓う)。すると、私には、思いのままに、一切が成就するのである。善男子よ、私は、この真実語による決断によって、あらゆる目的を成就する。善男子よ、私は、この真実の決断を知る（だけ）である。どうして、私に、真実に随行する言葉を既に体得した菩薩方の行を知り、功徳を語ることができようか。

行け、善男子よ。まさにこの南の地方に、スマナームカ〔妙意華門〕という都城がある。そこに、シュリーサンバヴァ〔徳生〕という童子とシュリーマティ〔有徳〕という童女が住んでいる。彼らの所に行って、尋ねよ。いかにして、菩薩は菩薩行を学び、いかにして実践すべきかを」

そこで善財童子は、大いなる法への敬意を生じて、シヴァラーグラ婆羅門の両足に頂礼し、彼の周りを幾百千回となく右遶し、繰り返し見つめた後、シヴァラーグラ婆羅門の下を去った。

第五十章　シュリーサンバヴァ童子とシュリーマティ童女

　そこで善財童子は、次第にスマナームカ都城に赴き、シュリーサンバヴァ童子とシュリーマティ童女のいる所に近づいて、彼らの両足に頂礼し、（彼らの）前に合掌して立つと、次のように言った。「お二人の聖者よ、私は既に無上正等覚に向かって発心いたしております。しかし、菩薩はいかにして菩薩行を学び、いかにして実践すべきか知りません。ところで、お二人の聖者は、菩薩に教訓と教誡を授けられるとお聞きしております。だから、お二人の聖者よ、私にお話し下さい。いかにして菩薩は菩薩行を学び、いかにして実践すべきかを」

　すると、シュリーサンバヴァ童子とシュリーマティ童女は、善財童子に次のように答えた。「善男子よ、私たち二人は（今）ここで幻〔幻住（げんじゅう）〕という菩薩の解脱を獲得し、直証（じきしょう）しています。善男子よ、私たちはこの解脱を具有するゆえに、一切世間は、幻の因縁から生じた幻であると見ます。幻の業と煩悩を知るゆえに、一切衆生は幻であると認識します。一切の世の衆生は、幻の無明と有と渇愛より生じた幻であると見ます。一切法は、幻の相互縁より起こった幻であると見ます。三界に属するものはすべて、作りだされたものであり、幻の不可思議なる境界に対する幻の菩提と転倒知より生じた幻であると見ます。一切衆生の死と再生、生老死、憂悲と苦悩と心痛とは、幻の虚妄なる分別より生じた幻であると見ます。一切の国土は、観念や心や見解に対する幻の転倒知のゆえに、非実在の観念の迷妄より生じた幻であると見ます。一切の声聞や独覚は、幻の智による(煩悩の)断滅に関する分別より生じた幻であると見ます。一切の菩薩方が修行と誓願によって連綿と衆生を教化し成熟させせられるのは、幻の成就より現成され、化作された修行と教化を本性とする幻であると知っています。一切の菩薩の輪は、幻の誓願と智によって成就され、幻の不可思議なる境界を本性とする幻であると見ます。

善男子よ、私たち二人は、この幻という菩薩の解脱〔幻住解脱〕を知るだけであります。どうして私たちに、幻の無限の業を産み出す網に随順する菩薩方の行を知り、功徳を語ることができましょうか」

さて、シュリーサンバヴァ童子とシュリーマティ童女は、不可思議なる善根の威力によって善財童子(の身心)を柔軟にし、自らの解脱の境界を説き聞かせた後に、次のように述べた。「行きなさい、善男子よ。まさにここ南の地方に、サムドラ・カッチャ〔海岸〕という土地があります。そこにマハーヴューハ〔大荘厳〕という遊園があり、その中にはヴァイローチャナ・ヴューハーランカーラ・ガルバ〔毘盧遮那荘厳蔵〕という大楼閣があります。そ（の楼閣）は、菩薩の善根の結果として現成し、菩薩の思惟と正念より生じ、菩薩の誓願より出現し、菩薩の自在力より起こり、菩薩の神通力により化現し、菩薩の巧みな方便により生じ、菩薩の功徳と智の力により完成されたものです。そこで、菩薩は大慈悲心によって衆生の教化を示現しています。菩薩のすばらしい威神力が集められ、菩薩が不可思議なる解脱に住することにより飾られています。

その中には、マイトレーヤ〔弥勒〕という菩薩摩訶薩が住んでおられます。（そこを）生国とする人々を摂受するために、父母親族を教化するために、そこに生まれ修行を同じくする衆生たちの大乗に対する（信を）堅固とするために、また、それ以外の衆生たちにもそれぞれの境地に応じて善根を成長させるために、自己の解脱の真理への悟入を示現するために、菩薩がいかなる所でも自在に生を得ることを顕示するために、一切衆生の誕生の示現を現前させることによって衆生教化を諦めないために、一切の世の衆生を厭がらずに摂取することによって菩薩の大慈悲心の力を顕示するために、菩薩の精舎が一切の住居を超えていることをさとらせるために、無住に没頭することがあらゆる生存に生まれ住むことであると示現するために（弥勒菩薩はおられるの）です。

かのお方に近づいて、尋ねなさい。いかにして菩薩は菩薩行について尋ねるべきか。いかにして菩薩は菩薩道を浄化すべきか。いかにして菩薩は菩薩戒を修めるべきか。いかにして菩薩は菩提心を清らかにすべきか。いかにして菩薩は菩薩の誓願を成就すべきか。いかにして菩薩は菩薩の資糧を集めるべきか。いかにして菩薩は菩薩の諸地を進むべきか。いかにして菩薩は菩薩の波羅蜜を満たすべきか。いかにして菩薩は菩薩の(無生法)忍に悟入すべきか。いかにして菩薩は菩薩の修行と功徳に安住すべきか。いかにして菩薩は善知識に供養すべきかを。

それは何故かというと、善男子よ、弥勒菩薩は一切の菩薩行に悟入し、一切の菩薩の心の願いを理解し、一切の衆生の行ないを熟知し、一切の衆生の面前で教化と成熟に励み、一切の波羅蜜を満足させ、一切の菩薩地にみごとに安住しており、一切の菩薩の(無生法)忍を体得し、菩薩の正定位に入り、一切の予言を実現し、一切の菩薩の解脱において遊戯し、一切の仏の威神力を保持しており、一切の如来方によって一切智者の智の境界へと(甘露の法水により)灌頂されているからです。

善男子よ、かの善知識は、あなたのために一切の善根を(法水で)潤し、菩提心を育て、求道心の根底を堅固にし、一切の善根を浄化し、菩薩の感官の威力を増大し、無礙の法の方角を示し、普賢なる(菩薩)地の理解に入らせ、一切の菩薩の誓願を巧みに達成する門に入らせ、一切の菩薩行と誓願の功徳の成就を説き明かし、普賢菩薩行について聴聞する仕方を説明されます。

善男子よ、あなたは一つの善根だけに没頭してはなりません。一つの法門の光明だけに専念してはなりません。一つの修行だけで満足してはなりません。一つの誓願の成就だけに専念してはなりません。一度の予言だけで究極を(めざすことを)止めてはなりません。(音響忍、柔順忍、無生法忍の)三忍への悟入により、至高という観念をいだいてはなりません。六波羅蜜の完成を(めざすことを)止めてはなりません。十地の体得により究極に達したと(して)はなりません。有量の仏国土の護持と浄化とを誓ってはなりません。有量の善知識を尊重し、供養するだけで満足してはなりません。

それは何故でしょうか。

(一)善男子よ、菩薩は無量の善根を集めねばなりません。無量の菩薩の資糧を確立せねばなりません。無量の菩薩心の要因を獲得せねばなりません。無量の回向の方法を学ばねばなりません。無量の衆生界を完全な涅槃に導かねばなりません。無量の衆生の願いの根底を追求せねばなりません。無量の衆生の機根を遍智せねばなりません。無量の衆生の解脱を実現せねばなりません。無量の衆生を教化せねばなりません。

(二)無量の煩悩と随眠を断滅せねばなりません。無量の業障を浄化せねばなりません。

無量の邪見を退けねばなりません。無量の心の汚れを取り除かねばなりません。無量の心の清浄を起こさねばなりません。無量の苦しみの矢を抜き取らねばなりません。無量の渇愛の海を干上がらせねばなりません。無量の無明の暗闇を破らねばなりません。無量の自慢の山を倒さねばなりません。無量の輪廻の束縛を除去せねばなりません。無量の(再)生の海を干上がらさねばなりません。無量の生存の激流を渡らねばなりません。(五)欲の泥濘(でいねい)に没した無量の衆生を救済せねばなりません。三界の城塞に閉じ込められた無量の衆生を救出せねばなりません。無量の衆生を聖者の道において確立せねばなりません。無量の貪欲と瞋恚と愚痴を鎮めねばなりません。無量の魔の網から超出せねばなりません。無量の魔の所行を止めさせねばなりません。

(三)無量の菩薩の求道心の根底を浄化せねばなりません。無量の菩薩の修行を増大せねばなりません。無量の菩薩の能力を産みださねばなりません。無量の菩薩の深信を浄化せねばなりません。無量の菩薩の平等性に悟入せねばなりません。無量の菩薩の優れた行に追随せねばなりません。無量の菩薩の功徳を浄化せねばなりません。無量の菩薩のなすべき行を満たさねばなりません。無量の世間の所行に随順せねばなりません。無量の世間に随順することを示さねばなりません。

(四)無量の信心の力を生じねばなりません。無量の精進の力を支えねばなりません。

362

無量の正念の力を浄化せねばなりません。無量の三昧の力を完成させねばなりません。無量の智慧の力を生起させねばなりません。無量の深信の力を堅固にせねばなりません。無量の功徳の力を獲得せねばなりません。無量の智力を増大させねばなりません。無量の菩薩の力を起こさねばなりません。無量の仏の力を完成させねばなりません。

㈤無量の法の門口を吟味せねばなりません。無量の法の方位に到達せねばなりません。無量の法の門戸を浄化せねばなりません。無量の法の光明を生じねばなりません。無量の法を輝かせねばなりません。無量の機根の系譜を照らし出さねばなりません。無量の煩悩の病を浄化せねばなりません。無量の法の薬を集めねばなりません。煩悩の病に苦しむ無量の衆生界を治さねばなりません。

㈥無量の甘露の資糧を集めねばなりません。無量の仏国土に参らねばなりません。無量の如来を供養せねばなりません。無量の菩薩の集まりに入りこまねばなりません。無量の如来の教えを受持せねばなりません。無量の衆生の悪意に満ちた行ないに耐えねばなりません。無量の難処や悪道を根絶せねばなりません。無量の衆生に楽を与えねばなりません。無量の衆生を摂取せねばなりません。

㈦無量の陀羅尼門を浄化せねばなりません。無量の誓願門を成就せねばなりません。無量の大悲や大慈の力を修習せねばなりません。無量の法を懸命に追求して、決して挫折してはなりません。無量の思惟の力を発揮せねばなりません。無量の神通力による成就を起こさねばなりません。無量の学問と知識の光明を浄化せねばなりません。無量の衆生の境遇に従わねばなりません。無量の生存への出生を経験せねばなりません。無量の分身を示現せねばなりません。無量の言葉の分布を遍智せねばなりません。無量の衆生の心の差異を熟知せねばなりません。

(八)広大な菩薩の活動領域を熟知せねばなりません。広々とした菩薩の宮殿をめぐらねばなりません。甚深なる菩薩の精舎を観察せねばなりません。難解な菩薩の境界を理解せねばなりません。進み難い菩薩の道を行かねばなりません。近づき難い菩薩の威厳を保持せねばなりません。入り難い菩薩の正定位に入らねばなりません。種々の菩薩行を理解せねばなりません。あらゆる所に随順する菩薩の神変を示現せねばなりません。

(九)菩薩は平等な法雲を受持せねばなりません。周辺も中央もない菩薩行の網を広げねばなりません。菩薩は無辺数の波羅蜜を満たさねばなりません。菩薩は無量数の予言を受領せねばなりません。菩薩は阿僧祇数の(無生法)忍門に悟入せねばなりません。菩薩は阿僧祇数の(菩薩)地を浄化せねばなりません。菩薩は無限数の法門を清浄にせねばなりません。菩薩は不可説数の仏国土を浄化せねばなりません。菩薩は無辺数の劫の間、甲冑に身を固めねばなりません。菩薩は不可量数の如来を供養せねばなりません。菩薩は不可思議なる誓願を成就せねばなりません。

(一〇)要するに、善男子よ、菩薩方の行は、(一切)衆生を教化するから一切衆生と平等であるといわれます。一切劫に住するから一切劫と平等であるといわれます。一切処への誕生を示現するから一切の生と平等であるといわれます。三世の智をさとるから一切の世と平等であるといわれます。一切の法を実践するから一切の法と平等であるといわれます。一切の国土を浄化するから一切の国土と平等であるといわれます。一切の誓願を満足させるから一切の誓願と平等であるといわれます。一切の仏への供養を成就するから一切の仏と平等であるといわれます。一切の菩薩と誓願を同じくするから一切の菩薩と平等であるといわれます。菩薩方の行は、一切の善知識にお仕えするから一切の善知識と平等であるといわれます。

それゆえに、善男子よ、あなたは善知識の探求に疲れてはなりません。善知識との会見に飽いてはなりません。善知識への質問(だけ)で満足してはなりません。善知識との交際において意欲をなくしてはなりません。善知識に尊敬の念をもって供養するのを止めてはなりません。善知識の教訓と教誡を逆に理解してはなりません。善知識が功徳を得ることについて疑惑を生じてはなりません。善知識が出離の門を説き明かすことについて疑念をもってはなりません。善知識が方便と密意をもって世間に随順して行ずることに対して、嫌悪の思いを生じてはなりません。善知識が浄信を増すことに対して身心を退転させてはなりません。

それは何故かというと、善男子よ、菩薩方が一切の菩薩行を聴聞するのは、善知識によるからです。一切の菩薩の功徳の成就も善知識に由来し、一切の菩薩の誓願の流れも善知識に由来し、一切の菩薩の善根も善知識より生じ、一切の菩薩の資糧も善知識より起こり、一切の菩薩の法門の光明も善知識より現れ、一切の菩薩の出離の門の浄化も善知識より生じ、一切の菩薩の戒律の実践も善知識と関わっており、一切の菩薩の功徳法も善知識に基づいており、一切の菩薩の求道心の浄化も善知識に根ざしており、一切の菩薩の発心の堅固さも善知識に由来し、一切の菩薩の海の陀羅尼弁才門の光明も善知識を導師とし、一切の菩薩の清浄門の蔵も善知識によって保持されており、一切の菩薩の智の光明も善知識より生じ、一切の菩薩の誓願の卓越性も善知識の手中にあり、(菩薩の誓願と)一体化するのも主として善知識により、一切の菩薩の完全な知識への卓越した信も善知識の家系に由来し、一切の菩薩の秘密の場所も善知識の蔵に属し、一切の菩薩の法の鉱脈も善知識という鉱脈より生じ、一切の菩薩の感官の威力の芽も善知識によって育てられ、一切の菩薩の智の海も善知識によって育てられ、一切の菩薩の貯蔵庫も善知識によって守られ、一切の菩薩の功徳の蓄積も善知識によって守られ、一切の菩薩の誕生の浄化も善知識より生じ、一切の菩薩の法雲も善知識の口から発し、一切の菩薩が出離の道へ入るのも善知識の内部にあり、一切の仏の菩提も善知識の奉仕により獲得され、一切の菩薩行も善知識によって摂取され、一切の菩薩の功徳の顕示も善知識によって明らかにされ、一切の菩薩が（法の）方処へ随順するのも善知識によって示され、一切の菩薩の求道心の偉大さも善知識によって讃えられ、菩薩方の大慈の力も善知識より生じ、菩薩方の大悲の力も善知識より生じ、一切の菩薩の自在性も善知識によって摂取され、一切の（三十七）菩提の支分も善知識より生じ、一切の菩薩の利益の施与も善知識に由来するからです。

善男子よ、善知識に支持された菩薩が悪趣に落ちることはありません。善知識に摂受された菩薩が大乗から退転することはありません。善知識に護念された菩薩が菩薩戒を犯すことはありません。善知識によく守られた菩薩が悪友〔悪知識〕に支配されることはありません。善知識に守られた菩薩が菩薩法を欠くことはありません。善知識に摂取された菩薩は凡夫の境地を超越します。善知識に学んだ菩薩が声聞や独覚の集まりに入ることはありません。善知識に覆われた菩薩は世間から超出するのです。善知識に育てられた菩薩が世間の法に染まることはありません。善知識にお仕えした菩薩は、一切の（菩薩）行を忘れることなく行じます。善知識に激励された菩薩は、手を染めた一切の仕事から退転することはありません。善知識に摂受された菩薩が、業や煩悩に屈することはありません。善知識の力に支えられた菩薩が、一切の魔に悩まされることはありません。善知識に依存して住する菩薩は、一切の菩提の支分によって成長するのです。

それは何故かというと、善男子よ、善知識は（菩薩の）諸々の障害を浄化するからです。善知識は（菩薩を）悪処から退転させるからです。善知識は（菩薩の）なすべからざることをよく知り、放逸の場から（菩薩を）離れさせ、無明の暗闇を打ち破り、邪見の束縛を解き、生死（の城）から出遊させ、世間の家を捨てさせ、魔の網から解放し、苦の刺を引き抜き、無知の密林から救出し、邪見の荒野を超えさせ、存在の暴流を渡らせ、愛欲の泥沼から助け出し、悪道から退転させ、菩薩道を指し示し、菩薩の誓いを身につけさせ、（菩薩）行において確立させ、一切智者性に向かう方向を教え、智慧の眼を清らかにし、菩提心を育て上げ、大悲を生じさせ、修行を説き明かし、（十）波羅蜜（じっぱらみつ）を教示し、（十）地において確立させ、諸忍を分け与え、一切の善根を獲得し、一切の資糧を活性化し、一切の菩薩の功徳を授け、一切諸仏の足下に至らせ、一切の功徳を示し、（一切の）事柄を教え、（菩薩）行において激励し、出離の諸門を開示し、破滅の道から守り、法の光明の門を照らし出し、法の聴聞の雲から（法）雨を降らせ、一切の煩悩を滅し、一切の邪見に由来するものを捨てさせ、一切の仏法に悟入させるからです。

　さらに、善男子よ、善知識は母のようなものです、仏の家の生母ですから。善知識は父のようなものです、広大な利益を集めるから。善知識は乳母のようなものです、一切の罪から守ってくれるから。善知識は先生のようなものです、菩薩の学ぶべきことを教えてくれるから。善知識は案内人のようなものです、波羅蜜の道へ悟入させるから。善知識は医者のようなものです、煩悩の病から解き放ってくれるから。善知識はヒマラヤ山のようなものです、智の妙薬を育てるから。善知識は勇将のようなものです、一切の恐怖から守ってくれるから。善知識は船頭のようなものです、生死の大河を渡してくれるから。善知識は水先案内人のようなものです、一切智者の智の宝島へ到達させるから。

　だから、善男子よ、このような集中心を止めずに、善知識方にお仕えしなさい。あらゆる重責を担って屈することがないゆえ、大地に等しい心をもって（善知識方にお仕えしなさい）。不壊（ふえ）の意志をもつから、金剛に等しい心をもって。一切の苦によって傷つけられることがないゆえ、鉄囲山に等しい心をもって。意のままに命令を行なうから、従僕に等しい心をもって。一切の教令に違反することがないゆえ、弟子に等しい心をもって。いかなる仕事をするのも厭わないゆえ、世間の従僕に等しい心をもって。いかなる煩悩にも苦しめられないゆえ、乳母に等しい心をもって。なすべき仕事を従順に行なうから、召使いに等しい心をもって。慢心や過慢心をもたないゆえ、掃除人に等しい心をもって。しかるべきときにも、そうでないときにも沈みこまないゆえ、満月に等しい心をもって。あらゆる悪性を離れているから、良馬に等しい心をもって。重荷を運ぶから、乗物に等しい心をもって。よく調御(じょうご)された善良な心をもつから、大象に等しい心をもって。不動で揺るぎがないゆえ、山に等しい心をもって。腹をたてないゆえ、良犬に等しい心をもって。いかなる粗野ももたないゆえ、身分の低い者の子供に等しい心をもって。謙遜で慢心をもたないゆえ、角を切った牡牛に等しい心をもって。著しい慢心をもたないゆえ、弟子に等しい心をもって。往来に疲れないゆえ、船に等しい心をもって。善知識の教令によって渡るから、橋梁に等しい心をもって。善知識の顔を見上げるから、孝子に等しい心をもって。法王の教令に背くことがないゆえ、王子に等しい心をもって(善知識方にお仕えしなさい)。

(一)また、善男子よ、あなた自身が病気だという思いを起こしなさい。善知識方が医者だという思い、(その)教えが薬だという思い、諸々の(菩薩)行が病気の治療だという思いを(起こしなさい)。(二)また、善男子よ、あなた自身が旅行中だという思いを起こしなさい。善知識方が道案内人だという思いを起こしなさい。(その)教えが大道だという思い、諸々の(菩薩)行が安全に行く先まで到達することだという思いを起こしなさい。(三)また、善男子よ、あなた自身が対岸に渡ろうとする者だという思いを起こしなさい。

善知識方が船頭だという思い、（その）教えが水路だという思い、諸々の（菩薩）行が船だという思いを起こしなさい。㈣また、善男子よ、あなた自身が農夫だという思いを起こしなさい。善知識方が龍王だという思い、（その）教えが雨だという思い、諸々の（菩薩）行が穀物の成熟だという思いを起こしなさい。㈤また、善男子よ、あなた自身が貧乏人だという思いを起こしなさい。善知識方が毘沙門天だという思い、（その）教えが財産だという思い、諸々の（菩薩）行が貧困を取り除くことだという思いを起こしなさい。㈥また、善男子よ、あなた自身が弟子だという思いを起こしなさい。善知識方が師匠だという思い、（その）教えが工芸だという思い、諸々の（菩薩）行が上達することだという思いを起こしなさい。㈦また、善男子よ、あなた自身が臆病者だという思いを起こしなさい。善知識方が英雄だという思い、（その）教えが武器だという思い、諸々の（菩薩）行が敵を破ることだという思いを起こしなさい。㈧また、善男子よ、あなた自身が商人だという思いを起こしなさい。善知識方が水先案内人だという思い、（その）教えが財宝だという思い、諸々の（菩薩）行が財宝の獲得だという思いを起こしなさい。㈨また、善男子よ、あなた自身が孝子だという思いを起こしなさい。善知識方が両親だという思い、（その）教えが家業だという思い、諸々の（菩薩）行が（家）業の絶えないことだという思いを起こしなさい。㈩また、善男子よ、あなた自身が王子だという思いを起こしなさい。善知識方が正義の王の筆頭大臣だという思い、(その)教えが帝王学だという思い、諸々の(菩薩)行が智の王冠、装身具、法紐、頭帯(を身につけ)、正義の王の都を眺めることだという思いを起こしなさい。

このように、善男子よ、心と想念と集中力とを修習して、善知識方にお仕えしなさい。それは何故かというと、実に、善男子よ、善知識の求道心によって浄化された菩薩は、善知識の教令を実践するとき、一切の善根によって成長するからです。それはあたかも草木や薬草や大樹がヒマラヤ山に依拠するようなものです。

(善知識は)一切の仏法の器です、あたかも大海が水の(器)であるように。一切の功徳の鉱脈です、あたかも大海が諸々の宝物の(鉱脈)であるように。菩提心を燃え上がらせます、あたかも火で熱して金を(精錬する)ように。世間から超出しています、あたかも須弥山が海から(突出している)ように。世法によって汚されていません、あたかも蓮華が水に(汚されない)ように。一切の悪行者たちと一緒に暮らしません、あたかも大海が腐った死体と(共存しない)ように。清らかな法(白法)によって成長します、あたかも月が白分(の半月)に(満ちていく)ように。法界を照らし出します、あたかも太陽がジャンブ州を(照らし出す)ように。菩薩の誓願の身体を育てます、あたかも子供たちが父母に依存して(育つ)ように。

要するに、善男子よ、善知識の教えを実践する菩薩たちは、十百千コーティ・ニユタ・不可説数の功徳を獲得します。十百千コーティ・ニユタの求道心を浄化します。十百千コーティ・ニユタの菩薩の機根を成熟させます。十百千コーティ・ニユタの威神力を清めます。(十)百千コーティ・ニユタ・阿僧祇数の障害となる法を一掃します。十百千阿僧祇数の魔を乗り越えます。十百千阿僧祇数の法門に入ります。十百千コーティ・ニユタ・阿僧祇数の(菩提の)資糧を浄化する門を満たします。十百千阿僧祇数の(菩薩)行を満たします。十百千阿僧祇数の(菩薩)行を説き明かします。十百千阿僧祇数の大誓願を成就します。

要するに、善男子よ、一切の菩薩行、一切の菩薩の波羅蜜、一切の菩薩地、一切の菩薩の三昧門、一切の菩薩の神通智による神変、一切の菩薩の陀羅尼弁才の光明、一切の菩薩の回向智と無量の神通、一切の菩薩の誓願の成就、一切の仏法の獲得と完成は、善知識に依存し、善知識に根ざし、善知識に由来し、善知識を母胎とし、善知識を生因とし、善知識から生まれ、善知識に養育され、善知識に基盤を置き、善知識を原因とし、善知識より生じるものです」

実に、そのとき、善財童子は、以上のような善知識の功徳を讃嘆(さんだん)する教え、無量の菩薩行、広大な仏法について聴聞すると、歓喜し、踊躍し、喜悦し、狂喜し、深い満足を生じ、シュリーサンバヴァ童子とシュリーマティ童女の両足に頂礼し、二人の周りを幾百千回となく右遶して、何度も何度も見つめた後、彼らの下を去った。

第五十一章　弥勒菩薩

毘盧遮那荘厳蔵大楼閣を前にして　そこで善知識の教誡によって心を潤されて、善財童子はサムドラ・カッチャ〔海岸〕国に向かって行った。（途上、）彼は菩薩行についてのその教誡だけを考え続けた。（即ち）(一)過去の果てまで身体の礼拝では正行をなし得なかったことを反省して、身体力を強固にし、(二)輪廻的な心の動きが過去の果てまで身心を清浄になしえなかったことを反省して、心の（根源的な）思惟を保持し、(三)過去の果てにおいて正しくない業による世間的な行為に専念した無用の努力を反省して、現世の目的の偉大な成就を熟考し、(四)誤れる判断によって現された（非根源的な）思惟が過去の果ての虚妄な分別より生じたことを反省して、すべての菩薩行を正しい判断によって行なう力を鼓舞し、(五)過去の（自分の）身体が自利行にのみ努めた不公正を反省して、すべての衆生の利益のために特別の努力をすることによって道心の力を強固にし、(六)過去世の欲望追求の行状に味わいがなかったことを反省して、すべての仏の徳の獲得のための修行に大きな慰めを見出して、（菩薩行を行なう）能力〔根〕の勢いを増強し、（七）過去世の虚偽の道心の修行が転倒と結びついていたことを反省して、現世の不転倒な正しい（智）見と結びついた菩薩の誓願によって、（身心の）連続を清浄にし、（八）過去において精進に努めたが、成すべきことを成就しなかったことを反省して、現世におけるすべての仏の徳の達成を事とする大精進に励む勇猛心によって身心を高揚させ、（九）過去の果てにおいて五種の（輪廻の）境遇の中の悪趣に転落した自己を内省することによって未来の果ての劫まで養うに価しない身体の取得に結びつくことを反省して、すべての仏の徳を覚醒させ、すべての衆生の生活に役立ち、すべての善知識に奉仕できる身体の取得によって広大な歓喜と満足の勢いを増大し、（一〇）現世の生存に存在する身体は老、病、死、憂いの源泉であり、めぐり会いや別離の容器ではあるが、（その現世の身体は）未来の果ての劫を尽くすまで、菩薩の誓願と智の身体〔願智身〕――（それが）菩薩行の実行に専念し、衆生を成熟させる仏の徳の取得に専念し、如来にまみえ、すべての国土を遊行し、すべての説法者に奉仕し、すべての如来の教誡の保持に専念し、すべての法の探求の伴侶となり、すべての善知識にまみえ、すべての仏の徳の獲得に専念するのであるが――（その誓願と智の身体）のための原因と条件になると観察して、不可思議な善根の能力の勢いを増強していた。

（善財童子は）（一）すべての菩薩の浄信に育まれた信心によって、このような心、このような思惟に、このように根源的に専念した。（二）すべての菩薩の志願に育まれた愛によって（根源的に専念した）。（三）すべての菩薩の道心に育まれた尊敬心によって、（四）すべての菩薩の清澄な能力に育まれた崇敬心によって、（五）すべての菩薩の師に対する深信から生じた清澄な能力の勢いによって、（六）すべての菩薩への尊敬から生じた清澄な心によって、（七）すべての菩薩への信心から生じた善根の資糧によって、（八）すべての菩薩の実行から生じた種々の供養によって、（九）すべての菩薩と等しい身体による合掌によって、（一〇）すべての衆生の身体に生じた異なる眼による観察によって、（一一）すべての衆生ありという想念を仮にいだいたすべての菩薩（が入る）法の平等性によって、（一二）すべての菩薩の誓願によって変化として仮に付属させられた身体による無量の礼拝と敬礼によって、（一三）すべての菩薩の清浄な音色から現れた賞讃の声の荘厳の成就によって、（一四）過去と現在の果てのすべての菩薩の住いを満たす如来の家を目の当りにしていると いう思いによって、（一五）すべてに遍在する如来と菩薩の神変による菩提によって、（一六）一本の毛の先端と別でないのに、すべての仏や菩薩の身体の遍在に随順することによって、（一七）すべての菩薩の清浄な視野として虚妄に現し出された神通の智の光明による識知によって、（一八）すべての方角に広がる種々の（国土の）網に随順する心という器官によって、(一九)種々の法界の地平を遍満する誓願を成就する力によって、(二〇)虚空界の最高を究め、すべてに遍在し、三世に区分されず、たえずすべての法に悟入する門によって、(二一)すべての善知識の教誡の光輝の照らす方角に広がった浄信と深信に入る力によって(このように根源的に専念した)。

このように善財童子は、かかる尊敬心、(かかる)崇敬心、供養、賞讃、(五体)投地(礼)、観察、威神力、誓願、想念に随順した心を具え、かくも無量な智の境界の位に及ぶ智の眼で(見て)、ヴァイローチャナ・ヴューハーランカーラ・ガルバ〔毘盧遮那荘厳蔵〕という大楼閣の前で、門口で五体投地(礼)をした。

彼はこのような(すべてのものの本性の如実な示現を)成就する行法をしばし考察したうえで、深信と信心から生じた道心と誓願の成就力によって、たえずすべての如来の足下に自らを威神力で示現した。同じくすべての菩薩の面前に(示現し)、すべての善知識の住居に、すべての如来の塔廟に、すべての如来の身像に、すべての菩薩とすべての仏の住処に、すべての教えの宝〔法宝〕の安置所に、すべての声聞と独覚の身体の塔廟の前を初めとし、すべての聖者の集団、供養されるべき人々〔福田〕、師、父母に至るすべての人々の身体の面前に、たえず自らを威神力によって示現した。(彼は)すべてに遍在し、無区別な智の身体の道への悟入に随順し、想念の威神力を示現する智の(根源的)思惟によって(自らを示現したのである)。そして毘盧遮那荘厳蔵大楼閣の前で(礼拝した)ように、同じように上記のすべての(礼拝)対象に向かって全法界を遍満する(五体)投地(礼)を威神力で示現した。

同じように未来の果てまでたえず威神力で(自らを)示現したうえで、(一)虚空界の無辺(無)量と等しいこと、(二)法界の無障礙と等しいこと、(三)すべてに遍在する究極の真実と等しいこと、(四)如来の無分別と等しいこと、(五)影のような智の想念の遍満と等しいこと、(六)夢のような考察と等しいこと、(七)影像のようなすべての世間や衆生の顕現と等しいこと、(八)反響のような因縁からの生起と等しいこと、(九)不生に等しい生成と消滅に等しいこと、(一〇)無に等しい縁に依存する(輪廻の)転回と等しいことによって、(善財童子は)(一)果報が業のままに生じたと信じ、(二)結果が原因のままに生じたと信じ、(三)行為がすべて(業の)集積のままに生じたと信じ、(四)すべての如来の出現が浄信より生じたと信じ、(五)すべての仏の供養の化現が深信のままに生じたと信じ、(六)すべての如来の変化(身)が尊敬心から生じたと信じ、(七)すべての仏の法性が善根の集積より生じたと信じ、(八)すべての意より成る荘厳の集積が智慧と方便より生じたと信じ、(九)すべての仏徳(仏事)が誓願より生じたと信じ、(一〇)すべての菩薩行と一切智者性の境界である法界を幻作によって遍満する飾りの荘厳が回向より生じたと信じていた。

（善財童子がこのように信じたのは）（一）断滅の想念を離れた回向の智によってであり、（二）恒常の想念を離れた不生の智、（三）原因や行為ありとの謬見を離れた正しい行為に入る原因の集積の智、（四）倒錯した謬見を離れた不倒錯の智、（五）自在（天）ありとの謬見を離れた他者に依存しない智、（六）自我や他者ありとの想念という謬見を離れた縁（起）に入る智、（七）極端に執着する謬見〔辺執見〕を離れた周辺も中央もない法界に入る智、（八）移行〔往来〕の謬見を離れた影像との平等性を実現する智、（九）有無の謬見を離れた不生不滅の智、（一〇）すべての謬見を離れた空不生の智、（一一）自在性のない法性をさとる誓願成就の智力、（一二）すべての相の想念を離れた無相の究極〔際〕の門の智によってである。

（また彼がかかる智によって信じたのは、ものの本来の姿である法性が次のようなものであったからである。即ち）（一）法性は種子から芽が消滅しない（で存続するようなものである）ことによってである。（二）法性は印章から印影が生じることに等しいこと、（三）法性は（本像より）影像が現れることに等しいこと、（四）法性は反響に等しい音声の顕現、（五）法性は夢に等しい対象の顕現、（六）法性は影像の示現と等しいこと、（七）法性が幻に等しく業から生起すること、（八）法性が形のない心によって世間を生起すること、（九）法性が縁や因の集積のままに果（を生起すること）、（一〇）法性は業の集積のままの（果の）成熟に等しいこと、（一一）法性は巧妙な方便〔善巧方便〕による幻作であること、（一二）法性は法と非法の平等性によって潤されていることによってである。

毘盧遮那荘厳蔵大楼閣の住人の資格　善財童子は、このような智に入ることによって実現される思いの(根源的な)思惟によって、毘盧遮那荘厳蔵大楼閣の前で(五体)投地(礼)をして、長い間、時をすごすと、不可思議な善根の勢いに(身心の)相続が潤され、身心に歓喜がみなぎった。そこで楼閣の門口より立ち上がり、毘盧遮那荘厳蔵大楼閣を瞬くことなく両眼でしばらく見つめたうえで、合掌して幾百千回となく(大楼閣の周りを)右遶して、心をこのような思いの(根源的)思惟に向けたままで、(次のような)言葉を述べた。

「この(大楼閣)は、(一)かの空、無相、無願の境地にいる人々の住いです。(二)これはかのすべての法を分別しない境地にいる人々の住いです。(三)法界を区別しない境地にいる人々、(四)衆生界を取得しない境地にいる人々、(五)あらゆる法の不生の境地にいる人々、(六)あらゆる世間に居住しない境地にいる人々、(七)あらゆる世の衆生の住いに住まない境地にいる人々、(八)あらゆる居住地を離れた境地にいる人々、(九)あらゆる支えに頼らない境地にいる人々、(一〇)あらゆる身体に捉われない境地にいる人々、(一一)あらゆる煩悩や想念を払拭した境地にいる人々、(一二)すべての法の無自性の境地にいる人々、(一三)あらゆる思惟、判断、(構想)を分別しない境地にいる人々、(一四)あらゆる想念、心、意を遠離した境地にいる人々、(一五)あらゆる道において専念も断念もしない境地にいる人々、(一六)深遠な智慧波羅蜜に入る境地にいる人々、(一七)普門の法界に遍満する方便の境地にいる人々、(一八)普く煩悩を鎮静し寂静した境地にいる人々、(一九)あらゆる謬見、渇愛、慢心を除去した鋭い智慧の境地にいる人々、(二〇)あらゆる禅定、解脱、三昧、正定(しょうじょう)、神通力(じんずうりき)、明智(みょうち)の生起を遊戯(ゆげ)する境地にいる人々、(二一)あらゆる菩薩の三昧の境界を修習する境地にいる人々、(二二)あらゆる仏の足下に安住する境地にいる人々の、これは住いです。

(二三)(この大楼閣は)劫の一つにすべての劫を入れ、すべての劫に一つの劫を入れる境地にいる人々の(精舎です)。(二四)一国土が全国土と区別なく、全国土が一国土と区別のない境地にいる人々、(二五)一つの法がすべての法と矛盾せず、すべての法が一つの法と矛盾しない境地にいる人々、(二六)一人の衆生がすべての衆生と、すべての衆生が一人の衆生と異ならない境地にいる人々、(二七)一人の仏がすべての仏と、すべての仏が一人の仏と不二(ふに)である境地にいる人々、(二八)一刹那にあらゆる時間に悟入する境地にいる人々、(二九)一発心であらゆる国土に赴く境地にいる人々、(三〇)すべての衆生の住居に影像を現す境地にいる人々、(三一)すべての世間の人々の利益と幸福を心に願う境地にいる人々、(三二)あらゆる取得が自己の自由になる境地にいる人々、それらの人々のこれは精舎です。

(三三)(この大楼閣は)世間の家を出ているのに、すべての衆生を成熟させるためにはすべての世の衆生の住居に姿を現す方々の(精舎です)。(三四)すべての国土に居住していないのに、如来に供養をするためにすべての国土に遊行する方々、(三五)すべての仏国土の荘厳を得るためにすべての国土に遊行するのに、(自己の)在所〔本処〕を動かない方々、(三六)すべての如来の足下にいるのに、仏という想念への執着のない方々、(三七)すべての善知識に依存する暮らしに安住しているのに、すべての世界の中に知識に関して彼らに匹敵する者がいない方々、(三八)あらゆる魔の宮殿に居住する暮らしに安住しているのに、(五種の)欲望の特質の快楽にふけらない方々、(三九)あらゆる想念をいだく暮らしに安住しているのに、想念をすべて払拭した心をもつ方々、(四〇)すべての世の衆生の身体に合致する身体の持主なのに、自己と衆生の二元に安住しない方々、(四一)身体はすべての世界の中に存在しているのに、法界を区別する暮らしに安住しない方々、(四二)未来のすべての劫に居住する誓願を立てているのに、劫の長短の想念をいだく暮らしに安住しない方々、(四三)毛髪の一端から動かずに、あらゆる世界に示現される方々、彼ら、会い難い法の方角に入る境地にいる方々の、これは(精舎)です。

(彼らは会い難い法の方角に入る境地にいるだけでなく、)理解し難い境地にいる方々、深遠な境地にいる方々、不二の境地にいる方々、無相の境地にいる方々、敵対者のない

〔無対治〕境地にいる方々、無取得の境地にいる方々、戯論のない境地にいる方々、大慈と大悲の境地にいる方々、すべての声聞や独覚にとって量り難い境地にいる方々、すべての魔の境界を超出した境地にいる方々、すべての世間の事物に汚染されない境地にいる方々、すべての菩薩の波羅蜜の境地にいる方々、すべての仏の境地に随順する境地にいる(方々、そういう)方々の、これは精舎です。

(四四)(この大楼閣は)すべての相を離れた境地にいるのに、声聞に決定した道〔正位〕に入らない方々の(精舎です)。(四五)あらゆる法の不生の境地にいるのに、不生の法性に入らない方々、(四六)不浄の暮らしに安住しているのに、無貪欲の法性を直証しもせず、貪欲の法とともに居住しもしない方々、(四七)慈しみの境地にいて、心が瞋恚の垢を伴わない方々、(四八)縁起の境地にいて、あらゆる法に関してまったく迷っていない方々、(四九)四種の禅定〔四禅〕の境地にいるのに、禅定の力で生まれることのない方々、(五〇)四種の無量(心)の境地にいるのに、すべての衆生を成熟させるために、(欲界を去って)色界の境遇に入ってしまわない方々、(五一)無色界の四種の正定〔四無色定〕の境地にいるのに、大悲によって包まれているので無色界の境遇に入ってしまわない方々、(五二)心の平静と観察〔止観〕の境地にいるのに、すべての衆生の成熟のために自らは明智の解脱〔明脱〕を直証してしまわない方々、(五三)大いなる無関心〔捨〕の境地にいるのに、衆生界を捨てない方々、(五四)空の境地にいて、(空ありという)謬見に執着しない人々、(五五)無相の境界にいるのに、相に従って行動する衆生の教化に向かいゆく方々、(五六)あらゆる誓願を離れているのに、菩薩行の誓願を断つことのない方々、(五七)あらゆる業と煩悩に自在であるのに、衆生の成熟のために業と煩悩の力に従う者として現れる方々、(五八)死と生(の実相)を知り尽くしているのに、生と死去を示現する方々、(五九)すべての境遇を超えているのに、衆生の教化のためにすべての境遇に赴く方々、(六〇)慈しみ(の境地)にいるのに、何処にも愛着をいだいて安住することのない方々、(六一)悲しみ〔悲〕(の境地)にいて、何処にも煩悩と謬見をいだいて安住することのない方々、(六二)喜び〔喜〕(の境地)にいるのに、苦しむ衆生を見て常に悲しみにくれている方々、(六三)無関心(の境地)にいるのに、他者の目的のために常に尽力している方々、(六四)順に修める(四禅、四無色、滅尽の)九種の正定〔九次第定〕(の境地)にいるのに、欲界への出生を厭わない方々、(六五)あらゆる生に無執着(の境地)にいるのに、究極の真実を直証する(境地)には住しない方々、(六六)(空、無相、無願の)三解脱(門の境地)にいるのに、声聞の解脱の安楽な(境地にさえも)住しない方々、(六七)(苦、集、滅、道の)四聖諦を観察する(境地)にいるのに、(阿羅漢などの四沙門)果を直証する(境地)には住しない方々、(六八)深遠な縁起を観察しぬく(境地)にいるのに、完全な消滅〔究竟寂滅〕に入る(境地)には住しない方々、(六九)(正見などの）八支聖道を修習する（境地）にいるのに、完全な出離の（境地）には住しない方々、（七〇）凡夫の位を超出した（境地）にいるのに、声聞や独覚の位に入る（境地）に住しない方々、（七一）煩悩のある五種の身心の構成要素の集合〔五取蘊〕（の実相）を知り尽くす（境地）にいるのに、（五）蘊の完全な消滅に住しない方々、（七二）（煩悩魔などの）四魔の道を超出した（境地）にいるのに、魔を分別して住しない方々、（七三）六感官〔六処〕を超出した（境地）にいるのに、（六感官の）完全な不生起には住しない方々、（七四）真如（の境地）にいるのに、究極の真実に入って住しない方々、（七五）すべての乗物〔乗〕による出離を示現する（境地）にいるのに、大乗を捨てて住しない方々、それら、あらゆる功徳の境地にいる方々の、これは精舎です」

そこで善財童子は、そのとき、これらの詩頌を述べた。

　大悲を得て、心も清らかで、慈しみの光輝を具えたかの弥勒（菩薩）は、世間の人々の利益のために励んでおられる。（この）勝者の長子は（次の仏になるための）灌頂の位にあって、仏の境界に思いをはせて、ここに安住しておられる。（一）

　令名高きすべての勝者の子たちは大いなる智の境界である解脱に安住しておられるが、妨げられることなく法界を遊行される、それら類いなき方々の、これは住いです。（二）

調練、布施、持戒、忍辱、精進の力に優れ、禅定によって神通の力に堪能で、智慧と方便と誓願の力を保持し、大乗の完成に到達された方々の、これは精舎です。　（三）

無礙の智や広大な志願をもち、虚空の境界に憩い、依り所をもたず、三世のすべてに遍満し、妨げられることのない、あらゆる生存における存在を捨離した方々の、これは住いです。　（四）

あらゆる法の不生の真理（ナヤ）に悟入し、法の本性は虚空を自性とするとさとり、虚空を飛ぶ鳥のように、何処をも依り所とされない、それら智について畏れなき自信のある方々の、これは精舎です。　（五）

貪欲、瞋恚、愚痴の自性は、妄想を原因として生じた虚偽の出現であると知って、しかも貪欲を離れることさえも分別されない、それら寂静と寂滅を具えた方々の、この世におけるこれは精舎です。　（六）

（空、無相、無願の（三）解脱門と（四聖）諦の真理と、（八支）聖道と、（五）蘊、同じく（十二）処、（十八）界と縁（起）性とを観察しながら、寂滅に入ることのない賢者たち、（それら）智慧と方便に巧みな方々の、これは精舎です。　（七）

障害のない智によって（十）方に悟入し、勝者の国土と衆生という妄想や分別を寂滅

し、法がものの自性を欠いていることをさとっている人々、それら寂静に専心する方々の、これは住いです。(八)

(何ものにも)妨げられずに行ない、有を離れ、この法界を、空を吹く風のように(障害なく)遊行され、あらゆる住居を離れ、住むことなく遊行なさる、それら無執着の智をもつ方々の、これは精舎です。(九)

悪趣にいる衆生がことごとく苦しみの中にあって、激しい苦痛をなめているのを見て、慈しみの光を放ち、すべての悪趣を寂滅される、それら慈しみと愛の心をもつ方々の、これは住いです。(一〇)

道案内人とはぐれた生まれつき目の見えない人々の隊商のように、危険な輪廻に入って、聖道を見失っている世間の人々を見て、この解脱道に導き入れられる、(それら)隊商の指揮者にも似た方々の、これは精舎です。(一一)

誕生、憂愁、老衰、死滅に支配され、(魔王)波旬(はじゅん)の(五)蘊の罠(わな)に束縛された人々を見て、(束縛から)解き放って、恐怖のない安全な方角に連れだしてくださる、それらまことに無敵の勇士方の、これは住いです。(一二)

これらの人々が煩悩に病むのを見て、不死の甘露の智という偉大な薬を与え、大悲を起こして救済される、(それら)大医王にも似た方々の、これは精舎です。(一三)

苦しみ、避難の場所もなく憂いの鉱坑に落ち、死の海を行く人々を見て、清浄な法という大船をつくって救助される、それら船頭の子にも似た方々の、これは精舎です。（一四）

煩悩の海に漂う人々を見て、一切智者の宝石のような心への志願によって浄化された衆生は、（自ら）生存の海に入って、（人々）を救出される、（それら）漁師の子にも似た方々の、これは精舎です。（一五）

誓願の家にあって、愛と慈しみの眼によってすべての衆生の住居を見て、生存の海にいる世の衆生を救出される、（それら）ガルダ王の雛鳥にも似た方々の、これは精舎です。（一六）

月や太陽（が虚空にあって、月輪や日輪を具えている）ように、誓願の輪（マンダラ）を具えた無垢で美しい智の光線を放ち、衆生の住いを光で満たされて、虚空にも似た法界を遊行される、（それら）世界に光明をもたらす方々の、これは精舎です。（一七）

（道心）堅固な（菩薩は）一人の衆生を成熟させるために、未来の果てを尽くす幾ナユタ劫もの間、（この世に）とどまる。一人の衆生に対するように、同じように残りなくすべての世の衆生に対してもそうされる、それら世間の帰依処となる方々の、これは住いです。（一八）

一つの国土の広がりにおいて未来の果ての劫の間、世の衆生の利益のために倦むことなき精進をもって(菩薩)行を(行なって)遊行され、一国土におけるように、十方のすべて(の国土)においても同じようにされる、それら金剛にも似た堅い志願をもつ方々の、これは住いです。(一九)

一つの座にいて、迷うことなく、十方の善逝の(すべての)法雲を飲み尽くして、未来の果てのニユタ劫の間(教えを受容しつづけて)心に飽くことのない、(それら)大いなる覚知の海にも似た方々の、これは住いです。(二〇)

不可説数の国土海を遊行し、指導者方の集会の海に入り、勝者に対して種々に海のような供養を捧げられる、それら無礙の(行を)行なわれる方々の、これは精舎です。(二一)

(道心)堅固な方々は誓願の海に沈潜し、周辺も中央もない長い間修行の海に入り、世の衆生の利益のために数多き劫の海で修行される、それらすべての功徳の源泉をもたれる方々の、これは精舎です。(二二)

毛髪の一端にあるすべての国土、数限りない仏や劫に悟入し、その真理に入っても迷われることのない、それら無礙の眼を具えた方々の、これは精舎です。(二三)

心の一刹那に劫の大海に入り、同じく国土も仏も世の衆生にも入られる、それら障

害のない智と記憶をもち、功徳の波羅蜜に進まれた方々の、これは精舎です。（二四）

すべての国土の微塵（の数）を数え、水の全量を水滴の数量として計算し、それほどの数量の誓願を成就される、それら妨げられずに数える方々の、これは精舎です。（二五）

誓願、陀羅尼（だらに）〔総持（そうじ）〕、三昧の門に入り、同じく禅定、解脱、誓願の門を成就し、無限の劫の間遊行される、それら思慮深い善逝の子たちはここに入ります。（二六）

ここにおられるそれら様々な優れた勝者の子たちは、言葉と意味を具えた多くの論書をつくり出し、世の衆生に幸福をもたらす工芸の諸科目を熟考しながら、善き方々のこの精舎で時をすごします。（二七）

ここにおられるそれらの方々は大神通力と方便と智をもって、どれほど多くても十方にある衆生の種々の境遇のすべてにおいて様々な生と死を示現します。（彼らは）幻のような解脱にあって、無礙の行を行なわれます。（二八）

ここにおられるそれらの方々は、最初の発心を初めとして、善き法（の実現）を究極とする法の修行を示現し、雲のように（多くの）化作人（けさにん）によって法界を満たし、このように幾百もの神変を現します。（二九）

心の一（刹那の）生起〔一念〕で菩提をさとり、周辺も中央もない智と思慮の行ないに入り、（聴聞し）思考している世間の人々を困惑させられる、このように近づき難い方々の、これは精舎です。（三〇）

無礙の思慮を具え、障害のない法界を遊行し、境界を取得しない無垢の志願の智ある方々の、これは精舎です。（三一）

無礙の行を行ない、あらゆる国土において居住せずに暮らし、不二の智の境地におられる、それら無比の方々の、これは精舎です。（三二）

諸法は依り所なく寂静で、本性として虚空に等しいと知り、虚空の境界に暮らしておられる、それら塵なき方々の、これは住いです。（三三）

ここにおられて、彼らは慈愛と志願の心を具え、苦しみと憂いに悩む世の衆生を見て、世間の利益を思い量ることに没頭し、大悲を身につけて暮らしておられます。（三四）

ここにおられて、彼らはすべての衆生の住居に、月（輪）や日輪のようにはっきりと現れ、輪廻の罠から解き放たれておられます。（三五）

ここにおられて、それら勝者の子たちは、あらゆる国土において無限の劫をすごされながら、すべての勝者の足下に示現されます。（三六）

ここにおられて、彼らは世の衆生の身体と等しく、かつすべての勝者の子の身体(と同じ)数量の変化(身)の雲によって余す所なくすべての方角に遍満されます。(三七)

ここに入られて、それらの勇士は勝者の境界すべてを熟考しながら、ナユタ劫をすごされても飽かれることはありません。(三八)

ここにおられて、彼らは覚知によって不可説数のナユタの三昧を各刹那ごとにさとって、各々の三昧に入るごとに仏の境界を現しだされます。(三九)

ここにおられて、彼らは刹那に不可説数の劫と国土と仏の名号を知り、広大な智を具えて、無量の劫をすごされます。(四〇)

ここにおられて、彼らは一念で無量の劫に入ります。分別による想念を離れているのに、人々の想念に従われて。(四一)

この三昧の住居におられて、彼らは一刹那の究極に到達し、解脱の住居を遊行しながら、三世(のすべてを明らかに)見られます。(四二)

この精舎におられて、彼らは結跏趺坐(けっかふざ)して、身体を動かされないのに、同時にあらゆる国土に遍在しても現れておられます。(四三)

ここに暮らしておられる威厳ある(菩薩)方は、善逝方の法の海を飲み、智の海に入

り、無尽蔵の功徳の波羅蜜を得ておられます。（四四）
ここにおいて、妨げられない思慮のある方々は、すべての国土の数、劫の（数）、同じく法の数、すべての勝者の（名号の）数をも心に描かれます。（四五）
ここにおられて、それら勝者の子は（過去などの）三世にどれほど多くの国土が現れようとも、それら（のすべて）の成立と崩壊を一刹那に識別されます。（四六）
ここにおられて、それら（勝者の子）は勝者の子の住居において遊行しながら、勝者の行と誓願や、人々の機根を無礙の智慧でご覧になり、（四七）
一つの塵の先端にある集会の海と国土と衆生と劫、すべての塵の数に等しいと、障害のない（智）見によってご覧になり、（四八）
このようにすべての塵の先端にある集会、国土、衆生、劫が、すべて影像（のよう）であり、（各々）明瞭に区別されているのをご覧になり、（四九）
ここにおいて、彼らは法の自性やものの自性を離れたすべての国土、（三）世、劫、同じく覚者を不生の真理（ナヤ）によって識別されます。（五〇）
ここにおられて、衆生の平等性、法における（平等性）、仏の平等性を観察し、三世における（平等性）、国土の平等性と誓願の平等性に入られます。（五一）
彼ら（道心）堅固な方々は、この至上の住居におられて、ナユタ数の衆生を教化し、

他の方々はナユタ数の仏を尊崇し、他の方々は法を考察されます。（五二）
それら智慧ある方々の誓願、智の境界、智の判断は広大かつ無限であって、ナユタ劫をかけても、私には語り尽くすことができませんが、（五三）
それら障害のない境界を楽しまれている非の打ち所ない方々のこの住いに、私は合掌し、（五）体投（地）して礼拝いたします。（五四）
かの勝者の長子、妨げられない行ないをされ、比類なき清浄な知性に恵まれた聖なる弥勒に、その（弥勒菩薩）に思いをこらして、私は礼拝いたします。（五五）

このように、善財童子は、毘盧遮那荘厳蔵大楼閣に居住する菩薩方を、これら（の賞讃や他の）無量の菩薩の賞讃によってほめ、讃え、礼拝し、（五体）投地し、仰ぎ見、尊崇し、目の当りにし、供養したうえで、毘盧遮那荘厳蔵大楼閣の下に、弥勒菩薩摩訶薩にまみえようと願い、弥勒菩薩に面会することを念願しながら、佇立した。佇立していた彼は楼閣の外に、別の場所からやって来られた弥勒菩薩を見た。幾百千もの生命あるものに取り巻かれ、幾多の神々、龍、ヤクシャ、ガンダルヴァ、アスラ、ガルダ、キンナラ、マホーラガの王に囲遶され、左右からはシャクラ、梵天、護世神によって礼拝され、（菩薩の）生国の幾百千もの親類縁者の婆羅門たちに従われ、囲遶され、毘盧遮那荘厳蔵大楼閣の前に来られた(弥勒菩薩を見た)。まみえて、満足し、感動し、喜悦し、狂喜し、歓喜と愉悦を生じ、弥勒菩薩のおられる方向に向かって、遠くから弥勒菩薩に五体を地に投じて礼拝した。

そのとき、弥勒菩薩は善財童子を見て、右手ですべての集会に指し示して、(彼を)真実の功徳の点で讃えて、次の詩頌を述べた。

まことに清浄な志願をいだいた、確たる資産家の子、この善財を見よ。至高な菩提への行道を求めて、(この)賢者はわが下に来たれり。(五六)

よくぞ来たれり、汝よ、愛と慈しみより生ぜる者よ。よくぞ来たれり、広大な慈しみの輪(マンダラ)よ。よくぞ来たれり、寂静し、寂滅せる眼の持主よ。汝は(菩薩)行を行じて、倦むことなかれ。(五七)

来たれ。清浄な志願の持主よ、よくぞ来たれり。来たれ。心に疲れを知らぬ者よ、よくぞ来たれり。来たれ。畏縮することなき能力の持主よ、よくぞ来たれり。穏やかな者よ、汝は(菩薩行を)行じて倦むことなかれ。(五八)

すべての法の考察に立ち上がり、すべての衆生の教化を切に願い、すべての善知識の尊崇に進み行き、不動で堅い誓いを保てる者よ、汝よ、よくぞ来たれり。(五九)

清浄な道によりて来たれる者よ、よくぞ来たれり。徳の道に立てる者よ、よくぞ来

たれり。勝者の道に進み出でし者よ、よくぞ来たれり。（すべての）道の何処においても疲労も倦怠も覚えることなかれ。（六〇）

来たれ。功徳と体を一にする者よ、よくぞ来たれり。善に潤された者よ、汝よ、よくぞ来たれり。無限の境界をもてる者よ、まことによくぞ来たれり。全世界において汝に会う（機会）はまことに得難い。（六一）

利得と損失に平等の心をもち、誹謗（ひぼう）、苦悩、不名誉を除き、（これら利得などの）八種の世間の（悪）徳[1]（世法）の垢に対して蓮華の如く（染まらぬ）者よ、心に迷いなき者よ、まことによくぞ来たれり。（六二）

詐術（さじゅつ）や奸詐（かんさ）を離れて清浄な志願をもつ者よ、慢心や傲慢を離れた善き器よ、憤怒を離れて高ぶらざる者よ、美しき者よ、汝を見ることはまことに楽しい。（六三）

来たれ。すべての方角の境界に向かえる者よ。来たれ。あらゆる勝者の蔵を生ぜし者よ。来たれ。あらゆる勝者の蔵を増大する者よ。心に疲労なき汝よ、よくぞ来たれり。（六四）

来たれ。三世の境界をもつ者よ、よくぞ来たれり。法界への深信の輪（マンダラ）を具えし者よ。すべての仏の功徳の胎蔵から生まれし者よ。よくぞ来たれり、倦むことなく、穏やかな汝よ。（六五）

来たれ。文殊師利(菩薩)の智の沼より生じた蓮華よ。来たれ。メーガシュリー〔徳雲〕(菩薩)の水で育まれし者よ、来たれ。すべての勝者の子によって遣わされし者よ。私は汝に障害なき方角を示そう。（六六）

見よ、(善財の)誓願の網がどのように法界を遍満し、思議を超え、菩薩行の道を成就したかを。あらゆる所に広がって善財は(今)ここに来たれり。（六七）

善逝の境界を求め、塵なき行道を求め、誓願の海を問いながら、この心に疲れを知らぬ者は(ここに)来たれり。（六八）

過去の指導者が学ばれし所、同じく未来の(仏方が)学ばれるであろう(行道)、また現在の善逝の行道、それらを問いながら、この者はここに来たれり。（六九）

これらの方は私の(善)知識である説法者であって、すべての法の観察行の教示者、菩薩の修行の道の教示者であると、そのことだけを思いつめて、この者はここに来たれり。（七〇）

菩薩は私の智を増して下さる方々、仏子は私に菩提を下さる方々、これらの方々は私の(善)知識であり、仏に賞讃された方々であると、このことだけを思いつめて、善き(心のこの者)はここに来たれり。（七一）

これらの方が母のように私を産んで下さった方々であり、乳母のように功徳の乳を

与えて下さった方々、菩提の要素を常に守って下さる方々であり、これらの(私の善)知識が不利益を除いて下さり、　(七二)

医者のように老死から解放し、シャクラ神のように甘露を雨降らせ、月のように浄白で完全に円い(月)輪で遍満し、太陽のように浄福への道を照らし出して下さる方々であり、　(七三)

須弥山のように友人と仇敵に対して平等であり、海のように不動心を具え、水先案内人や守護者のようであると、このように思いつつ、善財はここに来たれり。　(七四)

勇士のように無畏を与えて下さり、隊商の隊長、保護所、最後の依り所であり、これらの方々は私に幸せをもたらして下さる道案内人であると、このことだけを思いつめて、この者は(善)知識に奉仕する。　(七五)

常にあらゆる法の方角を巧みに指し示し、すべての仏の功徳と智を教示し、すべての悪趣、悪道を清浄にして下さる方々、これらの方は私の(善)知識であり、巧みに説いて下さり、　(七六)

これらの方はすべての勝者の宝庫を与えて下さり、これらの方はすべての勝者の宝蔵をお守り下さり、これらの方はすべての勝者の秘密を保持して下さる方々である

と、このように(考えて)、この賢者は(善)知識を尊崇する。(七七)

このことから智の完成が清浄にされ、このことから容色、財産、家柄、出自の完成や、すべての完成も至難の技ではないという、このような志願をもってこの者はここに来たれり。(七八)

見よ。この広大な志願をもつ賢者がこれらの(善)知識に仕えているのを。この穏やかな者がよしとするように、汝らはそのように常に学べ。(七九)

この者は過去の清浄な福徳によって、文殊師利(菩薩)にまみえ、菩提に進み出で、その(文殊の)教えに従って修行している。見よ。(この)疲れを知らぬ者が、どのように遊行(ゆぎょう)しているかを。(八〇)

この者はあらゆる楽しい幸せも捨て、(インドラ神の邸宅である)アマラーのような家を捨て、乳母や父母や莫大な財産を(も捨てて)、召使いのようにこの者は(善)知識に奉仕する。(八一)

この賢者は志願を清浄にして、この自分の人間の身体を捨て、すべての仏の住いに入るであろう。そういうわけで、彼にはこのような果(報)があろう。(八二)

この者は命あるものが老と病に苦しめられ、幾百もの苦しみに悩まされ、生死の恐怖や憂いをなめているのを見て、それらの者のために、慈しみの心をもって(菩薩道を）行なう。

五種の（輪廻の）車輪の輪（マンダラ）において、苦しみの枷（かせ）にさいなまれた人々を見て、（八三）

この者は、苦の枷の境遇の車輪を破壊する金剛のように強固な智を求める。（八四）

貪欲と瞋恚の草と木の刺（とげ）があり、謬見や執着（の根が）多くある、芽が損なわれた衆生の田地を清浄にしたいと願う（この善財）は強固な智慧の鋤（すき）を求める。（八五）

厚い迷妄と（無）明に志願を覆われた世の人々は、智慧の眼を失明し、案内人を見失っているが、この者はそういう人々の、安全な方向を指示する能力のある隊商の長になるであろう。（八六）

忍辱（にんにく）の鎧（よろい）をつけ、三解脱の乗物に乗り、智の剣によって煩悩の敵を打ち破り、勇士のように無畏を与えてくれる者である（この者）は、人々の道案内人となるであろう。（八七）

この者は教え〔法〕の船を用意し、智の海路によく習熟し、寂静というすばらしい宝の島に導く者であり、この者は三界〔有〕（さんがいう）の荒海を渡す舵手である。（八八）

智を光線とし、誓願を（日）輪とし、すべての衆生の住居を照らし出し、法界の空にあって燦然と輝く、この仏の太陽は（やがて）昇るであろう。（八九）

優れた慈愛を具え、三昧の清涼さを保ち、すべての衆生に対する平等心の美しい

382

(月)光に輝き、清浄な法に満たされた(月)輪を具えて、この仏の月は(やがて)昇るであろう。　(九〇)

志願の堅い基盤の上に立ち、菩提の修行において次第に向上し、この者は実にあらゆる法の宝石を産する至上の智の海になるであろう。　(九一)

菩提心の龍王として生じ、法界の虚空に昇り、法の雲から世の人々に雨を降り注いで、あらゆる清浄な果実の収穫を増大する。　(九二)

浄信を燈心とし、慈しみを油とし、憶念を頑丈な器とし、この者は(貪欲などの)三垢〔三毒〕の闇を除き、菩提心なる無垢の火が美しい光を発する法の燈火をともすであろう。　(九三)

菩提心をカララ〔迦羅邏〕とし、愛をアルブダ〔胞〕とし、慈しみをペーシー〔肉〕とし、快い志願をガナ(2)とし、菩提の支分を(手足などが)次第に生じる(誕生までの胎児)として、この如来の胎児〔如来蔵〕は成長する。　(九四)

この者は誓願の胎蔵を生じる者であることからして、福徳の胎蔵を増大し、智の胎蔵を清浄にし、智の胎蔵を教示するであろう。　(九五)

この者が心が清浄であることから見て、この者のように悲と慈の甲冑を身につけ、衆生の解脱に思いをいたし、利益を願う者は、神々と人間を含む世間の中でも得難

い。　（九六）

このように志願の根が深く確固とし、このように強烈な修行を増強し、このように三界〔有〕を（木蔭で）覆うことができる、果実をもたらす智の樹木はまことに得難い。（九六）[3]

この者は功徳の生起を願い、すべての教えについて問うことを願い、すべての疑惑の一掃を願い、怠ることなくすべての（善）知識に奉仕する。　（九七）

この者は魔の邪悪の煩悩を滅し、この者は諸々の謬見と垢と渇愛を清め、この者はすべての世の衆生の解脱に専念し、この賢者は常に優れたもの（善知識）を求める。　（九八）

（この者が）安住している功徳の道から見て、この者は悪しき境遇〔悪道〕を清浄にし、この者は天上（への道）を教示し、解脱の道に世の衆生を入れるであろう。　（九九）

この者はあらゆる境遇の苦しみからの解放者、この者はあらゆる境遇の楽しみの贈与者、この者はあらゆる生存の枷の切断者、（三種の）生存の境遇の破壊者となるであろう。　（一〇〇）

（この者は）謬見の隘路を通過し、渇愛の網の蔓を切断し、享楽への貪欲（の水）を清め、三種の生存〔三有〕の道を教示する者となるであろう。　（一〇一）

この者は世間の保護所、最後の依り所であり、この者はすべての人々に光をもたらす者、完全に生存からの解脱に通暁せる彼は三界における指導者となるであろう。（一〇二）

（この）智者は煩悩の睡眠から人々を目覚めさせ、愛欲の泥から救出し、この者は想念への執着から解放し、束縛からの解脱をもたらすであろう。（一〇三）

法界の種々の地平を明らかにし、世界の種々の地平を清浄にし、すべての法の種々の地平に通暁し、善財よ、汝は歓喜する者となろう。（一〇四）

汝の行ないが穏やかであることからして、汝の浄信が非の打ち所がないことからして、汝の願いが優れていることからして、すべての願いは（やがて）満たされるであろう。（一〇五）

まもなくすべての仏にまみえ、まもなくすべての国土に行き、まもなくすべての教えを知るであろう。汝は自らそのように清らかになる。（一〇六）

汝は国土海を清浄にし、衆生の海を解脱させ、行の海を満たすであろう。汝の修行の海はそのようなものである。（一〇七）

汝の深信の輪（マンダラ）がそのようであることからして、汝は諸功徳の器となり、清浄なものを生じ、仏子と等しくなるであろう。（一〇八）

汝の誓願の輪(マンダラ)がそのようであることからして、汝は魔の軍勢(マンダラ)を打ち負かし、業の輪を清浄にし、煩悩の輪を清浄にするであろう。（一〇九）

汝は智の道を清浄にし、法の道を広げ、まもなく業、煩悩、苦の束縛の道を断つであろう。（一一〇）

世間の輪である〔輪廻の〕生存の輪(チャクラ)に執着し、五つに分かれた境遇〔趣(しゅ)〕の輪に迷える者に、すべての衆生の苦しみの輪を破砕する優れた法輪を汝は転じるであろう。（一一一）

仏の系譜を保持し、法の系譜を清浄にし、僧(サンガ)の系譜を自分に引きつけるであろう。

汝は〔三(さん)〕宝(ぼう)を産出する鉱山となるであろう。（一一二）

渇愛の網を除去し、同じく、厚い謬見の網をも除去し、汝は苦しみの網から人々を解き放つであろう。〔汝が〕浄化した誓願の網はそのようなものである。（一一三）

汝は衆生界を成熟させるであろう。世界を清浄にし、智の〔世〕界〔智慧界〕を確立するであろう。汝の志願の〔世〕界〔心界〕はそのようなものである。（一一四）

善財よ、すべての衆生の利益や歓喜を喜び、菩薩の家柄や系譜を喜び、すべての仏の誓願を喜ぶ汝は、喜びを増大するであろう。（一一五）

あらゆる衆生の境遇の住居を見、あらゆる国土の影像(ようぞう)を見、あらゆる法の光輝を見

る汝は、見て快い勝者となるであろう。　（二一六）

法界を照らし出す光を具え、あらゆる悪しき境遇を寂滅する光を具え、衆生界を幸せにする光を具えて、汝は三種の生存の苦しみを寂滅する者となるであろう。　（二一七）

天界の門を示し、世の衆生に仏への門を開き、世の衆生を解脱の門に導くであろう。汝が浄化した門はそのようなものである。　（二一八）

汝は邪悪な道を捨てさせ、世の衆生を聖なる道に導くであろう。そのように強固な意志をもち、倦むことなく、驕ることなく、汝は菩提への道を求める。　（二一九）

汝は生存の海にいる身体をもつ人々が苦しみの彼岸に行くように努力し、世の衆生を生存の海から救出するであろう。汝の功徳の大海はそのようなものである。　（二二〇）

太陽のように優れた智の光線の海によって、身体をもてる者の煩悩の海を干上げて、彼らをして修行の海に入れ、智の海に導き入れるであろう。　（二二一）

覚知の海を増大し、行の海を清浄にし、汝はまもなく、すべての仏の誓願の海に沈潜するであろう。　（二二二）

賢者よ、汝は海のような覚知の力で、多くの国土海に入り、多くの集会（しゅうえ）の海を見、

多くの法の海を飲み干すであろう。（二三三）

雲〔霞〕にも似た幾ナユタもの諸仏にまみえ、雲〔霞〕のような広大な供養を行ない、幾ナユタもの雲のような法を汝は聞くであろう。そのような雲のような誓願を汝は行なうであろう。（二三四）

汝はすべての衆生の住居に遍満し、すべての国土の住居に赴き、すべての仏の住居に入るであろう。（汝は）そのような方角に進みでた者である。（二三五）

法界の住居に安住して、汝は三昧の住居に入り、解脱の住居を得、神通力の住居において（神変を）行なうであろう。（二三六）

日月の光にも似た汝は、すべての衆生の住居に現れ、勝者の面前に現れるであろう。汝が大道を行く行為はそのようなものである。（二三七）

汝は虚空のすばらしい境界を（遊行し、）すべての世間において無住の境界を遊行するであろう。汝は寂静した境界に住するであろう。汝の神通力の境界はそのようなものである。（二三八）

智者である汝は、風が虚空を障礙なく（吹き抜ける）ように、幻術の種々の広がりのような、ある限りの国土の網の種々の地平にまもなく遍満するであろう。（二三九）

汝は法界の果てしない広がりに悟入し、世界の果てしない広がりに赴き、（過去、

現在、未来の）三世のすべての仏の果てしない広がりを見るであろう。善財よ、汝は歓喜せよ。（一三〇）

汝はこのような解脱を（かつて）見たし、今も見、さらに（未来にも）見るであろう。されば、穏やかな者よ、決して倦怠を生ぜずに、広大でこの世のものならぬ喜びを得よ。（一三一）

善財よ、汝は功徳を容れる善き器であり、勝者方の教誡に従う者である。汝はそれによってこの真理（ナヤ）を保持することができ、この神変を見る。（一三二）

仏子は無住の境界を具えているので、彼らにまみえることは、ナユタ劫かけてもきわめて難しい。（彼らの）功徳の説明が（難しいことは）いうまでもない。（そういう）彼らに善き修行を行なっているので、汝はめぐり会えたのである。（一三三）

汝は広大で不可思議な利得を得、人間の生存（界）に幸いにもやって来たので、文殊師利に面前でまみえ、このような功徳の器となったのである。（一三四）

すべての悪しき境遇への道を離れ、あらゆる（八種の）難処や悪しき境遇を清浄にし、汝はすべての苦しみの法を捨て、倦怠をすべて除き去れ。（一三五）

汝は凡夫（ぼんぶ）の位を離れ、菩薩の功徳の位によく安住し、最高の智の位を完成し、まもなく仏の位を得るであろう。（一三六）

海のような菩薩行、虚空にも似た仏智の宝庫、それほどの量の誓願の海を汝は求めた。心に満足をいだけ。（一三七）

このように（身心の）働き〔根〕に倦怠を生じることなく、志願は堅固で修行は決定しており、このように（善）知識に奉仕する者、彼らはまもなく指導者となるであろう。（一三八）

種々の菩薩行がすべて、多くの衆生を教化するのを見て、すべての法門である菩薩行に決して疑惑をいだいてはならない。（一三九）

汝がその完成によって、このような仏子たちに今ここでまみえる、汝の福徳の完成、目的、法、功徳、浄信の完成は不可思議である。（一四〇）

汝が（彼らに）まみえるとき、（それが汝にとって）どんなに大きな利得であるかを見よ。（それら）勝者の子たちは間断なく次々に各自の誓願を教示し、汝はそれらに完全に従いゆく。（一四一）

菩薩行に対する（汝）の如き器は、百個の生存界〔有〕（を探して）も見出し難い。それゆえに、それらの勝者の子らは、間断なく次々に汝に解脱の真理を説き明かす。（一四二）

ある人々はコーティ・ナユタ劫の間、善逝の子と生活をともにしても、彼らはそれ

ら(仏子ら)の境界を知ることはない。彼らは自らを功徳の器としていないからである。（一四三）

汝はこのような真理（ナヤ）を聞き、かつ偉大な菩薩方の世間において真に会い難い神変を見る。ゆえに、善財よ、汝は歓喜の心を起こせ。（一四四）

すべての仏は汝を見守り、菩薩は汝の愛護〔摂受（しょうじゅ）〕に専念し、汝は彼らの教誡を堅く守る。善いかな、善財よ、汝の幸せな生は。（一四五）

汝は菩薩の家法を守り、勝者の子らの功徳を求めて学び、善逝の系譜の増大を図るであろう。善財よ、汝は広大な歓喜を感得せよ。（一四六）

無比なる仏はすべて汝の父、菩薩はすべて汝の兄弟、すべての菩提の支分は汝の親族で、汝は善逝方の高貴なる胸から生じた実の子である。（一四七）

教えの王〔法王（ほうおう）〕の家の系譜を保持し、菩薩の家の系譜を増大して、まもなく汝は法王になるであろう。善財よ、感官を喜びに満たして歓喜せよ。（一四八）

汝はまもなくすべての仏による至上にして希有の灌頂を受けるであろう。汝は無比の勝者の子らとまったく等しくなるであろう。汝の(菩薩たちとの)同類性はそのようなものである。（一四九）

ある人がどのような種子を蒔いても、その人はそれにふさわしいその結果を得る。

(そのように)ここで私が今日、汝を鼓舞したので、汝は広大で不可思議な歓喜を得る。（一五〇）

考えられぬ(ほど多くの)ナユタ数の菩薩たちが、ナユタ劫に亘って(菩提への)修行を行なっても、彼ら(が力を合わせて)も、汝が一生で獲得した、そのような完成を得ることはない。（一五一）

このすべてはみな、深信の結果であり、志願と強固な精進の(結果)である。この修行道を喜ぶ者、その者は善財の修行道を保持せよ。（一五二）

すべての修行は誓願から生じ、すべての法は深信から生じる。善財よ、汝はこのように準備をなし終えて、常に優れた修行道を追求せよ。（一五三）

龍の意志が生じている限り、その限り雨は降りつづくように、菩薩行は誓願と智の境界がある限り、それほど広汎に遍満する。（一五四）

善財よ、(普)賢行というこの真理は、汝のために教示されたものである。このことを知って、その(真理)を本質とする(善)知識に奉仕して、汝はいかなるときにも危惧の念をいだいてはならない。（一五五）

汝は過去の幾コーティもの身体を、愛欲のゆえに虚しく滅したことに思いをいたせ。今や、菩提を求めて、善き誓いを守る者よ、汝は誓いによってこの身体を捨て

よ。（一五六）

汝は幾コーティ劫も時をすごし、（その間に）有為（の世）においてあらゆる苦しみをなめ、ガンジス河の砂に等しい（数の）仏に逆らい、このような真理を聞くこともなかった。（一五七）

その（汝が）今や、恵まれた境遇で人（身）を得て、仏の出現に（巡り会い、）このような（善）知識を（歴訪し）、至高な菩提への修行道を聞く。（ゆえに）どうして清浄にならないことがあろうか。（一五八）

再び善逝方の出現に（会い）、（善）知識の法を聴聞しても、もし志願が清浄になっていなければ、この真理を再び聞くことはない。（一五九）

それゆえに、浄信、深信、志願を生じて、師に最高の尊敬の念をいだき、疑惑や謬見や倦怠を捨てて、繰り返し何度もこのような真理を聴聞せよ。（一六〇）

修行へのこのような入り方を聞いて、このような誓願を成就した者、彼らは最上の不可思議な利得を（得）、彼らは人間の生存に、幸いにも（生まれ）来る。（一六一）

このように深信を清浄にしたならば、すべての善逝はその人にとって会い難くなくなり、すべての勝者の子はその人の兄弟となり、その後菩提に対する疑惑はその人にはまったくなくなる。（一六二）

このような真理に悟入した者、彼はすべて(の悪い境遇への)転落を免れ、彼はすべての苦しみの法を捨て去り、彼はすべての功徳を収集する。（一六三）

まもなくこの身体を捨てて、汝は清浄な仏国土に赴くであろう。汝は菩提の住居に入り、十方の如来にまみえるであろう。（一六四）

善財よ、汝は過去の原因の集積と、現在の定まった深信を具え、優れたものを求めて、汝は(善)知識に奉仕し、それによって、水中の蓮華のように成長する。（一六五）

(汝は)すべての(善)知識を慰めることを願い、すべての仏に楽しんでいただくことを願い、すべての教えを問うことを願う。善き誓いを守る者よ、汝は倦むことなかれ。立ち上がれ。（一六六）

(汝は)すべての法の修行に安住し、あらゆる道の追求に安住し、仏子の誓願に安住している。あらゆる功徳の法の器よ、汝は立ち上がれ。（一六七）

汝が私にこの礼拝を、深信を完成することによってなしたような、(そのような深信の完成によって)汝はまもなくすべての仏の集会の前に現れるであろう。（一六八）

善いかな、善財よ、心に疲れを知らぬ者よ、すべての仏の誓願を心とし、堅い誓いを保つ汝は、まもなくあらゆる仏の功徳の究極に赴くであろう。（一六九）

善財よ、智の境界の解脱の究極に達した文殊師利〔菩薩〕の下に行って、至上にして最高の〔普〕賢という行について問え。彼が汝にその真理に入らせてくれるであろう。（一七〇）

無礙の境界を具えた弥勒〔菩薩〕は、このように善財が功徳に抜きんでているのを見て、集会の前に姿を現して、彼のこの功徳の宝庫について語った。（一七一）

善財は、この教誡やこのような最高の教えを聞いて、歓喜の衝動のあまり、眼に〔涙が〕あふれ、洪水のように激しく涙を流した。（一七二）

歓喜に毛髪はすべて身体から逆立ち、〔感〕嘆の息を吐き、身心は歓喜に満たされて、善財は立ち上がり、合掌して、かの弥勒〔菩薩〕の周りを右遶した。（一七三）

文殊師利がその念力によって、大変美しく、〔人々の〕心を喜ばせる、菩薩の誓願から生じた華の瓔珞（ようらく）や宝石を彼の手に盛った。

善財は心に激しい歓喜をいだき、喜んでそれらをかの弥勒〔菩薩〕に散〔華〕した。（一七四）そのときマイトラナータ〔弥勒菩薩〕は、善財の頭を撫でて、彼に詩頌を説いた。（一七五）

「善いかな、善いかな、勝者の子、善財よ。汝がこのように倦怠しないとは。汝は〔速やかに〕文殊ゴーシャ〔文殊師利〕のような、あるいは私のような〔そのような〕功

徳の器となるであろう」　（一七六）

聞いて、善財は歓喜の言葉を厳かに言上した。「幾百の生存の中でもこのような（善）知識方にはお会いし難いのに、私はこの世でお会いすることができました。今日私がここに来たことは、まことにすばらしいことです。　（一七七）

あらゆる功徳の究極に至れる文殊ゴーシャよ、あなたの威力のおかげで私がこれらお会いし難い（善）知識方にお会いできたとは、すばらしいことです。私があなたと速やかにめぐり会えますように」　（一七八）

一生補処の菩薩　そこで善財童子は、弥勒菩薩摩訶薩の面前で合掌して佇立し、こう言った。「聖者よ、私は無上正等覚に向け進み出ていますが、私には菩薩が菩薩行をどのように学んだらよいのか、どのように修行したらよいのかわかりません。聖なる弥勒（よ、あなた）はすべての如来によって、無上正等覚（を得るため）に（この）一生だけ（輪廻に）縛られている（菩薩）であると予言されておられます。

そして、無上正等覚（を得るため）に（この）一生だけ（輪廻に）縛られている（菩薩）は、（一）すべての菩薩の各々の区別を超出し、（二）菩薩に決定した道〔離生位（りしょうい）〕に入り、（三）すべての波羅蜜を完成し、（四）すべての志願と忍辱の門に入り、（五）菩薩のすべての位〔菩（ぼ）

薩地〕を得、(六)すべての解脱門で遊戯し、(七)すべての三昧を実現し、(八)菩薩のすべての行道に通暁し、(九)すべての陀羅尼と弁才という光明の説き方を体得し、(一〇)(寿命を自由に変えるなどの)菩薩の(十)自在のすべてに関して自在力を体得し、(一一)菩薩のすべての資糧を蓄積し、(一二)智慧と巧みな方便の(種々の)方途において遊戯し、(一三)大神通力と明智と智の光明の真理を生じ、(一四)(戒、定、慧の)すべての学処に通暁し、(一五)すべての菩薩行を清浄にし、(一六)すべての誓願による出離の門を成就し、(一七)すべての如来の予言を受け、(一八)あらゆる乗物〔乗〕による出離の門に通暁し、(一九)すべての如来の威神力〔所護念〕を保持し、(二〇)すべての仏の菩提を摂受し、(二一)すべての如来の(法の)宝庫〔法蔵〕を守り、(二二)すべての如来の秘匿の(法の)宝庫の保持者であり、(二三)すべての菩薩の秘密の輪(マンダラ)の長官〔上首〕となり、(二四)すべての煩悩の軍勢の粉砕者の中の勇士であり、(二五)輪廻の森林に到達した人々の道案内人であり、(二六)煩悩に苦しむ人々の医師であり、(二七)すべての衆生の中の最高者であり、(二八)すべての世間の君主たちの君主であり、(二九)すべての聖人たちの中の長老であり、(三〇)すべての聖なる声聞、独覚の中の最上者であり、(三一)輪廻の海に到着した人々の水先案内人であり、(三二)衆生を教化する方便の大きな網をたぐりよせ、(三三)成熟した世の衆生の機根を観、(三四)すべての衆生の摂取に努め、(三五)すべての菩薩の守護に励み、(三六)すべての菩薩の行ないの賞讃に励み、(三七)すべての如来の足下に立ち、(三八)すべての如来の説法会の中で立ち上がり、(三九)すべての世の衆生の住居に影像を現し、(四〇)すべての世間の法によって汚染されず、(四一)すべての魔の境界を超出し、(四二)すべての仏の境界に随順し、(四三)すべての菩薩の境界において無障礙となり、(四四)すべての如来の供養に励み、(四五)すべての仏の法に対して(精神を)集中(同体性)しており、(四六)灌頂の絹布を(額に)つけ、(四七)偉大な法王の位につき、(四八)一切智者の智の境界に対して(王となる)灌頂を受け、(四九)すべての仏の徳(法)を生じ、(五〇)一切智者の智に対する自在権の究極を得ております。

ですから、聖者よ、あなたはどのように菩薩は菩薩行において学んだらよいのか、どのように修行したらよいのか、どのように修行するので、菩薩があらゆる仏の法を証悟し、請われたとおりに衆生界に贈与し、立てられたとおりに誓いを成就し、偉大な菩薩行の実行を成し遂げ、神々を含む世間を元気づけ、すべての仏、法、僧と自ら違背せず、仏の系譜を断絶せず、菩薩の家を空(家)にせず、如来の指導法を守ることになるのかを私に説いて下さい」

善財童子の徳行　そこで弥勒菩薩は、そのすべての説法会を見渡し、善財童子を指し示してこう語った。「善男子らよ、菩薩行の功徳の完成について私に質問しているこの長者の子を見よ。尊者らよ、この長者の子はこのような精進努力により、このような欲求、意欲の誓い、堅固な志願、不退転の精進により、これほどまでも仏の法に飽くことなく、かくも優れた(徳性)を追求し、かくも頭につけた布が燃えているように(激しく行動し)、かくも善知識との出会いを求め、かくも善知識への奉仕に倦むことがなく、すべての善知識を求め、問い、奉仕し、法王子となれる文殊師利に遣わされて、ダニヤーカラという都城〔福城〕から始めて、南の地方をすべて遊行し、百十人の善知識に問い、まったく倦むことのない道心をいだいて、私の所にまでやってきたのである。

善男子らよ、大乗に進みでた人々、大誓願に乗りこみ、心に大いなる奮励努力の決意を固め、大悲の甲冑で身を固め、大慈によって(すべての)衆生を救出しようと思う心をいだき、大精進の波羅蜜に励み、衆生の隊商の大群の護衛に専念し、輪廻の大海から衆生を救出することを実行し、一切智者性への道に進み出、大きな教えの船の準備に努め、大きな法宝の福徳の収集に努力を尽くし、大きな法の祭祀の資糧の集積に励む、このような(善財のような)人々の、名を聞き、色身を見、同じ境界に住み、修行をともにすることは稀である。それは何故かというと、善男子らよ、この善き人はあらゆる世の衆生を救うために立ち上がり、すべての苦しみから衆生を解放するために、すべての悪い境遇を干上げるために、すべての難所を除くために、すべての危険な道を変えるために、あらゆる無知の闇、闇黒を一掃するために、すべての輪廻の森林を通り抜けるために、あらゆる境遇の輪（チャクラ）を止めるために、あらゆる魔の境界から救出するために、すべての居住の場所から離脱するために、すべての住居に隠れることから駆り出すために、愛欲の泥から引き出すために、喜びへの欲望を除去するために、謬見の束縛を除くために、実有（じつう）の身体への強い執着を止めるために、想念の罠を切断するために、転倒の道から戻すために、己惚（うぬぼ）れの幡を倒すために、煩悩の余習（よしゅう）の刺を抜きとるために、障礙の門扉を打ち破るために、障礙の山を破壊するために、渇愛の網を破るために、無明の枷をゆるめるために、生存の河を渡るために、欺瞞や奸計を除去するために、心の濁りを清めるために、疑いや惑いや困惑を根絶するために、無知の大河から救出するために、あらゆる輪廻の悪徳から身を退くために修行しているからである。

善男子らよ、実に、この善き人は衆生たちを〔欲の奔流などの〕四つの奔流[4]〔四流（しる）〕から救出するために大きな贈物である大きな教えの船を準備しようと欲し、謬見の泥沼に沈んでいる人々に大きな教えの橋を建設しようと欲し、愚痴の闇黒に昏迷している人々に智の光明をもたらそうと欲し、輪廻の荒野で迷っている人々に聖道を示そうと欲し、煩悩の重病に苦しむ人々に教えの薬を与えようと欲し、生、老、死に虐げられている人々に不死〔甘露〕の〔世〕界を与えようと欲し、〔貪欲、瞋恚（しんに）、愚痴の〕三種の火が燃え盛る人々を止心の水によってさわやか〔清涼〕にしようと欲し、憂い、悲しみ、苦しみ、悩み、心の乱れに悩まされている人々に大いなる慰めを与えようと欲し、生存の牢獄に閉じ込められた人々に智の武器を与えようと欲し、謬見の束縛に縛られた人々に智慧の剣を提供しようと欲し、三界の都城に閉じ込められた人々に解脱の門を示そうと欲し、危険な方角に向かう人々に安全な方角を示そうと欲し、煩悩の盗賊に悩まされた人々に大いなる慰めを与えようと欲し、悪しき境遇という絶壁の恐怖に戦く人々に支えの手をさし延べようと欲し、(五)蘊という殺人者に殺害された人々に涅槃の都城を示そうと欲し、(十八)界の蛇に巻かれた人々に、(聖道による)出離を教えようと欲し、(十二)処という空っぽの村に執着している人々を智慧の光明によって(村から)出ていかせようと欲し、悪しき異教〔邪済〕を行なう人々を正しい教えに導こうと欲し、友ならぬ者の手に落ちた人々に真の善知識を教えようと欲し、凡人の法の境界を楽しむ人々を聖なる法に立たせようと欲し、輪廻の町を楽しむ人々を去らせて一切智者性の宮殿に入れようと欲している。

善男子らよ、それゆえにこの善き人はこのように衆生を救うために、(一)発菩提心の浄化をたえず求めて止むことなく、(二)この人は大乗の準備に倦むことなく、(三)すべての教えの雲から(教えの水を)飲むことに飽くことなく、(四)すべての資糧を完備するために常に努め、(五)すべての法門を清浄にするために重荷を下ろさず、(六)すべての菩薩行を行なうために精進を放棄せず、(七)すべての誓願の成就のために不退転の修行を行ない、(八)すべての善知識にまみえることに飽くことなく、(九)すべての善知識に奉仕することに身体が疲労せず、(一〇)すべての善知識の教誡と教訓とを適確に理解している。

善男子らよ、無上正等覚に向けて誓願を立てる衆生は、すべての世間において稀である。無上正等覚に向けて進み出て、(一)このような精進の獲得の方法によって仏の徳を獲得し、(二)このような激しい意欲によって菩薩道を追求し、(三)このような求道心によって菩薩行を清浄にし、(四)このように苦労して善知識に奉仕し、(五)頭につけた布に火が燃えているようにそのように(真剣に)善知識の言葉に違わず、(六)このような強固な道心に基づく修行によって善知識の教誡を実行し、(七)このように適確な理解によってすべての菩提の支分を獲得し、(八)すべての利得も栄誉も名声をもこのように求めないことによって、菩薩の道心の要素を乱さず、(九)家、財産、愛欲、快楽、安楽、父母、縁者やあらゆるものをこのように顧みないで捨て去ることによって、同行する菩薩を探し求め、(一〇)このように身体も生命も顧みないで一切智者性を願求する者はそれ以上に稀にしかいない。

善男子らよ、この(善財)が(生を)うけたこの一生の間に、達成するであろうかの菩薩行と誓願の成就を、他の菩薩らは百千コーティ・ニユタ劫かけても達成することはないであろうし、仏の菩提に近づくこともないであろうし、仏国土の清浄、衆生の成熟と教化、法界への智による悟入、波羅蜜への到達、(菩薩)行の網の拡大、誓願成就の達成、魔の所行の超出、善知識の奉仕、あらゆる菩薩行の獲得と浄化、普賢菩薩行を成就する力の完成には(百千コーティ・ニユタ劫をかけても)到達することはないであろう」

そこで、弥勒菩薩摩訶薩は善財童子の真実の功徳や賞讃を述べて、それを依り所とする、百千の生命ある者の菩提の支分への志願を強固にしたうえで、善財童子にこう語った。「善いかな、善いかな、善男子よ。汝がすべての世間の人々の利益と安楽のために、すべての衆生界の救済のために、すべての仏の法の獲得のために無上正等覚に向けて発心したとは。

善男子よ、汝が道心によって無上正等覚に発心しているので、汝は利得をよく得、人(身)を幸いにも得、人間界によく生をうけ、仏の出現によく出会い、善知識、文殊師利に幸いにもお目にかかり、汝の心の相続は善き器となり、汝は善根(の水)でよく潤され、清浄な徳〔白法(びゃくほう)〕によってよく支えられ、広大な深信と善への道心をよく清浄にし、汝はすべての仏によってよく見守られている。善男子よ、汝は善知識方によってよく摂取されている。

菩提心　それは何故かというと、善男子よ、実に、菩提心は(一)すべての仏の徳の種子（のようなもの）であり、（二）すべての世の衆生の清浄な徳を育てるから田地であり、（三）すべての世間の人々の庇護の場所であるから大地であり、（四）すべての煩悩の垢を洗い流すから水であり、（五）すべての世間においてとどまる所がないから風であり、（六）すべての謬見の薪である干草を焼き尽くすから火であり、（七）すべての衆生の住居を照らし出すから太陽であり、（八）清浄な徳の（月）輪（マンダラ）を完成するから月であり、（九）教えの光明を放つから燈火であり、（一〇）安全と危険を見るから眼であり、（一一）一切智者性の都城に導き入れるから道であり、（一二）すべての悪しき（異教の）渡し場を除くから（彼岸への真の）渡し場であり、（一三）すべての菩薩が乗るから乗物であり、（一四）すべての菩薩行の門に入れるから門口であり、（一五）三昧の修習の依り所であるから大邸宅であり、（一六）法の楽しみを享受させるから遊園であり、（一七）すべての世の衆生を保護するから安息の場所であり、（一八）すべての世間の人々に利益をもたらすから庇護の場所であり、（一九）すべての菩薩の足であるから支えであり、（二〇）すべての菩薩を守護するから父であり、（二一）すべての（菩）薩の母であり、（二二）すべてのものから保護するから乳母であり、（二三）すべての学習中〔有学（うがく）〕（の聖者）、学び終えた〔無学（むがく）〕（阿羅漢）、独覚の心を圧倒しているから（法）王であり、（二四）すべての誓願に卓越しているから支配者であり、（二五）すべての功徳の宝石を集めるから大海であり、（二六）すべての衆生に対して平等心をもつから大きな須（しゅ）

弥山であり、（二七）すべての世間を防護するものであるから鉄囲山であり、（二八）智の薬草が繁茂するからヒマラヤ〔雪山〕であり、（二九）すべての功徳の香りの基体であるからガンダマーダナ山(5)〔香酔山〕であり、（三〇）大功徳が一面に広がっているから虚空であり、（三一）すべての世間の法によって汚染されていないから蓮華であり、（三二）心は慣らされ、高貴な生まれであるから象であり、（三三）御し難さをまったく離れているので良種の馬であり、（三四）大乗の守護の先導を務めるので御者であり、（三五）煩悩の病を癒すから薬であり、（三六）すべての不善の法を完全に滅するからパーターラ(6)〔坑穽〕であり、（三七）すべての法を透徹して（知る）から金剛であり、（三八）功徳の芳香を漂わせるから香炉であり、（三九）すべての世間の人々が見て楽しむから大きな華であり、（四〇）貪欲の熱を冷やすから雪の栴檀〔白栴檀〕であり、（四一）法界全体に遍満するから黒い沈香であるためである。

（四二）すべての煩悩の病を滅除するから見て快い大きな薬の王〔善見薬王〕という薬であり、（四三）すべての煩悩の余習という矢を抜き取るから、除去薬〔毘笈摩薬〕であり、（四四）すべての感官の機能を統轄するから（神々の）主〔帝釈〕であり、（四五）貧窮をすべて絶滅するから毘沙門であり、（四六）すべての功徳の飾りをもつから吉祥（天女）〔功徳天〕であり、（四七）すべての菩薩を飾るから装身具であり、（四八）すべての悪行を焼き尽くすから劫焼の火であり、（四九）すべての仏の徳を増大するから根が生じない大薬王〔無生根〕（という薬）

であり、(五〇)すべての煩悩の毒を消すので龍の摩尼〔龍珠〕であり、(五一)(劫濁などの五つの)濁りのすべてを除くから水を澄ませる摩尼宝石〔水清珠〕であり、(五二)すべての目的を成就するから如意摩尼王であり、(五三)すべての願いを満足させるから幸運の瓶〔功徳瓶〕であり、(五四)すべての功徳の飾りを雨と降らせるから願望を満たす樹木〔如意樹〕であり、(五五)輪廻のすべての罪過と混じっていないから純白の衣〔鵞羽衣〕であり、(五六)本性が清く輝いているから綿花の(白い)繊維〔白氈線〕であり、(五七)衆生の願いという田地を清浄にするから犂であり、(五八)無我〔我見〕の甲冑を射通すから鉄の鏃であり、(五九)苦しみという的を貫き通すから矢であり、(六〇)煩悩の敵を負かすから矛であり、(六一)非根源的思惟を包み隠すから甲冑であり、(六二)煩悩の首を(斬り)落とすから刀であり、(六三)慢心、驕慢、高慢の鎧を切り裂くから剣の刃であり、(六四)煩悩の余習の甲冑を貫き通すから鋭利な刃であり、(六五)慢心の旗印を打ち倒すから勇士の幢であり、(六六)無知の樹木を倒すから鉈〔利鋸〕であり、(六七)苦しみの樹を切り(倒す)から斧であり、(六八)すべての災難の襲撃から防衛するので武器であり、(六九)すべての波羅蜜の身体を保護するから手であり、(七〇)すべての功徳の智を安立するから足であり、(七一)無明の眼球を覆う被膜を除去するから眼膏をぬる針〔眼薬〕であり、(七二)無我〔身見〕の矢を引き抜くから矢抜きであり、(七三)煩悩の余習の刺を抜き取るから刺抜きであるためである。

（七四）輪廻の束縛から解き放つから（善）知識であり、（七五）すべての不幸を撃退するから財物であり、（七六）すべての菩薩行による出離の道に通暁しているから師であり、（七七）功徳が無尽蔵であるから宝庫〔伏蔵〕であり、（七八）智が無尽蔵であるから泉であり、（七九）すべての法の顔の影像を映しだすから鏡の円い鏡面であり、（八〇）汚染されていないから白蓮華であり、（八一）波羅蜜と四摂事の流れで運ぶから大河であり、（八二）法の雲から雨降らせるから大龍王であり、（八三）すべての菩薩の大悲を保持するから生存力〔命根〕であり、（八四）不死の（世）界に連れてくるから甘露であり、（八五）すべての教化されるべき衆生を摂取する行為によって誘引するから普く張り渡された罠の網であり、（八六）輪廻の水中でうごめくものを引き出すから鉤であり、（八七）すべての功徳の香料を保持するから香炉であり、（八八）完全に無病にするから無病〔阿伽陀〕（薬）であり、（八九）愛欲の享楽という毒を無毒にするから毒消しであり、（九〇）すべての非根源的なもの〔顛倒〕の毒を制するから呪文と陀羅尼であり、（九一）すべての障害や妨害の草を（吹き）散らすから旋風であるためである。

（九二）（三十七の）すべての菩提に資する法の宝石の鉱山であるから宝石の島であり、（九三）すべての清浄な法を生じるから（善き）種姓であり、（九四）すべての功徳法の生起の源であるから鉱山であり、（九五）すべての菩薩という商人が集う所であるから市場であり、

(九六)すべての業、煩悩の障害(の垢)を清浄にするから水銀〔錬金薬〕であり、(九七)一切智者性の資糧を完全に満たすから蜂蜜の貯蔵所であり、(九八)すべての菩薩を一切智者性の宮殿に到着させるから道であり、(九九)すべての清浄な法を保持するから器であり、(一〇〇)すべての煩悩の塵埃を鎮めるから雨であり、(一〇一)すべての菩薩の個々の区別を示すから各々の住処であり、(一〇二)声聞の解脱に付着しないから磁石であり、(一〇三)本性は無垢であるから瑠璃であり、(一〇四)すべての声聞、独覚やすべての世間の人々の智を消し圧倒するからインドラニーラ〔帝釈青〕であり、(一〇五)煩悩の眠りに落ちた衆生を目覚めさせるから時を告げる太鼓〔更漏鼓〕であり、(一〇六)濁っていないから澄んだ水であり、(一〇七)すべての有為の領域における善根の集積を色褪せたものにするからジャンブ河産の黄金の飾りであり、(一〇八)三界のすべてを超出しているから大きな山王であり、(一〇九)庇護を求めてきた者を捨てないから避難所であり、(一一〇)不利益に対立するから利益であり、(一一一)心を歓喜させるから財宝であり、(一一二)すべての人々を飽食させるから祭祀の(施)食〔大施会〕であり、(一一三)すべての人々の心の中で最高で最上のものであるから長老であり、(一一四)すべての仏の法を貯えるから宝庫であり、(一一五)すべての菩薩行の誓願を包含しているからまとめの詩頌であり、(一一六)すべての世間の人々を保護するから保護者であり、(一一七)すべての罪過を追い払うから見張り番であり、(一一八)煩悩のアスラを誘引するからインドラの網〔因陀羅網〕であり、(一一九)教化されるべき者を誘引するから(司法神)ヴァルナの捕縄であり、(一二〇)すべての薫習や煩悩の余習や煩悩を焼き尽くすからインドラの火〔因陀羅火〕であり、(一二一)神々、人間、アスラを含む世間の塔廟であるためである。

善男子よ、このように菩薩は(これらの功徳と)他の無量の優れた功徳を具備している。善男子よ、要約すれば、すべての仏の徳〔法〕とすべての仏の功徳がどれほど多くても、それほど多くの功徳が菩提心にはあり、それほど多くの賞讃が菩提心の功徳にはあると知りなさい。それはどうしてかといえば、こ(の菩提心)からすべての菩薩行の輪が現れ、過去、未来、現在のすべての如来もこれから出現するからである。だから、善男子よ、無上正等覚に発心している者は、一切智者性の心への道心によく摂取されているから無量の功徳を完全に具備しているのである。

菩提心をもつ菩薩の比喩　(一)善男子よ、たとえば無畏という名の薬草があり、それ(を採る)と五種の恐怖がなくなる。即ち、火に焼かれず、毒にあたらず、剣に傷つけられず、水にさらわれず、煙に(まかれて)死ぬこともない。善男子よ、それとまったく同じように、一切智者性の心という薬草を所持した菩薩は貪欲の火に焼かれず、対象という毒にあたらず、煩悩の剣に傷つけられず、生存の激流にさらわれず、妄想の煙に(まかれて）死ぬこともない。（二）善男子よ、たとえば解き放たれない〔解脱〕という名の薬草があり、それを所持するならば、他人の攻撃を受ける恐れはまったくない。それとまったく同じように、菩提心の智の薬草を所持する菩薩には、輪廻の攻撃を受ける恐れはまったくない。（三）善男子よ、たとえばマギー〔摩訶応伽〕という名の薬草があり、それを所持すれば香りだけですべての毒蛇は逃げ去る。それとまったく同じように、菩薩心の（薬草を所持する菩薩の功徳の）香りだけであらゆる煩悩の毒蛇が逃げ去る。

（四）善男子よ、たとえば無敵の〔無勝〕という薬を所持した人はあらゆる敵の軍勢に負けることはない。それとまったく同じように、一切智者性の心という無勝薬を所持した菩薩は、あらゆる魔や敵対者の軍勢によっても蹂躙されない。（五）善男子よ、たとえば除去〔毘笈摩〕という名の薬があり、それを所持すると、あらゆる矢が抜け落ちる。それとまったく同じように、菩提心という毘笈摩薬を所持した菩薩には、すべての貪欲、瞋恚、愚痴や謬見の矢が抜け落ちる。（六）善男子よ、たとえば見て快い〔善見〕という名の薬の大王があり、それを所持した者はあらゆる病を駆逐する。それとまったく同じように、菩提心という善見薬大王を所持した菩薩は、すべての煩悩と無知の病を駆逐する。

（七）善男子よ、たとえば癒着〔珊陀那〕という名の大薬樹があり、それの樹皮が（傷に）当てられるや否や、あらゆる傷は癒え、その樹皮ははぎとられたとおりに（再）生する。

それとまったく同じように、菩提心の種子から生じた一切智者性という癒着（薬）樹は、見るや否や、信をいだく善男子らの業と煩悩の傷を癒すが、その一切智者性の（薬）樹はすべての世間の人々によって損なわれも傷つけられもしない。（八）善男子よ、たとえば根が生えない〔無生根〕という名の一類の優れた薬（樹）があり、それの威力によってすべてのジャンブ州にあるすべての樹木は生長する。それとまったく同じように、菩提心という無生根大薬（樹）の威力によって、有学（の聖者）と無学（の阿羅漢）と独覚と菩薩のすべての善根の法の樹木が生長する。（九）善男子よ、快楽の獲得〔阿藍婆（あらんば）〕という名の薬草があり、それがある人の身体に入ったとき、その人の身心は無病になる。それとまったく同じように、一切智者性への発心という阿藍婆薬草はすべての菩薩の身心の無病をもたらす。（一〇）善男子よ、たとえば想起を獲得した〔念力〕という名の薬草があり、それを所持すると、心の想起が明瞭になる。それとまったく同じように、一切智者性への発心という念力薬草は、あらゆる仏の教えに障礙のない菩薩たちの想起の明瞭化に役立つ。（一一）善男子よ、大蓮華という名の薬草があり、それを摂取すると寿命の量は一劫になる。それとまったく同じように、菩提心という大蓮華薬草を摂取した菩薩も無数劫の寿命の自在を獲得する。（一二）善男子よ、たとえば見られない〔翳身（えいしん）〕という名の薬草があり、それを所持すると、すべての人や鬼神によって見られないようになる。それとまったく同じように、菩薩心という翳身大薬草を所持していれば、混じりあって暮らしていても、菩薩はあらゆる魔の境界において見られなくなる。

(一三)善男子よ、たとえば大海の中にあらゆる摩尼宝石の集積〔普集衆宝(ふじゅうしゅほう)〕という名の大摩尼宝石王があり、それが別の世界に移行しなければ、劫を焼くあらゆる火も、大海をターラ樹ほども干上がらせる可能性もなく、その機会もない。それとまったく同じように、一切智者性への発心という普集衆宝大摩尼宝石王が道心の相続の中にある菩薩には、一切智者性に回向された一つの善根さえも滅することはあり得ず、不可能であり、この可能性はまったくない。しかし、一切智者性への発心(という宝石王)が捨てられるならば、善根のすべてがひからびてしまう。(一四)善男子よ、たとえばあらゆる光の集積〔普集光明〕という名の大摩尼宝石があり、それを首にかけると、すべての摩尼宝石の装飾は輝きを失う。それとまったく同じように、菩提心という普集光明大摩尼宝石を志願の装飾に結びつけた菩薩は、声聞や独覚の発心である宝石の装飾のすべてを圧倒する。

(一五)善男子よ、たとえば水を澄ませるもの〔水清〕という名の大摩尼宝石があり、水中に投じると、それは汚れや濁りをすべて浄化する。それとまったく同じように、菩提心という水清大摩尼宝石は煩悩の汚れや濁りをすべて清浄にする。(一六)善男子よ、たとえば水と共存する〔住水〕という名の摩尼宝石を括りつけた漁師は、水中で死ぬことはない。

それとまったく同じように、一切智者性への心という住水摩尼宝石を所持した菩薩は、すべての輪廻の海中で死ぬことはない。(一七)善男子よ、たとえば龍の摩尼の甲冑〔龍宝〕という名の大宝石があり、それを手にもっていれば、漁師などの水上生活者はあらゆる龍の住処に入っても、すべての龍や蛇に襲われることはない。それとまったく同じように、一切智者性への発心の智という龍宝を身にまとった菩薩は、あらゆる欲界の住居に入っても傷つけられることはない。(一八)善男子よ、たとえばシャクラにつけられるという名の摩尼宝石をつけた神々の王シャクラは、すべての神の群を圧倒する。それとまったく同じように、一切智者性への心であるシャクラにつけられるという大摩尼宝石王のついた誓願の宝冠をつけた菩薩は三界をすべて圧倒する。(一九)善男子よ、たとえば如意王という大摩尼宝石を所持した人には貧窮の恐れはまったくない。それとまったく同じように、一切智者性への発心である如意王大摩尼宝石を所持した菩薩にはあらゆる生活の資具や生計の不安の恐れはない。

(二〇)善男子よ、たとえば日精という摩尼宝石は太陽にさらすと火を発する。それとまったく同じように、一切智者性への発心という日精摩尼宝石も智慧の光に近づけると、智の火を発する。(二一)善男子よ、たとえば、月精という名の大摩尼宝石は月光に触れると噴水をほとばしらせる。それとまったく同じように、発菩提心という月精大摩尼宝石は善根の回向という月光に触れると、あらゆる善根の誓願という噴水をほとばしらせる。(二二)善男子よ、たとえば願いを叶える王〔如意〕という摩尼の宝冠をつけた大龍王には他者の攻撃を受ける恐れはない。それとまったく同じように、菩提心の大悲である如意摩尼の宝冠をつけた(菩薩)には、(二三)悪道、悪趣において攻撃を受ける恐れはない。(二三)善男子よ、たとえば一切世間荘厳蔵という名の大摩尼宝石はすべての衆生の願望を叶えても決して減りはしない。それとまったく同じように、発菩提心という一切世間荘厳蔵大摩尼宝石はすべての衆生の願望と菩(薩)の誓願を叶えても決して減りはしない。

(二四)善男子よ、たとえば転輪聖王の大摩尼宝石は闇や闇黒を一掃し、宮殿の中にあるものを照らし出す。それとまったく同じように、一切智者性への発心である転輪聖王の大摩尼宝石は衆生の諸境遇においてあらゆる無明の闇黒を消散し、欲界にあって、大きな智の光明を放つ。(二五)善男子よ、たとえばインドラニーラ〔帝青〕の大摩尼宝石の光を浴びた者は誰でも、そのすべてはインドラニーラの大摩尼宝石の色になる。それとまったく同じように、一切智者性への発心というインドラニーラの大摩尼宝石が、ある(法)を観察し、(ある法に)向けられるならば(それらの法は何であれ)、また、ある善根が一切智者性への発心によって回向されるならば(それらの善根は何であれ)、そのすべては一切智者性という大摩尼宝石の色になる。(二六)善男子よ、たとえば瑠璃摩尼宝石は百千年の間、不浄の中にあってもすべての悪臭と一緒になることはない。それの清く輝く本性は同じように清く輝いて完全に無垢である。それとまったく同じように、一切智者性への発心という瑠璃摩尼宝石も、百千劫の間、あらゆる欲界にあっても、欲界のあらゆる悪徳によって汚染されることはない。法界の清く輝く本性は同じように、完全に清浄に存続する。(二七)善男子よ、たとえば無垢で清浄な光〔浄光明〕という名の大摩尼宝石は、宝石のすべての鉱山を圧倒する。それとまったく同じように、一切智者性への発心という完全な浄光明摩尼宝石はすべての一般人、有学(の聖者)、無学(の阿羅漢)、独覚の功徳という宝石の鉱山を圧倒する。(二八)善男子よ、たとえば火の燃える〔火焔〕という名の大摩尼宝石は一つだけでもあらゆる闇や闇黒を一掃する。それとまったく同じように、観察に専念する一切智者性への発心という火焔大摩尼宝石は一つ(だけ)でも、根源的な思惟よりして、あらゆる無知の闇や闇黒を一掃する。

(二九)善男子よ、たとえば大海において貿易商の手に渡り、船に積まれた値の付けられないほど高価な〔無価〕摩尼宝石は、都城に在る百千の玻璃の摩尼を、色の点でも価値においても凌駕する。それとまったく同じように、輪廻の大海にあっても、一切智者性への発心という無価大摩尼宝石は、誓願の船に積まれ、初発心の菩薩の道心の連続の中にあると、一切智者性の都城に到着していなくても、解脱の都城に入ったすべての声聞や独覚という玻璃の摩尼を凌駕する。（三〇）善男子よ、たとえば自在王という名の摩尼宝石がある。ジャンブ州にあるのに、四万ヨージャナ離れている日（輪）と月輪の宮殿の大邸宅の影像の荘厳を自らに現しだす。それとまったく同じように、あらゆる功徳が清浄な一切智者性への発心という自在王摩尼宝石は、輪廻にあるのに、法界の虚空を境界とする如来の大智という日月の、あらゆる仏の境界の輪（マンダラ）という影像の荘厳を自らに現しだす。（三一）善男子よ、たとえば月（輪）と日輪が光線によって照らし出す範囲内にある財物、穀物、宝石、金、銀、華、香料、華鬘（けまん）、衣、享楽の資は何であれ、それらすべては自在王という摩尼宝石の価値に価しない。それとまったく同じように、法界を対象とする一切智者の智が三世において照らし出す範囲内にある神々や人間やすべての声聞、独覚の善（根）は何であれ、煩悩に汚れていようと煩悩に汚れていまい〔漏無漏（ろむろ）〕と、それらすべては発菩提心という自在王大摩尼宝石の価値に価しない。（三二）善男子よ、たとえば海の荘厳を内蔵する〔海蔵〕という名の大摩尼宝石があり、それは大海のあらゆる荘厳を現し出す。それとまったく同じように、発菩提心という海蔵大摩尼宝石は、一切智者の智の対象である海の荘厳を現し出す。（三三）善男子よ、たとえば願いを叶える王という大摩尼宝石〔如意宝（にょいほう）〕を除けば、天上のジャンブ河産の黄金よりも優れたものは何一つありはしない。それとまったく同じように、一切智者の智である如意宝大摩尼宝石を別にすれば、発菩提心という天上のジャンブ河産の黄金よりも優れたものは何一つありはしない。

(三四)善男子よ、たとえば龍のまじないを成就した蛇使いは龍や蛇のすべてを自由に従える。それとまったく同じように、一切智者性への発心の修行という龍のまじないを成就した菩薩という蛇使いは、煩悩の龍や蛇のすべてを自由に従える。(三五)善男子よ、たとえば武器をとった勇士を敵の軍勢は討ち取ることはできない。それとまったく同じように、一切智者性への発心という武器をとった菩薩を煩悩の敵の全軍勢でも討ち取ることはできない。(三六)善男子よ、たとえば天上の蛇の精髄(憂陀伽娑羅(うだかさら))という栴檀の一つの粉末を所持すれば、千世界を芳香で満たすが、三千(大千)世界を宝石で満たしても価値の点では(その)一カルシャ(7)の量に(遠く)及ばない。それとまったく同じように、一切智者性への発心という天上の憂陀伽娑羅栴檀の、道心の要素は一つ(一念)ですべての法界を功徳の香りによって満たし、すべての有学(の聖者)や無学(の阿羅漢)や独覚の心を凌駕する。(三七)善男子よ、たとえば雪山栴檀(白栴檀)という名の大栴檀の宝石はあらゆる熱を鎮め、身体全体を冷やす。それとまったく同じように、一切智者性への発心という白栴檀宝石はあらゆる煩悩、妄想、貪欲(とんよく)、瞋恚(しんに)、愚痴の熱を鎮め、智の身体を爽快にする。(三八)善男子よ、たとえば山王須弥山に近づく者は誰でも、そのすべてが同一の色、即ち黄金色になる。それとまったく同じように、一切智者性への発心を具える菩薩に近づく者は誰でも、そのすべてが同一の色、即ち一切智者性の色になる。

(三九)善男子よ、たとえばパーリヤートラカ(8)〔波利質多羅樹〕というコーヴィダーラ(9)〔拘鞞陀羅樹〕が漂わせる表皮の香りはすべてのジャンブ州におけるすべてのヴァールシカー〔婆師迦〕、ジャーティやスマナー〔蘇摩那〕などの華の種類には存在しない。それとまったく同じように、菩薩の一切智者性への発心を種子とする誓願の樹の功徳と智の表皮の放つ香りは、煩悩のない〔無漏〕戒、三昧、智慧、解脱、解脱智見を具備していても、すべてのより劣る善根を具えたすべての声聞、独覚というヴァールシカー、ジャーティ、スマナーには存在しない。(四〇)善男子よ、たとえばつぼみをつけたパーリヤートラカというコーヴィダーラ樹は幾多の百千の華の生起の原因であると知られる。それとまったく同じように、善根というつぼみをつけた一切智者性への発心というパーリヤートラカ樹は無数の神々や人々の煩悩のある〔菩提〕や煩悩のない菩提の華の生起の原因であると知られる。(四一)善男子よ、たとえばパーリヤートラカの華によって一日薫じられた衣やごま油が漂わす芳香は、チャンパカ〔薝蔔迦華〕、ヴァールシカー、スマナーによって百千日に亘って薫じられた衣やごま油にも存在しない。それとまったく同じように、一生の間薫じられた一切智者性への心の連続をもつ菩薩の功徳と智の芳香は、十方のすべての仏の足下で漂うが、その煩悩に汚されない善法の智という芳香は、百千劫の間薫じられても、すべての声聞や独覚の心には存在しない。(四二)善男子よ、たとえばナーリーケーリーという名の(椰子の)樹の種類はウディヤタカ海〔海島〕に生えているが、それは根を初めとして華や果実の果てに至るまで、常時すべての衆生の生命を養う糧にならない部分はまったくない。それとまったく同じように、菩薩の大悲の誓願の根から生じた一切智者性への初発心を初めとして、正法の存続の果てに至るまで、神々を含む世間の人々の生命の糧とならない部分はまったくない。(四三)善男子よ、たとえば金の輝き〔訶宅迦〕という名の(霊妙な)水薬の一種があり、それの一パラ〔両〕[10]は千パラの銅を金に変えるが、その千パラの銅はその一パラの(不可思議な)液体を使い尽くすことも、銅に変えることもできない。それとまったく同じように、善根を回向する智に摂取された一切智者性への発心という水薬の一要素はあらゆる業、煩悩の障害という銅を滅尽して、あらゆる法を一切智者性の色に変えるが、その一切智者性への発心という水薬の(一)要素はいかなる業、煩悩の銅によって汚染されも、滅尽されもしない。

(四四)善男子よ、たとえばどれほど小さくても、火は薪を多く得れば得るほどに、それほど激しい火焔を発する。それとまったく同じように、どれほど小さくても、一切智者性への発心という火は対象で満たされることによって資糧という薪を多く得れば得るほどに、それほど激しく智の焔を放つことによって増大する。(四五)善男子よ、たとえば一つの燈火から、多くの百千コーティの燈火が点火されるが、(その一)燈火はすべての燈火に出ていくことによって尽きも果てもしない。それとまったく同じように、一切智者性への一発心という燈火から、過去、未来、現在のすべての如来の一切智者性への発心の燈火が点火されても、その一つの一切智者性への発心の燈火は、すべての一切智者性への発心の燈火に移ることによって尽きもせず果てもせずに輝く。(四六)善男子よ、たとえば一つの燈火はどんな家や窓に入っても、入るや否や千年の間(積りに)積った闇や闇黒を一掃し、明るくする。それとまったく同じように、一切智者性への一発心の燈火は無明の闇や闇黒を伴うどのような衆生の願いという家の暗闇に入ろうとも、入るや否や、百千の不可説劫の間に積った(業)、煩悩の障礙という闇や闇黒を一掃し、智の光明を生じる。(四七)善男子よ、たとえば燈火はどのような燈心であれ、それに応じた光を放ち、燈油の量が多ければ多いほど、それほど激しく燃え上がる。それとまったく同じように、一切智者性への発心という燈火は、その菩薩の誓願という燈心の特殊性がどのようであるかに応じて法界という光を放ち、大悲による(菩薩)行という燈油の量が多ければ多いほど、それほど多く衆生の教化、(仏)国土の清浄、仏の行ないが増強される。(四八)善男子よ、たとえば(他化)自在天の神々の王の額につけられた天上のジャンブ河産の黄金の飾りは、すべての欲界の天子たちも奪いとることができない。それとまったく同じように、不退転の菩薩たちの大誓願の額につけられ、修行の功徳によって確立された一切智者性への発心という天上のジャンブ河産の黄金の飾りは、あらゆる凡夫や有学(の聖者)や無学(の阿羅漢)や独覚も奪いとることはできない。

(四九)善男子よ、たとえば(百)獣の王、獅子の獅子吼によって生まれてまもない獅子の子は育つが、あらゆる獣は隠れてしまう。それとまったく同じように、如来という人間の獅子が発した菩提心の賞讃という一切智者性の(獅子)吼は、初修行の菩薩という獅子の子を仏の教えによって育てるが、あらゆる(法)に捉われている〔有所得(うしょとく)〕衆生は隠れてしまう。(五〇)善男子よ、たとえば獅子の靭帯(じんたい)でつくられたヴィーナーの絃の音はすべてのヴィーナーの絃をずたずたに切ってしまう。それとまったく同じように、波羅蜜を身体とする如来という獅子の発菩提心という靭帯の絃の功徳の賞讃という音はすべての(五)欲の対象の快楽というヴィーナーの絃を断ち切り、すべての声聞、独覚の行ないの功徳談もやんでしまう。(五一)善男子よ、たとえば牛、野牛、山羊の乳で満たされた大海の中に獅子の乳を一滴投入することによって、乳はすべてちりぢりに分離して、一緒にならない。それとまったく同じように、百千劫の間蓄積された業、煩悩の乳の大海は、如来という大丈夫の獅子の一切智者性への発心という乳を一滴投入することによって、すべて余す所なく滅尽し、すべての声聞や独覚の解脱は並び立たず、共存しない。(五二)

善男子よ、たとえば未だ卵の殻から出ていないカラヴィンカの雛鳥の鳴き声の卓越した力は、あらゆる力と飛翔力を具えたヒマラヤに住むすべての鳥の群にはない。それとまったく同じように、輪廻という卵の殻の中にいる初修行の菩薩というカラヴィンカの雛鳥の大悲と菩提心という鳴き声の卓越した力はすべての声聞や独覚には存在しない。(五三)善男子よ、たとえば生まれてまもない大ガルダ王〔金翅鳥王〕の雛鳥は翼が起こす風の力と威力をもち、眼の明澄さ〔明利〕の功徳をもつが、それはそれ以外の鳥には身体が完全に成長したものにもない。それとまったく同じように、如来という大ガルダ王の家柄と血統に生まれた菩薩という大ガルダ王の雛鳥は、最初の発心をした(だけの)ものでも、そのものの一切智者性への発心という(翼が起こす風の)力と威力、及び大悲の道心という眼の明澄さの功徳は、(声聞や独覚の道に)熟達して(丁度)百千劫経たすべての声聞にも独覚にも存在しない。

(五四)善男子よ、たとえば大丈夫が手にした鉄の鏃は、どんなに強固であっても甲冑を貫き通す。それとまったく同じように、堅固な精進に励む菩薩の手にある一切智者性への発心という鉄の鏃は、あらゆる謬見と煩悩の余習という甲冑を貫き通す。(五五)善男子よ、たとえば怒りに狂った大力ある勇士〔摩訶那伽大力勇士〕の額に腫物〔瘡疱〕がある限り、その限りすべてのジャンブ州の人々(が力を合わせて)も太刀打ちできない。それとまったく同じように、大慈と大悲に満ちた菩薩という大力ある勇士の道心という顔にある一切智者性への発心という腫物がなくならない限り、その限り、全世界に属するすべての魔とすべての魔の眷属も太刀打ちできない。

(五六)善男子よ、たとえば学識がなく、弓術の知識にも習熟していない弓術の内弟子の技術の熟練に適した特殊な能力は、すべてのものに学識があっても弓術を知らない者にはない。それとまったく同じように、菩薩の血統の者にはまったくの初修行で一切智者性への位に習熟していなくても、誓願と智と深信と修行の卓越した能力があり、それは菩提心を発していないすべての衆生とすべての有学(の聖者)や無学(の阿羅漢)や独覚にはない。(五七)善男子よ、たとえば弓術を学習している者にはあらゆる弓術の知識のために、まず最初に歩幅の練習の習熟が最も重要である。それとまったく同じように、一切智者の位を学習する菩薩には、あらゆる仏の法を証得するために、まず最初に一切智者性の心への道心に進み出ることが最重要である。(五八)善男子よ、たとえば幻の境界を現し出す幻術者が、まず最初に呪文の言葉の効力の実現だけに留意するならば、彼のすべての行為は成就する。それとまったく同じように、あらゆる仏や菩薩の境界の神変を現し出す菩薩が、最初の発心の誓願を実現すれば、それこそがすべての仏や菩薩の境界を成就する。(五九)善男子よ、たとえばすべての幻術の明呪(みょうじゅ)や呪文は色形をもたず見えもしないが、心の生起によってあらゆる幻の変化の色形を現し出す。それとまったく同じように、一切智者性への発心は色形をもたず見えもしないが、発心の自在力のみによって、あらゆる功徳の飾りの荘厳によってすべての法界を幻のようにつくりだす。

(六〇)善男子よ、たとえば猫がただ見るだけで、すぐにすべてのねずみは消え失せてしまう。それとまったく同じように、菩薩の一切智者性への発心に対する道心の修行という観察だけで、あらゆる業、煩悩は消滅してしまう。(六一)善男子よ、たとえばジャンブ河産の黄金の装飾を身につけると、すべての装飾品はくすんでしまう。それとまったく同じように、菩提心というジャンブ河産の黄金の装飾を道心で結びつけた菩薩は、すべての声聞や独覚の功徳の装飾を圧倒し、くすんだものにする。(六二)善男子よ、たとえば磁石の王の鉱石はどれほど小さくても、すべての固い鉄の鎖を引き裂く。それとまったく同じように、道心から生じた一切智者性への発心の鉱石はどんなに小さくても、あらゆる謬見、無明、渇愛の束縛を引き裂く。(六三)善男子よ、たとえば磁石の鉱石が移動する所はどこでも、まさにそこにおいてはすべての他の鉄は逃げ去り、とどまらず、結びつかない。それとまったく同じように、一切智者性への発心という鉱石が移動する所は業でも煩悩でも声聞や独覚の解脱でもどこでも、まさにその(鉱石)から、業も煩悩もすべての声聞や独覚の解脱も逃げ去り、とどまらず、結びつかない。

(六四)善男子よ、たとえばマカラ[11]の神呪を守りとした漁師にはすべての海の生物の(加える)危難は消え、マカラの口中にあっても身体が傷つけられない。それとまったく同じように、道心によって菩提心という明呪を守りとする菩薩には、あらゆる輪廻の業と煩悩の危難は消え、究極の真実の直証を止める道に入っていないので、あらゆる声聞や独覚の直観の中に到達しても害を加えられることはない。(六五)善男子よ、たとえば甘露の飲物を飲んだ人は他人がどのような暴行を加えても、死ぬことはない。それとまったく同じように、一切智者性への発心という甘露の飲物を飲んだ菩薩は、声聞や独覚のどの位でも死ぬことはなく、菩薩の大悲の誓願を停止することもない。(六六)善男子よ、たとえばアンジャナ[12]〔安繕那〕の効力を得た男は、どの人の家の中を通っても、いかなる人によっても見られない。それとまったく同じように、発菩提心の智慧と誓願に支えられた菩薩はあらゆる魔の境界を通過しても、いかなる魔によっても見られない。

(六七)善男子よ、たとえば大王に支持された男はすべての一般人を恐れない。それとまったく同じように、一切智者性への発心という大法王に支持された菩薩は、あらゆる障害や妨害や悪しき境遇を恐れない。(六八)善男子よ、たとえば地面の穴の家では地中のあらゆる隙間が湿気で満たされているので、火事の恐れはない。それとまったく同じように、菩提心の善根によって存在の連続が潤されている菩薩には、声聞や独覚の解脱智という火事に対する恐怖はない。(六九)善男子よ、たとえば勇士に支持された男はあらゆる敵を恐れない。それとまったく同じように、一切智者性への発心という勇士に支持された菩薩は、あらゆる悪行という敵を恐れない。(七〇)善男子よ、たとえば金剛杵という武器を手にした神々の主シャクラはすべてのアスラの群を粉砕する。それとまったく同じように、一切智者性への発心に対する堅い道心という金剛杵の武器を手にした菩薩は、あらゆる魔と異教徒というアスラの群を粉砕する。(七一)善男子よ、たとえばラサーヤナ〔延齢薬〕を摂取した男は長寿を保ち、虚弱にならず(年をとらない)。それとまったく同じように、一切智者性への発心というラサーヤナの資糧を摂取した菩薩は、無数劫の間輪廻しても疲れることもなく、輪廻の悪徳によって汚染されもしない。

(七二)善男子よ、たとえばあらゆる薬汁の調合においては、まったく汚れていない水が最も重要となる。それとまったく同じように、あらゆる菩薩行と誓願の資糧の調合には、まったく汚れていない一切智者性への発心が最も重要となる。(七三)善男子よ、たとえば人間にとってすべての必要な物の中で、生命力〔命根〕が最も重要となる。それとまったく同じように、菩薩にとってあらゆる仏の徳の取得の中で、菩提心(の取得)が最も重要となる。(七四)善男子よ、たとえば生命力を断った男は、あらゆる行為をする能力を欠くので、父母や親族の一門に衣食を供することができない。それとまったく同じように、一切智者性への発心を欠いた菩薩は、仏の智を得る能力を欠くので、あらゆる衆生に一切智者性の功徳の衣食を供することができない。(七五)善男子よ、たとえばすべての毒も大海を汚すことはできない。それとまったく同じように、すべての業と煩悩、声聞と独覚の発心という毒も一切智者性への発心という大海を汚すことはできない。(七六)善男子よ、たとえば日輪にはすべての星の輝きも対抗できない。それとまったく同じように、一切智者性への発心という日輪はあらゆる声聞や独覚という星の煩悩のない〔無漏〕功徳(という輝き)を圧倒する。

(七七)善男子よ、たとえば生まれてまもなくても、王子は首席となったすべての老いた大臣を、良家への誕生の威光によって圧倒する。それとまったく同じように、菩提心を発してまもなくでも、如来の法王の家に生まれ変わった初修行の菩薩は、長い間禁欲の修行を行なってきた老いたるすべての声聞を菩提心と大悲の威光によって圧倒する。(七八)善男子よ、たとえばどれほど年老いていようとも大臣は、どれほど若くても王子に対して敬礼しなければならない。しかし、王子が老いた大臣を尊重すべきでないわけではない。それとまったく同じように、どれほど老い、(どれほど)長い間禁欲の修行を行なおうとも、声聞や独覚は初修行の菩薩に礼拝すべきであるが、菩薩が声聞や独覚を尊敬すべきでないわけではない。(七九)善男子よ、たとえばすべての者に軽蔑されていても、王の相を欠いていない王子は、血統が高貴である点で、最高の位を得ている王の大臣と同じではない。それとまったく同じように、どれほど多くの業、煩悩の執着によって圧倒されていても、初修行の菩薩は、一切智者性への発心という相を欠いていないので、最高位を得ている者であっても、声聞や独覚とは仏の家系が高貴で偉大である点で同じではない。(八〇)善男子よ、たとえば清浄な摩尼宝石は眼翳（がんえい）の欠陥がある者によって清浄でないと見られる。それとまったく同じように、本性が清浄な一切智者性への発心という宝石を、衆生たちは不信心という眼の無知の眼翳の欠陥によって、清浄でないとみな等しく認める。(八一)善男子よ、たとえばあらゆる明呪や薬草の集積を具えた薬の形像は、見られたり、触れられたり、暮らしの中に置かれたりすることによって、衆生たちの病を鎮める。それとまったく同じように、あらゆる善根の集積と智慧と方便という明呪や薬草を集め、菩提心を具備した菩薩の誓願と智との身体は、聞かれるか、見られるか、一緒に暮らすか、憶念されるならば、衆生たちの煩悩の病を鎮める。

(八二)善男子よ、たとえばハンサのように純白な衣は、あらゆる汚泥の汚れによっても汚染されない。それとまったく同じように、発菩提心というハンサのように純白な衣は、輪廻の煩悩の汚泥のあらゆる汚れにも汚染されない。(八三)善男子よ、たとえば頭に(すべての部分を)釘で結びつけた木製の(からくり)人形はばらばらにならず、あらゆる行為を行なう。それとまったく同じように、発菩提心という頭に誓願という釘で結びつけられた一切智者性への誓願と智の身体はすべての菩薩行を行なうことができるし、一切智者性への誓願(と智)を身体とするのでばらばらにならない。(八四)善男子よ、たとえば楔(くさび)が抜けたからくりは運動することができない。それらは木製の諸部品にすぎない。それとまったく同じように、一切智者性への発心に対する道心を欠いた菩薩は仏の徳を完成することはできないし、同じくそれらは菩提の支分の集積にすぎない。(八五)善男子よ、たとえば転輪聖王には象蔵という名の黒い沈香の宝石があり、その香がたかれるや否や、すべての王の四種の軍勢は空中に浮かび上がる。それとまったく同じように、一切智者性への発心という沈香で薫じられた菩薩の(すべての)善根は、すべての三界を超出し、無為のすべての如来の智という虚空の境界の果てに至る。

(八六)善男子よ、たとえば金剛は、金剛の鉱山か金の鉱山を別にすれば、他の宝石の鉱山からは生じない。それとまったく同じように、一切智者性への発心は金剛にたとえられるが、それは衆生を保護する大悲という金剛の鉱山か一切智者の智の優れた境界という大金鉱を別にすれば、他の衆生の願いの善根という宝石の鉱山からは生じない。(八七)善男子よ、たとえば無根という名の樹木の種類があり、それの根の場所は知られないが、すべての枝が伸び、葉が繁り、花びらが一面に咲きほこり、木々に網が張られているように見える。それとまったく同じように、一切智者性への発心の根の場所は知られないが、一切智者性の福徳と智と神通の華が咲きほこり、あらゆる世間の生存に大誓願の網がかけられているのが見られる。(八八)善男子よ、たとえば金剛はつまらない容器の中にあると美しく輝かず、無傷の容器以外には、即ち割れたり穴のあいたりした容器では保存することもできない。それとまったく同じように、一切智者性への発心という金剛も、吝嗇(りんしょく)で破戒で悪意をもち、遅鈍で不注意で愚かで、劣(おと)った信解(しんげ)をいだく衆生という容器の中では美しく輝かず、菩薩の道心という宝石の容器以外には、道心をなくし、たえず揺れ動く心〔散乱悪覚(さんらんあくかく)〕をもつ衆生という容器では保存することはできない。

(八九)善男子よ、たとえば金剛はあらゆる宝石に孔を穿(うが)つ。それとまったく同じように、一切智者性への発心という金剛はあらゆる法宝を洞察する。(九〇)善男子よ、たとえば金剛はあらゆる岩石を粉砕する。それとまったく同じように、一切智者性への発心という金剛はあらゆる謬見という岩石を粉砕する。(九一)善男子よ、たとえば割れていても、金剛宝石はあらゆる宝石よりも優れた黄金の装飾を凌駕する。それとまったく同じように、志願の誤った修行によって割れていても、一切智者性への発心という金剛宝石はあらゆる声聞や独覚の功徳である黄金の装飾を凌駕する。(九二)善男子よ、たとえば金剛宝石は割れていても貧窮をすべて終らせる。それとまったく同じように、(無修行によって)割れていても、一切智者性への発心という金剛宝石はあらゆる輪廻という貧窮を終らせる。(九三)善男子よ、たとえばどれほど小さくても、金剛の鉱石はあらゆる摩尼や石を砕く特徴をもっている。それとまったく同じように、どれほど小さな境界に入っても、一切智者性への発心という金剛の鉱石はあらゆる無知を砕く特徴を具えている。(九四)善男子よ、たとえば金剛宝石は普通の人の手には入らない。それとまったく同じように、一切智者性への発心の金剛宝石は普通の道心をもち、取るに足らない善根を積んだ神々や人々の手には入らない。

(九五)善男子よ、たとえば宝石の鑑定に暗い人は金剛摩尼宝石の美質を知らないので、それの優れた美質に気づかない。それとまったく同じように、生来愚かな人は菩提心という大金剛宝石の功徳を知らないので、それの優れた功徳に気づかない。(九六)善男子よ、たとえば金剛を使い尽くすことはできない。それとまったく同じように、一切智者性への原因である発菩提心という金剛を使い尽くすことはできない。(九七)善男子よ、たとえば大ナーラーヤナ神の威力の勢いによる以外には、大力士も金剛杵という巨大な武器を持ち上げることはできない。それとまったく同じように、一切智者性への発心である大金剛(杵)という武器を持ち上げることは、一切智者性を原因とする力に支えられた無量の善根という大ナーラーヤナ神の、特に優れた威力の勢いを獲得した大菩薩以外には、すべての声聞や独覚という大力士によってもできない。

（九八）善男子よ、たとえばあらゆる武器が耐え得ないものに金剛は耐え、砕かれることもない。それとまったく同じように、あらゆる声聞や独覚の誓願と智という武器は、衆生を成熟させ教化させることや、三世の劫に亘って（菩薩）行の苦しみとともに時を送ることに耐え得ないが、一切智者性への発心という大金剛の武器を手にとり、心に倦むことなき菩薩はそのことに耐えぬき、撃退されることはない。（九九）善男子よ、たとえば金剛を支えることは金剛でできた（地）面以外には、いかなる地所にもできない。それとまったく同じように、菩薩の出離の誓願の資糧である金剛を支えることは、道心による発菩提心という金剛の固い地面以外には、すべての声聞や独覚にもできない。（一〇〇）善男子よ、たとえば（大海は）固く亀裂のない金剛の層の容器であるから、大海において水が漏れ出ることはない。それとまったく同じように、菩提心という金剛の、回向という堅固で亀裂のない基層の上に置かれた菩薩の善根は、すべての生存界に生じても尽きることがない。

（一〇一）善男子よ、たとえば金剛の基盤の上に置かれた大地は裂けもしないし陥没もしない。それとまったく同じように、発菩提心という金剛の堅い基盤の上に置かれた菩薩の誓願は、三界のすべてにおいて裂けもせず、陥没しもしない。（一〇二）善男子よ、たとえば金剛は水によって腐敗もせず、湿気を帯びもしない。それとまったく同じように、発菩提心の金剛は、あらゆる業と煩悩の水とすべての劫に亘って共在しても、腐敗もせず、湿気を帯びることもない。(一〇三)善男子よ、たとえば金剛はあらゆる火の燃焼によって焼かれもしないし、熱せられもしない。それとまったく同じように、一切智者性への発心という金剛はあらゆる輪廻の苦しみという火の燃焼によって焼かれず、あらゆる煩悩という火の灼熱によって苦しめられもしない。(一〇四)善男子よ、たとえば菩提道場に座り、魔に打ち勝ち、一切智者性をさとった、如来・応供・正等覚の座を支えることは、三千大千世界の金剛の軸をもつ地盤以外に、他の地所ではできない。それとまったく同じように、無上正等覚に誓願を立て、(菩薩)行を行ない、波羅蜜を完成し、忍辱に入り、(菩薩の)位に到達し、善根を回向し、予言〔受託〕を受け、あらゆる菩薩道の資糧を支え、すべての如来に(供養し)、大きな教えの雲を保持する菩薩たちが大善根の力を振るう勢いを支えることは、あらゆる誓願の智という固い金剛の軸をもつ一切智者性への発心以外には、他の心によってはできない。

このように、善男子よ、一切智者性への発心はこれら(の功徳)や他の無量(の功徳)を初めとして、不可説不可説数に至るまでの優れた功徳を具備しており、無上正等覚に発心したそれらの衆生もこのような功徳の法を具えていたし、具えるであろう。そういうわけで、善男子よ、汝が無上正等覚に発心し、これらの功徳を獲得するために菩薩行を追求しているので、汝は利得をよく獲得している。

菩薩行の学習——大楼閣の内部の観察　さらにまた、善男子よ、汝はどのように菩薩が菩薩行を学ぶべきか、どのように修行すべきかと問うたが、善男子よ、行け。そしてかの毘盧遮那荘厳蔵という大楼閣の内部に入って観察せよ。そこで汝はどのように菩薩が菩薩行を学ぶべきか、学びつつある者にどのような功徳の完成があるかを知るであろう」

そこで善財童子は、弥勒菩薩の周りを右遶したうえで、こう言った。「聖者よ、この楼閣の門を開いて下さい。私は入ります」

そのとき、弥勒菩薩は毘盧遮那荘厳蔵という楼閣の門口に近づき、右手で指を弾く音をたてると、その門は(自然に)開いた。彼は告げた。「善男子よ、この楼閣に入りなさい」

そこで善財童子は、強い希有の念をいだいてその楼閣に入った。彼が入るや否や、その門は(ひとりでに)閉じた。

彼はその楼閣(が次のようであるの)を見た。大きくて広く、幾百千ヨージャナに広がり、天穹のように無量で、虚空界のようにあらゆる方角に広大で、(一)無数の傘蓋(さんがい)、幢(はた)、幡で飾られ、(二)無数の宝石で飾られている(のを見た)。(即ち)(三)無数の真珠の瓔珞の飾りがかけられ、(四)無数の宝石の瓔珞の飾りがかけられ、(五)無数の赤珠の瓔珞の飾りがかけられ、(六)無数の獅子珠の瓔珞の飾りがかけられ、(七)無数の獅子幢で飾られ、(八)無数の月と半月で飾られ、(九)無数の多彩な絹布の帯の装飾がかけられ、(一〇)無数の種々の絹布の幕の装飾がかけられ、(一一)無数の摩尼の網の光明で飾られ、(一二)無数の黄金の網で飾られ、(一三)無数の宝石の幕で飾られ、(一四)無数の宝石がちりばめられた黄金の帯で飾られ、(一五)無数の鐘の甘美な響きで飾られ、(一六)無数の宝石の鈴の網が揺れて(奏でる)快い音で飾られ、(一七)奔流のように降る無数の天上の華の雨で飾られ、(一八)無数の天上の華鬘の帯の装飾がかけられ、(一九)無数の香炉で薫じられた装飾品で飾られ、(二〇)隈なく降る無数の金粉の雨で飾られ、(二一)無数の網のように張りめぐらされた楼閣上の部屋で飾られ、(二二)無数の円窓で飾られ、(二三)無数の龕で飾られ、(二四)無数の小塔で飾られ、(二五)無数の円鏡で飾られ、(二六)無数の宝石の煉瓦が装飾として積まれ、(二七)無数の宝石の壁で飾られ、(二八)無数の柱で飾られ、(二九)無数の雲のような宝石の衣で飾られ、(三〇)無数の宝石の樹木で飾られ、(三一)無数の宝石の欄楯で飾られ、(三二)無数の宝石の通路で飾られ、(三三)無数の宝石の屋根があらゆる荘厳で飾られ、(三四)無数の地表にある基盤が様々な荘厳で飾られ、(三五)無数の宝石で造営された宮殿で飾られ、(三六)無数の宝座で飾られ、(三七)無数の摩尼の童女像で飾られ、(三八)無数の宝石の絹布の絨毯が敷かれた経行の場所で飾られ、(三九)無数のジャンブ河産の黄金色の芭蕉の茎の装飾が巧みに配置され、(四〇)すべての宝石の無数の形像で飾られ、(四一)無数の菩薩の身像で飾られ、(四二)無数の鳥の群の種々で快い鳴き声が鳴り響くことで飾られ、(四三)無数の宝石の赤蓮華で飾られ、(四四)無数の宝石の旗竿の(林)立で飾られ、(四五)無数の蓮池で飾られ、(四六)無数の白蓮華で飾られ、(四七)無数の宝石の階段で飾られ、(四八)無数の宝石の欄干の美しい配列で飾られ、(四九)無数の多彩な宝石がはめこまれた地面で飾られ、(五〇)無数の大摩尼宝石から放たれた輝きで飾られ、(五一)あらゆる宝石の無数の荘厳で飾られ、(五二)無数の功徳と色を完備した装飾を具えているのを見た。

内部の百千の楼閣　また、その大楼閣の内部に、それとは別の、それと同じ様相の荘厳によって飾られた(楼閣)、(即ち)無数の宝石の傘蓋、幢、幡で飾られ、乃至、無数の功徳と色を完備した装飾を具えた幾百千もの楼閣を見、それらの楼閣が(同じように)大きくて広く、虚空の量り知れぬ(ほど大きな)蔵であり、あらゆる方向に整然と配置されているのを見た。

それらの楼閣の荘厳は一つの事物において、相互に重ならず、相互に接触せず、相互に混じり合わず、影像の有り方で彼の視界に現れた。そして、一つの事物におけるように、残りのすべての事物においてもそうであった。

そこで善財童子は、毘盧遮那荘厳蔵大楼閣の、このような様相の不可思議な境界の神変を見て、比類を絶した喜びの衝動に増強された大いなる喜悦と歓喜によって身心が潤され、心からあらゆる想念が除かれ、心にあらゆる障害がなくなり、あらゆる愚痴を離れ、天眼(てんげん)を失わず、あらゆる音声を妨げられずに憶念し識知する耳をもち、あらゆる思惟〔作意〕は散乱を離れ、覚知は障礙のない解脱の真理に随順し、すべての方角の流れに直面した身体によって礼拝し、眼はすべての対象を妨げられることなく見、あらゆる所に遍在し、成就の力を具えた全身によって(五体)投地(礼)をした。

(五体)投地(礼)をするや否や、善財童子は弥勒菩薩の威神力によって、そのすべての楼閣の中に自分がいるのに気づいた。彼はそれらすべての楼閣において、種々様々な不可思議な境界の神変を見た。

(一)ある楼閣では、弥勒菩薩がある名称や(ある)種姓への出生によって、ある善根によって、ある激励によって、ある善知識の鼓舞によって、ある寿命の長さによって、ある名称の劫によって、ある如来の下で、ある荘厳をもった国土で、ある集会において、ある特殊な誓願の成就によって、最初に誓願の心を無上正等覚に向けて起こしたのだが、(善財は)そのすべてを見、知り、認めた。しかもそのとき、それらの衆生とその如来の寿命の長さがどれほど長かろうとも、その期間、自分がその如来の足下にいるのに気づき、そのすべての行ないをも見た。(二)ある楼閣では、弥勒菩薩が——そのときから、彼に弥勒(マイトレーヤ)という名が生まれたのだが——最初の慈愛(マイトレーヤ)三昧を証得しているのを見た。(三)ある(楼閣)では修行を行ない、(四)ある(楼閣)では波羅蜜を成就し、(五)ある(楼閣)では忍辱に入り、(六)ある(楼閣)では(菩薩の)位に入り、(七)ある(楼閣)では仏国土の荘厳を獲得し、(八)ある(楼閣)では如来の教説を保持し、(九)ある(楼閣)ではものは不生であるという確信〔無生忍〕を体得し、(一〇)ある(楼閣)では無上正等覚を得るとの予言を受け、どのように予言され、誰に予言され、どれほど長期間の後に(仏になると)予言されたか、そのすべてを見た。(一一)彼はある楼閣では弥勒菩薩が転輪(聖)王となり、衆生を十種の善業の道〔十善業道〕に導き入れているのを見た。

(一二)ある(楼閣)では護世神となり、すべての世間の利益と幸福を衆生たちに与えており、(一三)ある(楼閣)ではシャクラ神となり、衆生たちに愛欲の対象の享楽をやめさせており、(一四)ある(楼閣)では梵天神となって、衆生たちに禅定の量り知れぬ楽しみを賞讃しており、(一五)ある(楼閣)では閻魔天王となって、無量の功徳を衆生たちに賞讃しており、(一六)ある(楼閣)では兜率天王となって、もう一度だけ(輪廻に)縛られた菩薩の功徳を説示しており、(一七)ある(楼閣)では化楽天王となって、神々の集会ですべての菩薩の変化の荘厳を示現しており、(一八)ある(楼閣)では他化自在天王となって、神々にすべての法を自在に司ることを教示しており、(一九)ある(楼閣)では魔性の者となって、すべての完成は無常であることを神々に説いており、(二〇)ある楼閣ではアスラ王の宮殿に生まれて、あらゆる高慢、驕慢、慢心を除き、大いなる智の海に沈潜し、法の智の海に沈潜し、幻の法の智を獲得するために、アスラの集会において法を説いているのを見た。

(二一)ある楼閣ではヤマの世界を見た。そこで弥勒菩薩が、光によってすべての地獄を照らして、地獄に生まれた衆生たちのあらゆる地獄の苦しみを鎮めているのを見た。

(二二)ある楼閣では餓鬼の住居を見た。そこで弥勒菩薩が餓鬼の住居に生まれた衆生たちに、おびただしい食物と飲物を与えて、飢えと渇きを鎮めているのを見た。(二三)ある楼閣では畜生(道)において、種々の生存の場所の相違に応じて、畜生(道)にいる衆生たちを教化しているのを見た。(二四)ある楼閣では(四天王に仕える)大天王の神々の集会において、護世(神)たちに教えを説いているのを見た。(二五)ある(楼閣)では神々の王シャクラの集会で、ある(楼閣)では閻魔天王の集会で、ある(楼閣)では兜率天王の集会で、ある(楼閣)では化楽天王の集会で、ある(楼閣)では他化自在天王の集会で、ある(楼閣)では魔の集会で、ある楼閣では梵天王の集会において弥勒菩薩が大梵天となって、法を説いているのを見た。(二六)ある(楼閣)では龍とマホーラガの集会で、ある(楼閣)ではヤクシャ〔夜叉〕とラークシャサ〔羅刹〕の集会で、ある（楼閣）ではガンダルヴァとキンナラの集会で、ある（楼閣）ではアスラとダーナヴァ(13)〔陀那婆〕の王の集会で、ある（楼閣）ではガルダの王の集会で、ある（楼閣）では人間の王の集会で、ある楼閣では神々、龍、ヤクシャ、ガンダルヴァ、アスラ、ガルダ、キンナラ、マホーラガ、人間、鬼神の集会で、弥勒菩薩が法を説いているのを見た。

（二七）ある（楼閣）では声聞の集会で、ある（楼閣）では独覚の集会で、ある（楼閣）では菩薩の集会で、ある楼閣では初発心、初修行の菩薩たちに弥勒菩薩が法を説いているのを見た。（二八）ある（楼閣）では修行に入った（菩薩）たち、ある（楼閣）では忍辱を得た不退転の（菩薩）たち、ある（楼閣）ではもう一生だけ（輪廻に）縛られ、灌頂を受けた（菩薩）たちに、ある楼閣では（菩薩の）最初の位〔初地〕にいる菩薩たちに（その）位の卓越性を賞讃しているのを見た。乃至、（二九）ある（楼閣）では第十の位〔十地〕にいる菩薩とともに、弥勒菩薩がすべての位の卓越性を一緒に賞讃しているのを見た。

（三〇）ある（楼閣）ではすべての波羅蜜の完成の無量性を、ある（楼閣）ではすべての学処に向かって入ることの平等性を、ある（楼閣）では三昧の門に入ることの広大さを、ある（楼閣）では解脱の真理の深遠さ〔甚深〕を、ある（楼閣）では寂静せる禅定、三昧、正定、神通の境界の遍満性を、ある（楼閣）では菩薩行による教化の方便の門に入ることを、ある（楼閣）では誓願の実現の広大さを、（また）ある楼閣では弥勒菩薩が経行に専念して、同じ行ないをする〔同行〕菩薩たちとともに、世間の人々に利益をもたらす行ないをするために、種々の技術の学問の優れた論書があらゆる衆生の利益と幸福を生じ増大する性質があることを一緒に賞讃しているのを見た。（三一）ある（楼閣）では、もう一生だけ（輪廻に）縛られた菩薩たちとともに、すべての仏の智を継承する灌頂の門を一緒に賞讃しているのを見た。（三二）ある楼閣では弥勒菩薩が経行に専念し、幾百千年経ても宗教的勤め、即ち重荷を捨てないのを見た。（三三）ある（楼閣）では説示と読誦に専念し、ある（楼閣）では法の門の考察に専念し、ある（楼閣）では（正しい）法を一緒に賞讃することに専念し、ある（楼閣）では（正しい）法の書写に専念し、ある（楼閣）では慈しみの三昧に入り、ある（楼閣）ではあらゆる禅定と（四種の）無量（心）に入り、ある（楼閣）では（地などの遍在を感じる）十遍処定や八解脱のすべてに入り、ある楼閣では弥勒菩薩が菩薩の神通の実現の方途である三昧に入っているのを見た。

（三四）ある楼閣では菩薩たちが変化を現す菩薩の三昧に入っているのを見た。彼らの身体のすべての毛孔からあらゆる変化の雲が出現しているのを見た。ある（菩薩）たちのすべての毛孔からは神々の集まり〔天衆〕の雲が湧きでているのを見、ある（菩薩）たちの（すべての毛孔）からは、龍、ヤクシャ、ガンダルヴァ、アスラ、ガルダ、キンナラ、マホーラガ、シャクラ、梵天、護世神、転輪聖王の雲が、ある（菩薩）たちの（すべての毛孔）からは、城主〔小王〕たちの雲が、ある（菩薩）たちの（すべての毛孔）からは王子たちの雲が、ある（菩薩）たちの（すべての毛孔）からは長者、大臣、家長たちの雲が、ある（菩薩）たちの（すべての毛孔）からは声聞、独覚、菩薩たちの雲が、ある（菩薩）たちの（すべての毛孔）からは如来の身体の雲が、ある（菩薩）たちのすべての身体の毛孔からは無量のすべての衆生の変化（身）の雲が湧きでているのを見た。ある（菩薩）たちのすべての（身体の）毛孔からは種々の法の門が発せられているのを聞いた。即ち、菩薩の功徳の賞讃の門、布施波羅蜜の門、持戒、忍辱、精進、禅定、智慧、方便、願、力、智波羅蜜の門、（衆生を摂取する四）摂事、禅定、（四）無量（心）、三昧、正定、神通、明智、陀羅尼、弁才、真理〔諦〕、四無解智、止心〔止〕、観察〔観〕、（三）解脱門、縁起、（教えや意味などの四種の）依り所〔依〕、（諸行無常などの）四法印、（不浄、苦、無常、無我への）注意の集中〔念処〕、（善を育て悪を除く四種の）正しい努力〔正勤〕、（四種の）神通の依り所〔神足〕、（信、努力などの五種の）能力〔根〕、（五種の）力、（七種の）さとりの支分〔七菩提分〕、（八種の正しい）道〔八聖道分〕、声聞乗の（法）話、独覚乗の（法）話、大乗の（法）話、（菩薩の）位、確信〔忍〕、行、誓願の門、このようなすべての法門〔功徳門〕に入る声が発せられているのを聞いた。（三五）ある楼閣では如来の説法会への参集を見、かつそれらの如来が様々(な点で)相違していること、(即ち)生まれや家柄の相違、無量の身体の荘厳の相違、寿命の相違、国土の相違、劫の相違、説法の相違、出離門の相違、正法の存続(期間)の相違、乃至、残りなきすべての様相の説法会の相違を見た。

内部中央の大楼閣　また毘盧遮那荘厳蔵という大楼閣の中央に、より大きくより広い、それ以外のすべての楼閣の残りなきすべての荘厳をはるかに凌駕した荘厳に飾られた一つの楼閣を見た。彼はその楼閣の内部に三千大千世界を見、その三千大千世界に百コーティの四州、百コーティのジャンブ州、百コーティの兜率天の宮殿を見、彼はそれらすべてのジャンブ州に弥勒菩薩が生まれて蓮華の中におられるのを見た。シャクラと梵天に見守られ、七歩歩み、十方を見渡し、大獅子吼を発し、少年(時代)の全段階を現して見せ、後宮の中におり、遊園の地に出遊し、一切智者性に向かって出家して遊行し、難行苦行を現して見せ、食事をとり、菩提道場に近づき、魔を降伏させ、菩提をさとり、菩提樹を瞬きせずに見つめ、大梵天に勧請され、法輪を転じ、神々の宮殿に入るのを見た。(しかもそれらのジャンブ州の各々でそれらの行ないを)種々の菩提や転法輪の境界の示現の相違、種々の劫や名号の教示の相違、種々の寿命の長さの相違、種々の説法会の荘厳の相違、種々の国土の清浄法の示現の相違、種々の行と誓願の修習の相違、種々に法を説いて確立し衆生を教化する方便の相違、種々の遺骨の分配や教誡の存続(期間)

の威神力による示現の相違によって〔示現されるのを見た〕。そして善財童子は、そのすべて〔の場所〕において自分が〔各々の弥勒菩薩の〕足下にいるのに気づいた。

彼はすべての説法会、すべての行ないの示現、すべての寿命の長さの相違において、失われることのない憶念の威神力によって、あらゆる想念をさとった智の位にあって、それらすべての楼閣において、鐘、鈴の網、楽器、合唱を初めとするある限りの事物、そのすべてから、不可思議な法の雲の雷鳴の音声が発せられるのを聞いた。ある〔事物〕では菩提心の種々相を、ある〔事物〕では波羅蜜行と誓願の種々相を、ある〔事物〕では無量の位の種々相を、ある〔事物〕では不可思議な神通による神変の種々相を、ある〔事物〕では如来の供養の相違の種々相を、ある〔事物〕では仏国土の荘厳の種々相を、ある〔事物〕では無量の如来の教えの雲の種々相を、同じように、上述の通りのすべての教え〔法〕の音声を聞いた。

ある〔事物〕では一切智者性に向かう出発の声を聞いた。〔即ち〕これこれの世界に、なにがしという菩薩がしかじかの法の門を聞き、しかじかの善知識によって鼓舞されて、これこれの如来の足下で、かかる名称の劫に、このような仏国土において、このような集会の中にいて、このような善根を植え、このような如来の功徳を聞き、このような道心、このような誓願の種々相によって、菩提心を起こし、これほどの劫の間、菩薩行を行じ、これほどの劫を経て無上正等覚をさとるであろう。名号はこのようなもの、寿命の長さはこのようなもの、仏国土の功徳と荘厳の完全性はこのようなもの、特別の誓願はこのようなもの、衆生の教化はこのようなもの、声聞、独覚、菩薩の(集会への)参集はこのようで、彼が涅槃した後、これほどの劫の間、正法は存続するであろうし、これほどの衆生の利益があるであろう(という声を聞いた)。

ある(事物)では、しかじかの世界においてなにがしという菩薩は、布施波羅蜜を行じて、このような成し難い(喜)捨を幾百回も行ない、なにがしという菩薩は戒を守り、忍辱を修習し、精進に励み、禅定に入り、智慧による探求に専念しており、なにがしという菩薩は正法を求めるために王位を捨て、宝石を捨て、息子を捨て、妻を捨て、手足、眼、頭を喜捨し、火中に(身を)投じ、なにがしという菩薩は如来の教誡を保持し、説法者となり、法施を施し、法の祭祀を営み、法の旗印を立て、法の太鼓を叩き、法の螺貝を吹き、法の雨を降らし、如来の教誡を保持し、如来の塔廟を飾り、如来の身像をつくらせ、衆生に幸福の基盤を提供し、正法の蔵を守護するという声を聞いた。

ある(事物)では、しかじかの世界で、なにがしという如来が現在、おられ、生存し、時を送って、このような名の灌頂によって、このような集会において、このような仏国土で、このような劫に、このような寿命の長さで、このような説法によって、このような衆生の教化によって、このような誓願と完全なさとりによって、法を説いておられる、（その）声を聞き、同じく、各々の鐘、鈴の網、楽器を初めとする事物から、無量の法門の種々相の音声を聞いた。

　そして、それらすべての音声を聞いて、善財童子は、広大な歓喜の衝動で心が潤されて、それらの法の門を聞き、ある（事物）では陀羅尼の諸門を獲得し、ある（事物）では弁才の諸門を、ある（事物）では忍辱の諸門を、ある（事物）では修行の諸門を、ある（事物）では誓願の諸門を、ある（事物）では波羅蜜の諸門を、ある（事物）では神通の諸門を、ある（事物）では明智と智の光明の諸門を、ある（事物）では解脱の諸門を、ある（事物）では三昧に入る諸門を獲得した。

　またそれらの円鏡の表面に、無量の影像の荘厳が現れるのを見た。（即ち）ある（鏡）には如来の説法会の影像の顕現を、ある（鏡）には菩薩の説法会の影像の顕現を、ある（鏡）には声聞の説法会の影像の顕現を、ある（鏡）には独覚の説法会の影像の顕現を、ある（鏡）には如来の説法会の影像の顕現を、ある（鏡）には汚染した国土の影像の顕現を、ある（鏡）には清浄な国土の影像の顕現を、ある（鏡）には汚染し清浄でもある国土の影像の顕現を、ある（鏡）には清浄で汚染している国土の影像の顕現を、ある（鏡）には仏のおられる世界の影像の顕現を、ある（鏡）には仏のおられぬ世界の影像の顕現を、ある（鏡）では小世界の影像の顕現を、ある（鏡）では大世界の影像の顕現を、ある（鏡）では微細な世界の影像の顕現を、ある（鏡）では広大な世界の影像の顕現を、ある（鏡）ではインドラの網〔因陀羅網〕に入る世界の影像の顕現を、ある（鏡）では逆になった〔覆〕世界の影像の顕現を、ある（鏡）では上下が転倒した〔仰〕世界の影像の顕現を、ある（鏡）では平坦な地面に入る世界の影像の顕現を、ある（鏡）では地獄、畜生、餓鬼(プレータ)の住む世界の影像の顕現を、ある（鏡）では神々や人間のあふれる世界の影像の顕現を見た。

また、それらの経行(きんひん)の場所や寝具や座では、無数の菩薩が種々の勤めに専念しているのを見た。（即ち）ある（菩薩）たちは経行を行なっており、ある（菩薩）たちは（禅定に）努め、ある（菩薩）たちは観察し、ある（菩薩）たちは大悲によって遍満し、ある（菩薩）たちは世間の利益をこととする様々な論書の説き方(ナヤ)を完成しつつあり、ある（菩薩）たちは教示しており、ある（菩薩）たちは読誦しており、ある（菩薩）たちは書写しており、ある（菩薩）たちは質問しており、ある（菩薩）たちは（懺悔(ざんげ)、随喜(ずいき)、勧請(かんじょう)の）三つの集まりの教示〔三時懺悔〕と回向に励み、ある（菩薩）たちは誓願を成就している〔発願〕のを（見た）。

またそれらの柱から、あらゆる摩尼王の光の網が放たれているのを見た。ある（柱）では青色、ある（柱）では黄色、ある（柱）では赤色、ある（柱）では白色、ある（柱）では水晶色、ある（柱）では純金色、ある（柱）ではインドラニーラ〔帝青〕色、ある（柱）では虹の色、ある(柱)ではジャンブ河産の黄金の色、ある(柱)ではあらゆる光彩の色の、身心の喜悦を生じる眼に見て最高に快い(光の網が発せられるのを見た)。また、それら華雲を手にしているジャンブ河産の黄金の色の童女の像や、あらゆる宝石の身像を見た。華鬘の紐を手にし、衣を手にし、傘蓋、幢、幡を手にし、香料、練香、塗香を手にし、摩尼宝石の網を手にし、種々の宝石や様々な黄金の糸を手にし、種々の真珠の瓔珞を手にし、多種の宝石の瓔珞を手にかけており、あらゆる荘厳を手に取っているのを見た。

幾つかの(身像)が、髻(もとどり)の中の宝石がついた王冠〔摩尼冠(まにかん)〕(をかぶった頭)を下げ、瞬きしない眼で見つめ、合掌して、礼拝しているのを見た。また、それら真珠の瓔珞からはあらゆる(芳)香で薫じられた玄妙な八種の功徳を具えた水〔八功徳水(はっくどくすい)〕の噴水がほとばしり出ているのを見、それら瑠璃宝石の瓔珞の網からは幾条もの光線が流れているのを見、それらの宝石の傘蓋があらゆる飾りの荘厳で美しく飾られているのを見た。また台は宝石の鐘、鈴の網、絹布の帯、組紐、摩尼の棒、種々の摩尼宝石の蔵で飾られているのを見た。

またそれらの蓮池からは無数の宝石の紅蓮華、青蓮華、黄蓮華、白蓮華が浮かび出ているのを見た。ある(蓮華)は一ヴィタスティ(14)の幅ほどであり、あるものは一尋の幅ほどであり、あるものは車の車輪の幅ほどであり、それらに種々の像の荘厳を見た。即ち、女性像、男性像、童子像、童女像、シャクラ像、梵天像、護世神像、神、龍、ヤクシャ、ガンダルヴァ、アスラ、ガルダ、キンナラ、マホーラガ像、声聞、独覚、菩薩像、種々様々な色をしたあらゆる世の衆生の姿形をもつ身体が合掌し、身をかがめ、礼拝しているのを見、身体が大丈夫の三十二相に飾られた如来の身体像が結跏趺坐して座っておられるのを見た。

地表が瑠璃ででき、（縦横）八条の線（でできた）碁盤模様のかの大地、その各々の区画から不可思議な影像の顕現を見た。ある（区画）では国土の影像の顕現、ある（区画）では菩薩の影像の顕現、ある（区画）では仏の影像の顕現を、それらの楼閣においてある限りの飾りの荘厳、そのすべてが各々の区画において影像として現れているのを見た。

かの宝石の樹木のすべてにおける華や果実や莢に、種々の形体の様々な黄金色の半身像を見た。（即ち）ある所では仏の半身像、ある所では菩薩の半身像、ある所では神、龍、ヤクシャ、ガンダルヴァ、アスラ、ガルダ、キンナラ、マホーラガの半身像、ある所ではシャクラ神、梵天、護世神の半身像、ある所では転輪（聖）王、人々の王〔小王〕の半身像、ある所では王子、長者、家長、大臣、女、男、童子、童女、比丘、比丘尼、優婆塞、優婆夷の半身像を（見た）。幾つか（の半身像）は華の紐を手にかけ、幾つかは宝石の瓔珞を手から垂れ下げ、幾つかはあらゆる荘厳を手に取り、幾つかは身体をかがめ、合掌し、瞬くことなき眼で(見つめ)、礼拝しており、幾つかは賞讃し、幾つかは瞑想に入り、幾つかは金色に輝き、幾つかは銀色に輝き、幾つかは珊瑚色に輝き、幾つかは雪のように優美な色〔兜沙羅色〕に輝き、幾つかはインドラニーラ〔帝青〕摩尼色に輝き、幾つかは毘盧遮那摩尼宝石(色)に輝き、幾つかはあらゆる宝石の色に輝き、幾つかはチャンパカ(15)〔瞻波迦〕の華の色に輝き、幾つかは光明の身体で輝き、幾つかは(三十二)相が描かれた身体をもっているのを見た。また、それら半月(像)から無数の太陽、月、遊星、星座、星宿の影像を放って十方を照らし出しているのを見た。

また、それらすべての宮殿、大邸宅、楼閣の壁にあらゆる宝石の八条の線(でできた)碁盤模様が描かれているのを見た。そして、それらすべての宝石の八条の碁盤模様の区画〔歩〕に弥勒菩薩のすべての菩薩行の順序を見た。(その順序は)過去に諸菩薩が修行を行なった順序通りであり、ある碁盤模様の区画では弥勒菩薩が頭を与えているのを見、ある(区画)では眼を与え、ある(区画)では手を与え、ある(区画)では髻の中の摩尼宝石を与え、ある(区画)では革のついた髻の中の摩尼を与え、ある(区画)では歯を与え、ある(区画)では舌を与え、ある(区画)では耳と鼻を与え、ある(区画)では胸を与え、ある(区画)では髄と肉を与え、ある(区画)では血液を与え、ある(区画)では皮膚を与え、ある(区画)では肉と爪を与え、ある(区画)では蹼(みずかき)のついた指を与え、ある(区画)では全身を与え、ある(区画)では息子、娘、妻を与え、ある(区画)では宝石の山を与え、ある(区画)では村落、都城、町、国、王国、王都を与え、ある(区画)ではジャンブ州を与え、ある(区画)では四州を与え、ある(区画)ではすべての王位王権を与え、ある(区画)ではすばらしい王座を与え、ある(区画)では奴隷、女奴隷を与え、ある(区画)では後宮を与え、ある(区画)では遊園や苦行林を与え、ある(区画)では傘蓋、幢、幡を与え、ある(区画)では華、華鬘、香料、塗香を与え、ある(区画)では病人を癒す薬を与え、ある(区画)ではあらゆる種類の飲食物を与え、ある(区画)ではあらゆる家具を与え、ある(区画)ではあらゆる敷物を与え、ある(区画)では宝石の真鍮の容器を与え、ある(区画)では宝石の馬車を与えた。

ある(区画)では牢獄にいる者たちを解き放ち、ある(区画)では死刑囚を解き放ち、ある(区画)では一般人を治療し、ある(区画)では道を見失った者たちに道を示し、ある(区画)では船頭となって船を水路に入れ、ある(区画)ではバーラーハ[16]という馬の王となって、大海の羅刹女の島にいる衆生たちを救出し、ある(区画)では偉大な聖者(大仙)となって諸論書を完成し、ある(区画)では転輪(聖)王となって衆生を十善業道に導き入れ、ある(区画)では医者となって患者たちの治療を行ない、ある(区画)では父母に仕え、ある(区画)では善知識に素直に聞き従い、ある(区画)では声聞の容色や容姿で衆生の教化に努め、ある（区画）では独覚の容色や容姿で、ある（区画）では菩薩の容色や容姿で、ある（区画）では仏の容色や容姿で衆生の教化に努め、ある（区画）ではあらゆる特別な衆生の星の下に生を示現して衆生を成熟させ、ある（区画）では説法者の姿で如来の教誡を受け〔奉行〕、教示し、読誦し、根源的な思惟に専念し、如来の塔廟を飾り、如来の形像をつくらせ、衆生を励まして仏の供養をさせ、香料や塗香を供え、芳香を放つ香油を塗り、華や華鬘を供えるなどあらゆる仕方で仏の供養に努め、十善業道に衆生を導き入れ、五（戒という）学処、（在家が精進日に守る）八カ条の精進潔斎〔八斎戒〕、仏、法、僧に帰依すること、出家し、法を聴聞し、教示し、読誦し、根源的に思惟することに衆生たちを激励し、法話のために獅子座に座り、仏の菩提を説き明かしている（といったように）、このように弥勒菩薩が無数の百千コーティ・ナユタ劫かけて六波羅蜜において成し遂げられた限りの修行、そのすべてを、善財童子はその一つ一つの区画に各々別々の様相で見た。

荘厳の境界の神変とその比喩　彼はある楼閣では弥勒菩薩が多くの善知識たちに奉仕した限りの、それらすべての善知識の神変の荘厳を見た。そして、彼は自身がそれらすべての善知識の下に近づき、「来たれ。善財よ、よくぞ来たれり。倦むことなかれ。この菩薩の不可思議を見よ」と語りかけられているのに気づいた。このように善財童子は、これら一つ一つの楼閣や一つ一つの事物にこれらやその他の無数の不可思議な荘厳と境界の神変を見た。失われることのない憶念力の獲得、あらゆる方角を観察する清浄な眼、(三昧の)洞察に練達した妨げられることのない智、菩薩の智の威神力の自在性の獲得によって、菩薩の思いに入る智の位〔智地(ちじ)〕にいて、彼はこのすべての限りなき荘厳と境界の神変を見た。

たとえば眠っている男が夢の中にいて、種々のすばらしい色形の対象物を見たとしよう。即ち、好ましい家や大邸宅、好ましい村落、都城、町、国、好ましい衣や食物や飲物の享受、好ましい歌、楽器、鐃(にょう)の合唱による種々の娯楽や遊戯、好ましい遊園、果樹園、苦行林、あるいは好ましい樹木、河、蓮池、山を見たとしよう。あるいは自分自身が父母、友人、親族、一族と一緒にいると思ったとしよう。あるいは大海か、山の王須弥山か、すべての神々の宮殿か、ジャンブ州を見たとしよう。あるいは自分自身が幾百ヨージャナの大きさであると思ったとしよう。その家も場所も広大で、あらゆる功徳と飾りが集められているのを見たとしよう。昼間だとばかり思い、(その眠っている)夜を長いとも短いとも思わず、(そもそも)夢であるとも思わず、また自分のあらゆる幸福の基盤を見、彼は身体の働きが軽やかになり、無気力と惰眠を貪らず、あらゆる不快を除き、広大な喜悦と安楽を享受し、また長時であると思ったとしよう。一日、七日、半月、

（一月、）一年、百年、あるいはそれ以上だと思い、目覚めても、そのすべてを思い出すとしよう。それとまったく同じように、善財童子は（弥勒）菩薩の威神力のおかげで、すべての三界の夢に入る智によって、（衆生のいだく）卑小な想念を滅した心を具え、広大で偉大で障害のない菩薩の思いに住し、菩薩の境界に従い、不可思議な菩薩の真理への悟入に随順する覚知を具えてそのすべての荘厳の神変を見、知り、経験し、考察し、形象として知り、観察し、そこに自分がいるのに気づいた。

　たとえば心の最後（の刹那）が生じている病人は、再生の直前の心の状態に至って、業の（結果としての）生存が目の当りに現れたとき、（過去に）つくった業の集積の成熟のままに、不浄な業による場合には、地獄を見るか、畜生道、餓鬼の境界、あるいは強力な武器をとって怒り罵るヤマの（獄）卒たち（を見）、地獄の住人たちの泣き叫ぶ声を聞き、またかの苛性（かせい）の河〔灰河（はいが）〕を見、かの剃刀の刃の山〔刀山（とうせん）〕、かの（刺を含む）綿の草木[17]〔剣樹〕、またかの剣葉林[18]を見、かの大地獄は燃え上がり、（燃え盛り、）焔を燃やし、一つの焔（の塊）となっているのを（見）、またかの鉄の釜を見、かの責苦を受け、かの苦痛をなめているのに気づき、またそれらの地獄の火の焦熱による苦しみを見、（自らも）味わったとしよう。あるいは清浄な業の集積によって、神々の宮殿を見、神々の集会、アプサラス天女の群、あらゆる荘厳の飾りを見、遊園、大邸宅、河、蓮池、宝石の山々、如意樹の享受を見、(自らも)享受し、その寿命の期間を知るとしよう。そして、彼はこの世から死に去りもせず、かの世に生まれ変わってもいないが、決して消滅してしまったわけでなく、業の境界の不可思議さによってかかる行ないを見、知り、経験するとしよう。それとまったく同じように、善財童子は菩薩の業の境界の不可思議さによって、このすべての荘厳の神変を見たのである。

たとえば鬼霊の憑依(ひょうえ)によって憑かれた人は種々の形あるものを見、質問されれば答える。それとまったく同じように、善財童子は菩薩の智の威神力のおかげで、それらすべての荘厳を見た。たとえば龍の宮殿に入った男は龍のもつ(時間の)観念に入ることによって、観念の期間を一日、七日、半月、一月、一年、百年の間であると感じるが、龍の(時間の)観念が消え去ると、人間の(時間の)観念によってほんの瞬時にすぎないとさとる。それとまったく同じように、善財童子は心に菩薩の(時間の)観念が消え去ることがないので、弥勒菩薩の威神力によって、その瞬時を幾多の百千コーティ・ニユタ劫の期間と思う。たとえばあらゆる世界の至上の荘厳の蔵(荘厳蔵)という大梵天の大邸宅があり、その中にすべての三千大千世界が影像の有り方で、すべての事物と混じり合わずに視界に現れるとしよう。それとまったく同じように、善財童子は相互に混じり合わず相互に接触することのないそれらすべての荘厳を、すべての事物において影像として得たのである。

たとえば遍処定（へんしょじょう）に住する比丘は一人単独で、寝具か経行（きんひん）の場所か座において立っていても座っていても、禅定者の境界が不可思議であるので、すべての世間を遍処定の境界への悟入のままに（明らかに）知り、見、経験する。それとまったく同じように、善財童子はそのすべての荘厳を（瞑想の）境界への悟入のままに（明瞭に）見、知り（経験する）。たとえばガンダルヴァ城〔乾闥婆城〕のあらゆる荘厳の飾りは天穹に現れ、何物にも妨げられない。たとえば人間の大邸宅の中に入っているヤクシャの大邸宅もヤクシャの大邸宅の中に入っている人間の大邸宅も、相互に混じり合うことなく業の境界の清浄さのままに顕現する。たとえば大海においてすべての三千大千世界の影像が印章の印影のように現れる。たとえば幻術師が呪文や明呪や薬草の力と超能力によって、あらゆる色形のあるものやあらゆる行為を示現する。それとまったく同じように、善財童子は弥勒菩薩の不可思議な威神力の智の幻に入ることによって、法の智の幻の力によって成就された菩薩の（十）自在の威神力の智の力で、それらすべての荘厳の境界の神変を見たのである。

そのとき、弥勒菩薩はその楼閣の中に入ってその威神力の顕現を収めて、善財童子に向かって、指を弾く音を立ててからこう語った。「善男子よ、立て、これが諸法の法性である。善男子よ、すべての法は幻作（げんさ）によって各々現前していることを相とし、菩薩の智の威神力によって現されたものであり、本性はこのようなもので、完全でなく、幻や夢や影像のようなものである」

　そのとき、指を弾くその音で、善財童子がその三昧から出ると、弥勒菩薩は彼にこう語った。「善男子よ、汝は菩薩の威神力の神変を見たか。汝は菩薩の（福徳と智の）資糧の力から流出した結果〔所流〕を見、汝は菩薩の誓願の智による幻作〔所現〕を見、汝は菩薩の魅力あふれる宮殿を見、汝は菩薩行の達成を見、汝は菩薩の出離の門について聞き、汝は仏国土の無量の（功徳と）荘厳を見、汝は如来の種々の誓願の卓越性を見、汝は菩薩の解脱の不可思議さをさとり、汝は菩薩の三昧の歓喜と安楽を経験したか」

　善財は答えた。「聖者よ、善知識の威神力のおかげで、善知識の憶念のおかげで、善知識の威力のおかげで（私は）見ました。しかし、聖者よ、この解脱の名は何というのでしょうか」

　弥勒菩薩は答えた。「善男子よ、この解脱は、三世のすべての事物の智に入って忘失しない憶念の荘厳蔵〔入三世一切境界不忘念智荘厳蔵（にゅうさんぜいっさいきょうがいふもうねんちしょうごんぞう）〕という名である。善男子よ、一生だけ（輪廻に）縛られている菩薩は、不可説不可説数ものこのような解脱の獲得者である」

　善財は問う。「聖者よ、あの荘厳はどこに行ってしまったのですか」

　弥勒菩薩は答えた。「まさにそこから来た所、（そこに行ったのだ）」

善財は問う。「どこから来たのですか」

弥勒菩薩は答えた。「菩薩の智の威神力の実現から来たのだ。その同じ威神力の中にあって、どこにも行かず、来ず、集積せず、集合せず、不変でなく、存在になく、場所になく、地域にもない。善男子よ、たとえば諸々の龍の雲の網は、(龍の)身にも、心にも包含されていないし、(身心の)集合にもなく、見えもしないが、龍の境界が不可思議であるので、龍の意志の力によって無量の雨が滝のように降る。それとまったく同じように、善男子よ、それらの荘厳は、菩薩の威神力のおかげで、また汝が善き器であるので、内にあるのでもなく、外にあるのでもないが、しかし見られないのでもない。たとえば善男子よ、幻術師がすべての幻の境界を現しだしていても、幻はどこからも来ないし、(どこにも)去らず、(どこにも)移らないが、呪文や薬草の力によって現される。それとまったく同じように、善男子よ、それらの荘厳はどこにも行かず、どこからも来ず、どこにも集められないが、不可思議な菩薩の智の幻をよく学んでいるので、往昔の誓願の威神力の智の自在力によって現れるのである」

善財は言った。「聖者よ、どれほど遠方からあなたは来られたのですか」

答える。「善男子よ、菩薩の境涯は不来の境涯であり、不動にして不住の境涯であり、依り所もなく住居もない境涯、死に去りもせず生まれ来ることもない境涯、とどまりもせず移り行きもしない境涯、動きもせず立ち上がりもしない境涯、心をとどめず執着もしない境涯、業も（その）成熟もない境涯、不生不滅の境涯、不断不常の境涯である。

さらにまた、善男子よ、菩薩たちの境涯は教化されるべき衆生を見守るので大悲であり、菩薩たちの境涯は苦しむ衆生を救うので大慈であり、菩薩たちの境涯は願いのままに生まれるので浄戒（を保つこと）であり、菩薩たちの境涯は過去の決意によるので誓願であり、菩薩たちの境涯はあらゆる所で安楽を現しだすので神通であり、菩薩たちの境涯はすべての如来の足下から動かないので（業を）つくらず、菩薩たちの境涯は身心を顧みないので努力や奮闘を離れ（て自然であり）、菩薩たちの境涯は（すべての）衆生に順応するので智慧と方便であり、菩薩たちの境涯は幻影や影像や化作（けさ）された身体に等しいので変化の示現である。

さらにまた、善男子よ、「どれほど遠方からあなたは来られましたか」と汝が尋ねた（点に答えれば）、善男子よ、私は生まれ故郷のマーラダ国のクティという小村落からここに来たのだ。そこにゴーパーラカ（瞿波羅）という長者がいて、その人を仏の法に導き入れ、生まれ故郷の人々に器（量）に応じて法を説き、母、父、親族、縁者や婆羅門、家長たちを大乗に向けて励まし入れたうえで（ここに来たのである）」

善財は尋ねた。「聖者よ、菩薩たちの生まれ故郷はどこでしょうか」

答える。「善男子よ、菩薩たちの生まれ故郷はこれらの十のものである。十とは何か。即ち、(一)発菩提心は菩薩の家に生じるので、それが菩薩たちの生まれ故郷である。(二)道心は善知識の家に生じるので、菩薩たちの生まれ故郷である。(三)(菩薩の)位の各々の地位は波羅蜜の家に生じるので、菩薩たちの生まれ故郷である。(四)誓願の達成は(菩薩行の家に生じるので)、菩薩たちの生まれ故郷である。(五)大悲は四摂事(ししょうじ)の家に生じるので、菩薩たちの生まれ故郷である。(六)如実なる法の観察は般若波羅蜜の家に生じるので、菩薩たちの生まれ故郷である。(七)大乗は巧みな方便の家に生じるので、菩薩たちの生まれ故郷である。(八)衆生の成熟はさとりの家に生じるので、菩薩たちの生まれ故郷である。(九)方便と智慧の二は、ものは不生であるという確信〔無生法忍(むしょうぼうにん)〕の家に生じる(ので、菩薩たちの生まれ故郷である)。(一〇)善男子よ、あらゆる法の修行は過去、未来、現在のすべての如来の家に生じるので、菩薩たちの生まれ故郷である。善男子よ、これらの十が菩薩たちの生まれ故郷である。

善男子よ、般若波羅蜜(はんにゃはらみつ)は菩薩たちの母であり、巧みな方便は父であり、布施(ふせ)波羅蜜は乳であり、戒(かい)波羅蜜は乳母であり、忍辱(にんにく)波羅蜜は装飾品の飾りであり、精進(しょうじん)波羅蜜は養育者であり、禅定(ぜんじょう)波羅蜜は(菩薩)行の清浄であり、善知識たちは学問の師であり、すべての菩提の支分は伴侶であり、すべての善根となる法は親族であり、すべての菩薩は兄弟であり、菩提心は家であり、修行は家法であり、(菩薩の)位への安住は家に住むことであり、忍辱の獲得は家の血統であり、誓願の成就は家の学問の獲得であり、(菩薩)行の浄化は家法の遵守であり、大乗への鼓舞は家系を断絶しないことであり、灌頂されてもう一生だけ(輪廻に)縛られた境地は法王の息子の位であり、すべての如来(の位へ)の到達は家系の浄化である。

このように、善男子よ、菩薩は凡夫の位を超出し、菩薩に決定した道に入り、如来の家に生まれ、如来の系譜〔種姓〕に安住し、三宝の系譜を断絶しないために修行し、菩薩の家を守ることに専念し、血統と種姓は清浄で、階級と血統に非難の余地はなく、神々を含む世間、魔を含み、梵天を含む(世間)や沙門、婆羅門に属する人々の血統について(語られる)すべての欠点に関して非の打ち所がなく、至上の仏の家に生まれ、大誓願を内に秘めた身体をもつので、高貴な家系に属している。

善男子よ、このように家柄や血統に恵まれた菩薩たちは、すべてのものを影像の如しと知るので、すべての世間に生まれ出ることを厭わず、すべての生存界への出生を化作に等しいと知るので、あらゆる生存の境遇に生まれ、暮らすことで汚されず、すべてのものは無我であるとさとっているので、すべての衆生を成熟させ、教化して倦むことなく、大慈と大悲を身体とするので、すべての衆生の摂受に疲れを知らず、輪廻を夢のようなものと証悟しているので、すべての劫の中で居住しても飽きず、すべての身心を幻のようなものと知るので、すべての誕生、死去を現すことによっても疲れることなく、(十八)界や(十二)処が法界を本性とするとわかっているので、すべての境界を損なわず、あらゆる想念は陽炎のようなものであるとよく修習しているので、すべての輪廻の境遇において惑わされず、あらゆるものは幻のようなものと完全に通暁しているので、すべての魔の境界によって汚されず、法身を修得しているので、あらゆる煩悩によって欺かれないし、(再)生の自在性を得ているので、すべての(輪廻の)境遇を修習している。

それゆえに、善男子よ、私はすべての世界の生存状態の中にある身体、すべての世の衆生の色形と同じ様々な容色、すべての衆生と同じ様々な説明、すべての世の衆生と同じ多様な名称、すべての衆生の深信に合った起居動作〔威儀〕、すべての教化されるべき衆生と同じ世間への随順、すべての清浄な衆生と同じ出生地や家への誕生の示現、すべての凡夫の行為と同じ行為に入る門、すべての衆生の想念と同じ智への悟入、すべての菩薩の誓願による変化(身)と同じ身体を示現し、顕示することによって、すべての法界に遍在して、過去に同じ行ないをしたのに菩提心をなくした衆生たちを成熟させ、ジャンブ州において出生地における誕生を示現するために、この南の地方のマーラダ国にあるクティという小村において婆羅門の家に生まれた父母、親族、縁者たちを教化するために、また、優れた婆羅門の家と血統の点で、血統に慢心をいだく彼らの慢心をなくし、如来の家に生まれるようにするためにここに生まれてきたのである。

善男子よ、その私は、この南の地方においてこのような方便によって、衆生たちを願い通りに、また教化されるべきである通りに成熟させ教化しながら、まさにこの毘盧遮那荘厳蔵という大楼閣に居住している。私は衆生の願い通りに彼らに順応するために、兜率天に属し、同じ行ないをする天子たちを成熟させるために、またすべての欲界を超出した人たちに菩薩の福徳と智と変化の荘厳を示現し、欲望の楽しみへの渇愛を除去し、すべての行の無常を明らかにし、神々に生まれることもすべて死滅に終ることを示し、(天から人間界へ)下天する様相という大智の法門をもう一生だけ(輪廻に)縛られた菩薩たちとともに賞讃するために、ともに成熟した者たちをそこへ生まれるように摂取するために、また釈迦牟尼如来によって送られた教化されるべき蓮華たちを開華させるために、ここを死に去って兜率天の宮殿への誕生を示現するであろう。時来たって願いを満たして、私は一切智者性を証悟するであろう。菩提を得た私を、善男子よ、汝は文殊師利法王子とともに再び見るであろう。

文殊師利法王子　さらにまた、善男子よ、汝はかの文殊師利法王子の下に行け。行ってどのように菩薩は菩薩行を学ぶべきか、どのように修めるべきか、どのように普賢行の輪(マンダラ)に入るべきか、どのように成就すべきか、どのように誓願すべきか、どのように広大にすべきか、どのように随順すべきか、どのように清浄にすべきか、どのように悟入すべきか、どのように完成すべきかを問え。善男子よ、かの善知識は汝のために説いてくれるであろう。それはどうしてか。善男子よ、文殊師利法王子の所有する特別の誓願は、(他の)百千コーティ・ニユタの菩薩たちには存在しない。

善男子よ、文殊師利法王子の(菩薩)行の成就は広大であり、文殊師利法王子の誓願の成就は無量であり、文殊師利法王子の菩薩のすべての特別の功徳の生起は絶えることなく、文殊師利法王子は百千コーティ・ニユタの仏の母であり、文殊師利法王子は百千コーティ・ニユタの菩薩の教誡者であり、文殊師利法王子はすべての衆生界を成熟し教化することに努力し、文殊師利法王子は十方の全世界に名号の輪が広く喧伝され、文殊師利法王子は不可説数の如来の説法会における(法)話の語り手であり、文殊師利法王子はすべての如来方によって賞讃され、文殊師利法王子は深遠な法の智に住する者であり、すべての法を如実に見る者であり、文殊師利法王子はすべての解脱の道においてはるかに遠く広がった境界を具え、普賢菩薩行に入っている。

善男子よ、その善知識は汝を如来の家へ産む者であり、あらゆる善根を育てるものであり、菩薩の(福徳と智の)資糧を発起する者であり、真実の善知識たちを教示する者であり、すべての功徳に向かって励ます者であり、(すべての)大誓願の網に入れる者であり、すべての誓願の成就に確立させる者であり、すべての菩薩の秘奥を聞かせてくれる者であり、すべての菩薩の不可思議さを教示する者であり、過去の生存に一緒に住んで行ないをともにした者〔同生同行(どうしょうどうぎょう)〕である。

それゆえに、善男子よ、汝は文殊師利の足下にいて、すべての功徳についての教誡を獲得することに気おくれしてはならない。倦んではならない。それは何故か。善財よ、汝がどれほど多くの善知識にまみえようとも、どれほど多くの修行の門を聞こうとも、どれほど多くの解脱の道に入ろうとも、どれほど多くの特別の誓願に沈潜しようとも、(その)すべては文殊師利法王子の威力、威神力(による)と見るべきである。文殊師利法王子は(あらゆる所で)最高の波羅蜜を得ておられるのである」

そこで善財童子は、弥勒菩薩摩訶薩の両足に頂礼し、弥勒菩薩摩訶薩の周りを幾百千回となく右遶して、繰り返し何度も仰ぎ見て、弥勒菩薩の下を辞した。

第五十二章　文殊菩薩

そこで善財童子は、百十の都城を遊行した後、（普門国の）スマナームカ〔蘇摩那城〕という所に至り、文殊師利法王子のことを思い、見渡して、文殊師利法王子にまみえることを望み、求め、対面を希求しながら、佇んでいた。

すると、文殊師利法王子は、千ヨージャナの向こうから、（右）手を伸ばして、まさにスマナームカ城にいる善財童子の頭に置き、次のように言った。「善いかな、善いかな、善男子よ。信心の機根〔信根〕を欠く者、心の疲れた者、心の沈める者、修行に専心しない者、精進努力から尻込みした者、わずかの功徳に満足する者、一つの善根に没頭する者、（菩薩の）行と誓願の成就に巧みでない者、善知識に摂護されない者、仏に憶念されない者は、この法性を理解することはできない。この真理、この境界、この住処を理解することも、了達することも、悟入することも、信解することも、分別することも、証知することも、獲得することもできない」

かの（菩薩）は、説法によって、彼（善財）に説示し、教化し、激励し、喜ばせ、無数の法門を具有させ、無限の智の大光明を得させ、無辺の菩薩の陀羅尼、弁才、三昧、神通、智の住居に入らせ、普賢行の輪（マンダラ）〔普賢諸行願輪（ふげんしょぎょうがんりん）〕に悟入させ、かつ（善財）自身のいるべき場所に置くと、善財童子の下を去った。

第五十三章　普賢菩薩——普賢行の誓願

普賢菩薩にまみえるための十の前兆　そこで善財童子は、既に三千大千世界の微塵の数に等しい善知識にお仕えし、心に一切智者となるための資糧を蓄積し、一切の善知識の教訓と教誡を適切に把握して実践し、一切の善知識の願いの平等性を具足し、一切の善知識に奉仕して心中厭わず、一切の善知識の教訓と教誡の方便の海に随順し、大悲の願いの海より生じたものを内に秘め、大慈の方便の雲により世界を照らし出し、その身体は大いなる歓喜の衝動により増大し、広大な菩薩の解脱に寂静に住し、その眼は普門へ広がったものを放捨し、一切如来の功徳海の実修をみごとに完了し、一切如来の信解道を具足し、一切智者となるための資糧と精進の衝動を増大し、一切菩薩の心の願いにより智は円熟し、一切の三世の如来の(出現する)次第に悟入し、一切の仏法の真理の海を学び、一切如来の法輪の真理の海に随順し、一切の世間の誕生は影像の如しと示すのを仕事とし、一切の菩薩の誓願の真理の海に悟入し、一切劫において菩薩行に向けて出立し、一切智者性の境界を(照らす)光を獲得し、一切の菩薩の能力を成長させ、一切智者性への道を(照らす)光を獲得し、一切諸方を明るく(照らし出す)光明を得、一切の法界の真理に智は拡大し、一切の(仏)国土の真理の光を生じ、一切衆生に利益を及ぼす行為に逆らわず随順し、一切の障礙の山や谷を克服し、無礙の法性に随順し、普き地平と階層を有する法界を内蔵する菩薩の解脱に寂静に住し、一切如来の境界を探し求めつつ、一切如来に加護されて、普賢菩薩の境界を吟味しながら立っていた。

普賢菩薩(摩訶薩)の名を聞き、(その)菩薩行について聞き、誓願の卓越性について聞き、資糧の蓄積への出立と安住の卓越性について聞き、成就と出離の道の卓越性について聞き、普賢なる(菩薩)地における行ないと観察について聞き、(菩薩)地の資糧について聞き、獲得の卓越性について聞き、(菩薩)地の獲得の衝動について聞き、(菩薩)地の向上について聞き、(菩薩)地の確立について聞き、(菩薩)地における勇猛なる前進について聞き、(菩薩)地に対する敬意について聞き、(菩薩)地の威神力について聞き、(菩薩)地における定住について聞いた後、(善財は)普賢菩薩にまみえることを渇望した。

まさにかのヴァジュラ・サーガラ・ガルバ〔金剛海蔵〕菩提道場において、(善財は毘盧遮那)如来の獅子座に直面して、あらゆる宝石をちりばめた蓮華座〔一切宝蓮華蔵座〕の上に座った。虚空界のように広大で一切の執着を超越した心、一切の(仏)国土に関してよく修習された観想、一切法を障りなく対象領域とする一切の障礙を克服した心、一切の方角の海に遍満する無礙の心、一切智者性の境界に入る清浄な心、菩提道場の荘厳の妙観により浄化された清浄な心、一切の仏法の海に悟入した美しい心、一切の衆生界を教化し成熟させるために遍満する広大な心、一切の仏国土を浄化する大いなる心、一切の仏の説法会の影像を映す無量の心、一切如来の(十)力、(四)無畏、(十八)不共法にまで及ぶ一切劫に住して尽きることなき無限の心をもって(善財は座った)。このように、善財童子が心を集中したとき、(自らの)過去の善根の潤いと一切如来の威神力、普賢菩薩の過去の善根との類似性ゆえに、普賢菩薩にまみえるための十の前兆〔瑞相〕が現れた。十とは何か。

(一)一切の仏国土は清浄であった。一切如来の菩提道場の荘厳によって浄化されるがゆえに。(二)一切の仏国土は清浄であった。(地獄、餓鬼、畜生、長寿天、辺地、根欠、邪見、如来不出世の八)難処や(地獄、餓鬼、畜生の三)悪道の悪趣への一切の道を離れているがゆえに。(三)一切の仏国土は清浄であった。一切の蓮池の荘厳の如き仏国土の浄化のゆえに。(四)一切の仏国土は清浄であった。一切の衆生の身心を爽快にさせるがゆえに。(五)一切の仏国土は清浄であった。あらゆる宝石より成るがゆえに。(六)一切の仏国土は清浄であった。一切の衆生界が(三十二)相と(八十種)好により飾られているがゆえに。(七)一切の仏国土は清浄であった。一切のみごとな荘厳の雲によって覆われているがゆえに。(八)一切の仏国土は清浄であった。一切の衆生界が相互に慈悲と利益の心をもち、悪心を起こさないがゆえに。(九)一切の仏国土は清浄であった。菩提道場をみごとに荘厳するがゆえに。(一〇)一切の仏国土は清浄であった。一切の衆生が仏を念じることに集中しているがゆえに。以上十の、普賢菩薩摩訶薩にまみえるための前兆が現れた。

さらに、普賢菩薩摩訶薩にまみえるための前兆として、十の大光明が現れた。十とは何か。

即ち、(一)一切世界の微塵の一々の微塵の中に一切の如来の網を輝かせた。(二)一切世界の微塵の一々の微塵の中から、一切の仏の光明輪の雲を放出し、多くの色、様々な色、幾百千の色が法界全体に遍満した。(三)一切世界の微塵の一々の微塵から、一切の如来の影像を映す一切の宝雲を放出し、法界全体に遍満した。(四)一切世界の微塵の一々の微塵から、一切の如来の光焔輪の雲を放出し、法界全体に遍満した。(五)一切世界の微塵の一々の微塵から、一切の香、華、華鬘、塗香、練香の雲を放出し、普賢菩薩の一切の功徳法海の雲を轟かせつつ、十方の法界全体に遍満した。(六)一切世界の微塵の一々の微塵から、一切の日月星辰(じつげつせいしん)の雲を放出し、普賢菩薩の光明を放ちつつ、法界全体に遍満した。(七)一切世界の微塵の一々の微塵から、一切の衆生身の形をした燈火の雲を放出し、仏の光明のように照らしつつ、法界全体に遍満した。(八)一切世界の微塵の一々の微塵から、一切の如来身のように見える摩尼宝石の像を放出し、十方の法界全体に遍満した。(九)一切世界の微塵の一々の微塵から、一切の如来身の形をした光の像の雲を放出し、一切の仏の威神力と誓願の雲から(正法を)雨降らしつつ、法界全体に遍満した。(一〇)一切世界の微塵の一々の微塵から、一切の物質の色のように現れ、一切衆生を出離させるという仕事をし、一切衆生のすべての密かな願いを満足させ、成就する、菩薩身の影像の雲の海を放出して、法界全体に遍満した。これら、普賢菩薩にまみえる前兆である十の大光明が現れた。

普賢菩薩の神変　さて、善財童子は、これら十の前兆である大光明を見て、普賢菩薩にまみえる機会を得た。自らの善根の力によって支えられ、一切の如来の威神力と一切の仏法の光明より生まれ、普賢菩薩の誓願に魅せられ、一切の如来の境界に直面し、広大なる菩薩の境界を確知する力を獲得するに至り、普賢菩薩にまみえるため一切智者性の光明を得たという思いをいだき、その感官はまさに普賢菩薩にまみえることを望み、普賢菩薩にまみえるための精進努力の衝動にかられ、普賢菩薩を求める不退転の精進努力を行なう(善財)は、一切の方角に向かう能力の輪、普く優れた視界に入る菩薩の身体、一切如来の境界に向かい、すべての仏の足下にいる普賢菩薩と結びつく心、普賢菩薩の境界を求めて止まない願い、一切の境界において普賢菩薩にまみえようという思いを内に秘め、普賢菩薩道に向けられた智の眼、虚空界のように広大な願い、金剛のような大悲によく摂取された求道心、未来の果ての劫における威神力、普賢菩薩の後を追おうという誓願、普賢菩薩行の平等性に付随する(菩薩地における)前進と猛進の清浄、一切如来の境界における共住、普賢菩薩地を確立する智の住居をもって、普賢菩薩にまみえた。

(かの菩薩は)応供・正等覚である、尊き毘盧遮那如来の前で、大きな宝石の蓮華台〔蓮華蔵〕の獅子座に座り、菩薩の説法会の海の中にあり、菩薩衆に囲まれ、菩薩の僧団を率いていた。その身は一切の説法会に赴き、(その中で)抜きんで、いかなる世間にも圧倒されず、一切の菩薩に注視されていた。その智の境界は無辺、その活動範囲は不壊、その境界は不可思議であった。三世の平等性を了解し、一切如来との平等性に到達していた。

彼(善財)は、かの(菩薩)が一切の毛孔の一々の毛孔から、一切世界の微塵の数に等しい光線の雲を放ち、法界の極みや虚空界の果てまで一切世界を照らし出し、衆生たちの苦しみを鎮めているのを見た。彼は、かの(菩薩)が身体から一切仏国土の微塵の数に等しく、様々な色をした光輪の雲を放ち、一切菩薩に大いなる歓喜と踊躍の衝動を増大させているのを見た。頭頂と両肩先と、一切の毛孔とから、様々な色をした香焔の雲を放ち、一切如来の説法会に遍満させ、(その香焔を)雨降らせているのを見た。一切の毛孔の一々の毛孔から、一切の仏国土の微塵の数に等しい、一切の華の雲を放ち、一切の如来の説法会に遍満させ、(その華を)雨降らせているのを見た。一切の毛孔の一々の毛孔から、一切の仏国土の微塵の数に等しい、一切の香樹の雲を放ち、虚空界の果てまで法界全体を香樹の雲の荘厳で飾りたて、無尽蔵なる香料や抹香や塗香の宝庫の用をなす(香樹の雲)を一切の如来の説法会に遍満させ、(様々な薫香を)雨降らせているのを見た。一切の毛孔の一々の毛孔から、一切の衣の雲を放って、虚空界の果てまで法界全体を覆って荘厳しているのを見た。一切の毛孔の一々の毛孔から、一切の仏国土の微塵の数に等しい一切の絹布の雲、一切の装身具の雲、一切の真珠の瓔珞の雲、如意宝珠の雲を放ち、一切の如来の説法会に遍満させ、一切衆生のあらゆる願いを成就するために(それらの品々を)雨降らせているのを見た。一切の毛孔の一々の毛孔から、一切の仏国土の微塵の数に等しい宝樹の雲を放ち、虚空界の果てまで法界全体に遍満させ、そこを大きく華開いた宝樹の雲の荘厳で飾り、一切の如来の説法会に大きな宝石の雨を降らせているのを見た。

一切の毛孔の一々の毛孔から、一切の仏国土の微塵の数に等しい色界の神々の集まりの雲を放ち、菩薩を讃える彼らを法界全体に遍満させているのを見た。一切の毛孔の一々の毛孔から、一切の梵天の境遇に属する神々の集まりとして化作された雲を放ち、目覚めた者である如来方に法輪を転じるよう勧請させているのを見た。一切の毛孔の一々の毛孔から、一切の欲界の神々の王の集まりの雲を放ち、一切如来の法輪を護持させているのを見た。一切の毛孔の一々の毛孔から、各心刹那に、一切の仏国土の微塵の数に等しい三世に属する一切仏国土の雲を放ち、虚空界の果てまで法界全体に遍満させ、住処なく、避難処なく、依処なき衆生たちの住処、避難処、依処とするのを見た。一切の毛孔の一々の毛孔から、各心刹那に、一切の仏国土の微塵の数に等しい一切の仏が出現し、菩薩の説法会が充満する清浄なる(仏)国土の雲を放ち、虚空界の果てまで法界全体に遍満させ、広大なる深信をいだく衆生たちを浄化させるのを見た。一切の毛孔の一々の毛孔から、各心刹那に、一切の仏国土の微塵の数に等しい清浄にして雑染なる(仏)国土の雲を放ち、虚空界の果てまで法界全体に遍満させ、(心の半ばが)汚れた衆生たちを浄化させるのを見た。一切の毛孔の一々の毛孔から、各心刹那に、一切の仏国土の微塵の数に等しい汚れた心と清らかな(仏)国土の雲を放ち、虚空界の果てまで法界全体に遍満させ、(心の)完全に汚れた者たちを浄化させるのを見た。

一切の毛孔の一々の毛孔から、各心刹那に、一切の仏国土の微塵の数に等しい一切の菩薩身の雲を放ち、虚空界の果てまで法界全体に遍満させ、一切衆生の所行に応じて、無上正等覚に向けて一切衆生を教化させているのを見た。一切の毛孔の一々の毛孔から、各心刹那に、一切の仏国土の微塵の数に等しい菩薩身の雲を放ち、虚空界の果てまで法界全体に遍満させ、一切衆生の善根を増大させるために一切の仏の名号を讃えさせているのを見た。一切の毛孔の一々の毛孔から、一切の仏国土の微塵の数に等しい菩薩身の雲を放ち、虚空界の果てまで法界全体に遍満させ、一切の仏国土の広がりにおいて、一切の菩薩が初めて菩提心を起こすこと〔初発心〕によりあらゆる善根の発生を成就するのを見た。一切の毛孔の一々の毛孔から、一切の仏国土の微塵の数に等しい菩薩身の雲を放ち、一切の仏国土のうちの一々の仏国土において、普賢菩薩行の浄化のために、一切の菩薩の誓願の海を輝かせるのを見た。一切の毛孔の一々の毛孔から、一切の仏国土の微塵の数に等しく、一切衆生の願いを満足させ、一切智者性に到達する歓喜の衝動を増大させる普賢菩薩行の雲を放ち、雨降らせるのを見た。

彼(善財)は、かの(菩薩が)一切の毛孔の一々の毛孔から、一切の仏国土の微塵の数に等しく、一切の仏国土における菩提を示現し、一切智者性に到達させる大いなる法への衝動を増大させる菩提の雲を放ちつつあるのを見た。

さて、善財童子は、この普賢菩薩の神通の境界における神変を見て、喜び、満足し、狂喜し、踊躍し、歓喜の心を生じた。繰り返し何度も普賢菩薩の身体を瞑想し、観察した。(すると)普賢菩薩の一々の肢体から、一々の肢体の分身から、一々の身体の部分から、一々の身体の部分の分身から、一々の肢体の部分から、一々の肢体の部分の分身から、一々の肉体から、一々の肉体の分身から、一々の毛孔から、一々の毛孔の分身から、風輪、(水輪、)地輪、火輪とともに、大海や大州や大河とともに、宝の山や須弥山や鉄囲山とともに、村、町、都市、王国、王都とともに、森や宮殿や人々の群とともに、地獄界、畜生界、ヤマ界、アスラ界、龍界、ガルダ界、人間界、天界、梵天界とともに、欲界、(色界、)無色界の領域とともに、基礎、基盤、形態とともに、雲や雷や星とともに、昼夜、半月、一月、年、中間劫、劫とともにこの三千大千世界が(化現するのを見た)。

また、この世界と同様に、東方に一切世界を見た。東方と同様に、南方、西方、北方、北東方、東南方、南西方、西北方、下方、上方に、普く一切諸方に一切世界が、一切の仏の出現、菩薩の説法会、衆生たちとともに、影像として(化現するのを)見た。さらに、この娑婆世界に、過去の果てに属するいかなる世界の連綿たる連なりがあるにせよ、そのすべてもまた、普賢菩薩の一々の大丈夫の相から、一切の仏の出現、一切の菩薩の説法会、衆生たち、宮殿、昼夜、劫とともに(化現するのを)見た。同様に、未来の果てに属する仏国土の広がり(が化現するの)を見た。

また、この娑婆世界において、過去の果てに至るまでに属するあらゆる世界の連なりを見るように、十方の一切世界において、過去の果てに至るまでに属するあらゆる世界の連なりが、普賢菩薩の身体から、一々の大丈夫の相から、一々の毛孔から、みごとに分かれ出て、互いに錯綜せずに(化現するのを)見た。

また、普賢菩薩が、尊き毘盧遮那如来の前で、大きな宝石の蓮華台の獅子座に座って、このような遊戯(ゆげ)神通(じんずう)を示現しているのを見るのと同様に、東方において、尊きバドラシュリー〔賢首〕如来が、パドマシュリー〔蓮華徳〕世界で、まったく同じ遊戯神通を示現しているのを見た。また、東方と同様に、普く一切諸方の一切世界において、一切の如来の足下で、普賢菩薩が大きな宝石の蓮華台の獅子座に座って、まったく同じ遊戯神通を示現しているのを見た。また、十方の一切世界において、如来の足下で、大きな宝石の蓮華台の獅子座に座って、まったく同じ遊戯神通を示現しているのを見るように、普く十方において、一切の仏国土の微塵の数に等しい(微塵の)一々の微塵中に、法界のように広大な仏の説法会において、一切の如来の足下に普賢菩薩を見た。

彼の一々の身体から、三世に亘る一切の事物が影像として化現しているのを見た。一切の(仏)国土も、一切の衆生も、一切の仏の出現も、一切の菩薩の説法会も影像として化現しているのを見た。一切の衆生の声、一切の仏の声、一切の如来の転法輪、一切の教誡と説示の奇蹟、一切の菩薩の行ない、一切の仏の遊戯神通を聞いた。

彼(善財)は、かの普賢菩薩の不可思議なる遊戯神通を見聞きした後、十の智波羅蜜住を獲得した。十とは何か。即ち、一心刹那の中に、(一)一切の仏国土に身体を遍満させる智波羅蜜住を獲得した。(二)一切の如来の足下に近づいて錯綜しない智波羅蜜住を獲得した。(三)一切の如来に供養し、奉仕する智波羅蜜住を獲得した。(四)一切の如来の一々の如来から、一切の仏法について質問を発し、(それを)受持する智波羅蜜住を獲得した。(五)一切の如来が法輪を転じるのを瞑想する智波羅蜜住を獲得した。(六)不可思議な仏の神変に関する智波羅蜜住を獲得した。(七)一切法の無尽蔵な雄弁により、未来の果てに属する劫まで威神力を働かせ、一法句を説く智波羅蜜住を獲得した。(八)一切の法の海を直証(じきしょう)する智波羅蜜住を獲得した。(九)一切の法界の真理の海に関する智波羅蜜住を獲得した。(一〇)一切の衆生の想念の中に入り、共住する智波羅蜜住を獲得した。彼は、一刹那のうちに普賢菩薩行を直証する智波羅蜜住を獲得したのである。

普賢菩薩は右手を伸ばして、このように(十)智波羅蜜住を身につけた、かの善財童子の頭の上にのせた。普賢菩薩が善財童子の頭の上に手をのせるや否や、直ちに一切の仏国土の微塵の数に等しい三昧門が(善財に)入った。

そして、一々の三昧により(善財は)一切の仏国土の微塵の数に等しい世界海に悟入した。また、一切の仏国土の微塵の数に等しく、未だかつて見たことがないほどの一切智者性の資糧が、彼の下に集積した。一切の仏国土の微塵の数に等しい一切智者性の法の生起が彼に見られた。(彼は)一切の仏国土の微塵の数に等しい一切智者性への大いなる出立により発心した。一切の仏国土の微塵の数に等しい誓願の海に悟入した。一切の仏国土の微塵の数に等しい一切智者性への出離道により出離した。一切の仏国土の微塵の数に等しい菩薩行を続行した。一切の仏国土の微塵の数に等しい一切智者性への衝動が増大した。一切の仏国土の微塵の数に等しい一切の仏智の輝きにより照らし出された。

また、この娑婆世界において、毘盧遮那世尊の足下にいる普賢菩薩が、右手を伸ばして善財の頭の上にのせたように、一切世界において一切の如来の足下に座っている普賢菩薩が右手を伸ばして善財童子の頭の上にのせた。同様に、普く一切諸方の、一切世界の微塵の中の一切世界においても、一切の如来の足下に座った普賢菩薩が右手を伸ばして善財童子の頭の上にのせた。

毘盧遮那世尊の足下にいる普賢菩薩が(右)手で触れると、善財童子が諸々の法門に悟入したように、一切の普賢(菩薩)の身体から広がった(右)手の雲が触れると、善財童子は様々な仕方で諸々の法門に悟入したのであった。

そのとき、普賢菩薩摩訶薩は、善財童子に次のように告げた。「善男子よ、汝は私の神変を見たか」

（善財は）答えた。「聖者よ、見ました。しかし、これほど不可思議なこの神変は、如来（のみ）がよくよく知ることができましょう」

彼（普賢菩薩）は述べた。「善男子よ、私は、不可説不可説数の仏国土の微塵の数に等しい劫の間、一切智者性の心を願い求めてきた。そして、一々の大劫において、菩提心を浄化して、不可説不可説数の仏国土の微塵の数に等しい如来方にお仕えした。一々の大劫において、一切智者性の功徳を積み重ね、一切喜捨を行ない、一切世間に令名をはせ、大供養祭を行ない、一切衆生に布施していた。一々の大劫において、一切智者性の諸法を願い求めて、不可説不可説数の仏国土の微塵の数に等しい喜捨、大いなる喜捨を行ない、このうえない喜捨を行なった。一々の大劫において、身命を顧みず、仏智を追求して、不可説不可説数の身体を喜捨し、大いなる王国を喜捨し、村、町、都市、国土、王国、王都を喜捨し、好ましく、いとおしい眷属の集まりを喜捨し、息子や娘や妻を喜捨し、自分の身体の肉を喜捨し、自分の身体から血を流して、求める者に喜捨し、骨や髄を喜捨し、手足や身体の各部を喜捨し、耳や鼻を喜捨し、両目を喜捨し、自分の口から舌根を喜捨した。一々の大劫において、一切世間に抜きん出る、このうえない一切智者性の身体を願い求めて、不可説不可説数の仏国土の微塵の数に等しい自分の頭部を自分の身体から喜捨した。

さらに、一々の大劫と同様に、不可説不可説数の仏国土の微塵の数に等しい大劫の海において、しかも、その一々の大劫において、不可説不可説数の仏国土の微塵の数に等しい如来を、最高の自在神となって、尊敬し、尊重し、恭敬し、供養し、衣や食物や寝具や座具や病人に必須の薬品などの必需品をさしあげた。そして、かの如来方の、この教えにおいて出家し、一切仏の教誡を修めた私は、彼らの教えを護持した。

善男子よ、思い起こすに、(私は)これほどの劫の海の間に、たとえ一心が生じる刹那でも、如来の教えに違背する(心)を生じたことはない。思い起こすに、これほどの劫の海の間に、たとえ一心が生じる刹那でも、憎悪を伴う(心)を生じたことはない。我執の心にせよ、我執を認める心にせよ、自他を区別する心にせよ、菩提の道から離れる心にせよ、生死輪廻の中に暮らすのに飽きる心にせよ、臆病な心にせよ、障害により惑わされた心にせよ、生じたことはない。但し、一切智者となるための資糧に対する不敗の智の無敵の蔵を有する菩提心は、この限りではない。

だから、善男子よ、実に私が過去世の修行の成就により仏国土の浄化を成し遂げたこと、私が大悲心を得て、衆生の救済、教化、浄化を成し遂げたこと、同様に、仏の供養と奉仕をしたこと、正法を追求するため師への孝順をなしたこと、正法を摂受するため身体の喜捨を実践したこと、正法を護持するため自分の命の喜捨を実践したことを説き明かせば、一切の劫の海が尽きてしまうであろう。

善男子よ、これほどの法の海の中の一字にせよ、一句にせよ、一切衆生の救済を実践し、自らの心相続の瞑想を実修し、現前に至高の法の獲得を成し遂げ、一切の世間的な智の光を開示するのに努め、一切の出世間の智を開示するのに努め、一切衆生に輪廻の楽を生じさせるのに努め、一切如来の功徳を讃える徳を実践する私が、転輪聖王の王国を喜捨して購うことができないものはないし、一切の所有物を喜捨して購うことができないものはない。同様に、私自身の過去世の修行の成就を説明すれば、不可説不可説数の仏国土の微塵の数に等しい劫の海が尽きてしまうであろう。

善男子よ、かくして、私は、このような資糧の力により、(善)根という原因の集積の力により、広大な深信の力により、功徳行の力により、一切法を如実に瞑想する力により、智眼(ちげん)の力により、如来の威神力により、大いなる誓願力により、大悲の力により、実に清浄な神通力により、善知識の摂取の力により、一切三世において純一無雑にしてまことに清浄な法身(ほっしん)を獲得した。また、一切世間に抜きんでて、一切の世の衆生の願いのままに顕現させ、一切処に随行し、一切の仏国土に広がり、普く基盤を置き、すべてのものに一切の神変を示現し、一切の世の衆生に喜ばれる、このうえなく清浄な色身を(獲得した)。

善男子よ、無辺の劫の海に生じ、百千コーティ・ニユタの多くの劫をかけても現し難く、示し難い、この(私の)身体獲得の成就をよく観察せよ。善男子よ、未だ善根を植えていない衆生たちは、私(の名)を耳にすることさえない。ましてや、(私の身体を)見ることはない。

善男子よ、私の名を聞くだけで、無上正等覚において不退転となる衆生がいる。見るだけで、触れるだけで、送りだすだけで、付き従うだけで、夢の中で名を聞くだけで、無上正等覚において不退転となる衆生がいる。ある衆生たちは、一昼夜私を憶念すれば、(仏道修行において)円熟に達する。ある者は半月間、ある者は一カ月間、ある者は一年、ある者は一劫、ある者は百劫、乃至、ある者は不可説不可説数の仏国土の微塵の数に等しい劫の間、私を憶念すれば成熟に達する。ある者は私を憶念するとき、一生で成熟に達する。ある者は百生で、乃至、ある者は(私を憶念するとき)不可説不可説数の仏国土の微塵の数に等しい転生の末に(仏道修行において成熟に達する)。ある衆生たちは、私の光明を見ることにより成熟に達する。ある者は光の放出の示現により、ある者は(仏国土の震動により、ある者は(私の)色身の示現により、ある者は歓喜により、成熟に達する。このように、善男子よ、実に仏国土の微塵の数に等しい方便により、衆生たちは無上正等覚において不退転となるのである。

善男子よ、実に、私の仏国土の清浄性について聞く者は、(その)清浄な仏国土に生まれる。私の身体の清浄性を見る者は、私の身中に生まれる。善男子よ、この私の身体の清浄なることを見よ」

そのとき、善財童子は、普賢菩薩の身体を瞑想し、観察した。(その)一々の毛孔の中に、仏の出現に満ちた不可説数の仏国土の海を見た。そして、(その)一々の仏国土の海の中に、菩薩の説法会の海に囲まれた如来方を見た。また、その仏国土の海が、様々な基礎の上に立ち、様々な形状をし、様々な荘厳を整え、様々な鉄囲山を有し、様々な雲と虚空に覆われ、様々な仏が出現し、様々な法輪の音がするのを見た。

また、一々の毛孔の中と同様に、すべての毛孔、(三十二)相のすべて、(八十)種好のすべて、身体の各部すべてにおいて、そして、(その)一々において、(仏)国土の海が、一切の仏国土の微塵の数に等しい仏身の化作された雲を放出し、十方のあらゆる世界に遍満させ、無上正等覚に向かって衆生たちを教化しているのを見た。

そこで、善財童子は、普賢菩薩の教訓と教誡に導かれて、普賢菩薩の身中にあるすべての世界に悟入し、衆生たちを教化した。ところで善財童子が、仏国土の微塵の数に等しい善知識方に近づき、まみえ、奉仕して(これまで獲得してきた)智の光明と善根の集積は、普賢菩薩にまみえるや否や(獲得した)善根の集積の百分の一にも及ばない。千分の一にも、百千分の一にも、百千コーティ分の一にも(及ばない)。数えることも、分けることも、計算することも、たとえることも、対比することもできない。

彼が最初に発心してから、普賢菩薩にまみえるまでの間に、ある限りの仏国土の海の系譜が(善財の中に)入ったが、それより(はるかに多い)不可説不可説数の仏国土の微塵の数に等しい功徳を有する仏国土の海の系譜が、各心刹那に、普賢菩薩の一々の毛孔の中に入ったのである。

また、一々の毛孔とまったく同様に、各心刹那に、すべての毛孔の中に(入っていく仏国土の海の系譜は)、不可説不可説数の仏国土の微塵の数に等しい世界を過ぎ、未来の果てに属する劫を化現させている世界を超える勇猛なる努力によっても、果てに達することはなかった。(仏)国土の海の系譜、(仏)国土の海の蔵、(仏)国土の海の区別、(仏)国土の海の融合、不可説不可説数の仏国土の海の出現、(仏)国土の海の消滅、(仏)国土の海の荘厳(の果てに達することはなかった)。仏誕生の海の蔵、仏誕生の海の融合、仏誕生の海の出現、仏誕生の海の消滅(の果てに達することはなかった)。菩薩の説法会の海、菩薩の説法会の海の系譜、菩薩の説法会の海の蔵、菩薩の説法会の海の区別、菩薩の説法会の海の融合、菩薩の説法会の海の出現、菩薩の説法会の海の消滅（の果てに達することはなかった）。衆生界への悟入、衆生の機根を毎刹那に知ることへの悟入、衆生の機根を知ることとの洞察、衆生の教化と成熟（の果てに達することはなかった）。甚深なる菩薩の神変に住すること、菩薩地を突き進む勇猛なる努力の海の果てに達することはなかった。

彼（善財）は、ある（仏）国土では、一劫の間すごし、乃至、ある（仏）国土では、不可説不可説数の仏国土の微塵の数に等しい劫の間すごした。そして、その（仏）国土から動くことはなかった。しかも、各心刹那に、周辺も中央もない（無数の仏）国土の海に悟入した。そして、衆生たちを無上正等覚に向けて教化した。

彼は、次第に（進んで）、ついに普賢菩薩行の誓願海との平等性にまで達した。一切如来との平等性、一切の（仏）国土に身体を行き渡らせる平等性、行を完成する平等性、菩提の神変を示現し行き渡らせる平等性、法輪を転じる平等性、雄弁を浄化する平等性、言葉を発する平等性、一切の音声の海を使用する平等性、（五）力と（四）無畏の平等性、仏の住居の平等性、大慈と大悲の平等性、不可思議なる菩薩の解脱の神変の平等性に達した[1]。

普賢行願讃　そのとき、普賢菩薩大士は、以上のような不可説不可説数の仏国土の微塵の数に等しい劫と劫の広がりと世界の連続を明らかにするために、さらに、詩頌を唱えて、誓願を立てた。

十方世界において（過去、現在、未来の）三世のすべてに属する、ありとあらゆる人中の獅子（である仏）たち、そのすべてに、身体も言葉も心も清浄な私は、残りなく礼拝します。（一）

普賢行の誓願の力によって、一切の勝者に（同時に）現前する心と、（仏）国土の微塵の数にも比すべき多量の身体により、私は一切の勝者に礼拝します。（二）

一つの微塵の先端に、（仏国土の）微塵の数に比すべき（多くの）諸仏が、仏子たちの中央に座し、法界全体が、残りなく（その）勝者方に満ちると、私は信じます。（三）

あらゆる音の海を伴う声で、かの（勝者方）に対する尽きることなき賞讃の海とかの一切の勝者方の功徳とを宣揚し、私は一切の善逝を讃えます。（四）

最上の華、最高の華輪、すばらしい楽器、塗香、傘蓋、最上の燈火、最高の練香により、私はかの勝者方に供養します。（五）

最上の衣、最高の香料、（高さが）須弥山に等しい抹香袋（の山）、とりわけ優れたあらゆる荘厳により、私はかの勝者方に供養します。（六）

無上にして広大なる諸々の供養は、一切の勝者に属すると私は信じます。普賢行の深信の力により、私は一切の勝者に礼拝し、供養します。　（七）

貪欲と瞋恚と愚痴のゆえに、身体と言葉と心により、いかなる罪を犯したにせよ、私はそのすべてを懺悔します。　（八）

十方（世界）において、世間の人々、（四諦をさとっても、まだ煩悩を断じ尽くしておらず、戒律、禅定、智慧の三学を未だ学ぶべき）有学、（もはや学ぶべきことのない）無学（の阿羅漢）、独覚、仏子（即ち菩薩）、さらに、一切の勝者たちが、いかなる福徳を得るにせよ、私はそのすべてに随喜します。　（九）

十方（世界）において、菩提を開き、無執着の境地に達し、世間（を照らす）燈火である、一切の主（である諸仏）に、このうえない（法）輪を転じるように私はお願いします。　（一〇）

寂滅（涅槃）を示そうとする（仏）方にも、一切世間の人々の幸福と安楽のために、（仏）国土の微塵の数に比すべき劫の間（この世に）おとどまり下さいと、私は懇願します。　（一一）

礼拝、供養、懺悔により、随喜、勧請、懇願により、積み重ねてきたいかなる浄業も、私はすべて菩提のために回向します。　（一二）

過去の諸仏、そして、十方世界に（現に）まします（諸仏）が供養されますように。また、未来（の諸仏）も、速やかに願いを叶え、菩提を開かれますように。（一三）

十方の、ありとあらゆる国土が、広大にして清浄でありますように。（それらの国土が）菩提樹の王の下にいる勝者や仏子らにより、満ちあふれますように。（一四）

十方の、ありとあらゆる衆生たちが、常に無病で安楽でありますように。そして、世の衆生の法に適った目的が成就しますように。願いが叶いますように。（一五）

私が菩提行を行なうとき、（五道輪廻の）すべての境遇における生を思い出しますように。いかなる生に転生しても、常に私は遊行者（ゆぎょうしゃ）となりますように。（一六）

一切の勝者から教えを受け、普賢行を満足させて、汚れなく清浄な戒行を常に完全無欠に修められますように。（一七）

神々の声、龍の声、ヤクシャやクンバーンダや人間の声、一切世間のありとあらゆる声、そのすべてにより、私は法を説きます。（一八）

すばらしい（十）波羅蜜（の修習）に専心する（私の）菩提を求める心が、決して惑わされることがありませんように。また、（修行の）障害となる悪業が、残りなく滅尽しますように。（一九）

業や煩悩や魔境から解き放たれて、（自由に）私は世間（の五）道を進みますように。

丁度、蓮華が(泥)水に汚されず、日月が虚空中で妨げられないように。(三〇)

十方にある限りの(すべての仏)国土において、一切の悪道の苦しみを鎮め、一切の世の衆生を安楽にして、一切の世の衆生の幸福のために私は修行しましょう。(三一)

衆生の行ないに随順し、(しかも)菩提行を満足させ、普賢行を修習(しゅじゅう)して、未来劫のすべてに亘って、私は修行しましょう。(三二)

私と同じ修行をする人々と、常に一緒になれますように。身体も、言葉も、心も(彼らと)同じ(普賢)行の誓願をもって、私は修行しましょう。(三三)

また、私の幸福を願い、普賢行を教示してくれる友達(である善知識)と、常に一緒になれますように。私は彼らに決していやな気持ちを起こさせません。(三四)

仏子らに囲まれた主、勝者方の現前に、私は常にまみえますように。そして、彼らに、未来劫のすべてに亘って、私は倦むことなく広大な供養をしましょう。(三五)

勝者方の正法を護持し、菩提行を説き明かし、普賢行を浄化して、未来劫のすべてに亘って、私は修行しましょう。(三六)

あらゆる生に輪廻しながら、福徳も智も無尽蔵となり、智慧、方便、三昧、解脱、そして一切の功徳も無尽蔵である宝庫と、私がなりますように。(三七)

一つの微塵の先端に、(仏国土の)微塵の数に比すべき(仏)国土があり、その(一々の仏)国土において、仏子らの中央に座す不可思議数の諸仏に、私は菩提行を修めつつ、まみえることができますように。(二八)

同様に、一切諸方の毛端に残りなくある、三世の量の仏の海、(仏)国土の海、劫の海に修行して、悟入できますように。(二九)

(聴衆と)同一の音声の海を発する一切の勝者の音声の浄化と、一切の世の衆生の願いのままに声を発する仏の無礙の弁才とに、常に悟入できますように。(三〇)

一切の三世に属する勝者方の、かの無尽蔵の声の響きの中に、(法)輪の真理を転じつつ、私は覚知の力により悟入できますように。(三一)

一刹那のうちに、未来劫のすべてに、劫に入るべき私が悟入できますように。三世の量の諸劫に、刹那の極みのうちに悟入し、修行できますように。(三二)

三世に属する人中の獅子(仏)たちに、私は一刹那のうちに、まみえることができますように。そして、(菩薩の)幻の解脱によって、彼らの境界に常に悟入できますように。(三三)

三世のみごとな(仏)国土の荘厳を、一つの微塵の先端に現出させられますように。同様に、一切諸方において、残りなく、勝者方の国土の荘厳に悟入できますように。

未来の世間(を照らす)燈火(である諸仏)は、(真理に)目覚めて、(法)輪を転じ、究極の寂静、寂滅を教示されますが、その一切の主に、私は親近いたします。(三四)

普く駆けめぐる神通力により、普き方向に向かう乗物の力により、普き功徳を具えた修行の力により、普く及ぶ慈悲の力により、(三五)

普く清浄な福徳の力により、無礙に働く智力により、智慧と方便と三昧の力により、菩提の力を集積し、(三六)

業の力を浄化し、煩悩の力を滅除し、魔の力を無力にし、私は一切の普賢行を完成できますように。(三七)

(仏)国土の海を浄化し、衆生の海を解放し、法の海を観察し、智の海に没入し、(三八)

修行の海を浄化し、誓願の海を満たし、仏の海に供養し、劫の海の間、私は倦むことなく修行できますように。(三九)

三世に属する勝者方が立てた優れた菩提行の誓願のすべてを、私は普賢行により菩提を開き、残りなく成満できますように。(四〇)

勝者方の長子、普賢という名の賢者と同じ修行をするため、私はこの一切の善(根)

を回向します(2)。

身体と言葉と心の清浄、行の清浄、(仏)国土の清浄、いかなる回向が賢者(普)賢にあろうとも、そのような(回向)が私に彼と同じようにありますように。（四二）

普く清浄な普賢行により、文殊(菩薩)の誓願を私が実践できますように。未来劫のすべてに亘って、私は倦むことなく、彼の仕事を残りなくすべて成満できますように。（四三）

(私の)修行は無量でありますように。功徳も無量でありますように。私は無量の修行を行なって、彼ら(仏菩薩たち)の神変を、すべて知ることができますように。（四四）

虚空の極みがどれほど遠くであろうと、また残りない(すべての)衆生(数)の極みが(どれほど多かろうと)、業や煩悩の果報がどれほど大きかろうと、私の誓願がそこまで届きますように。（四五）

十方にあり、宝石に飾られた無限の(仏)国土を、勝者方に献げましょう。さらに、天上界や人間界のすばらしい幸福を、(仏)国土の微塵の数に比すべき劫の間、献げましょう。（四六）

このような回向の王(である普賢行願讃(ふげんぎょうがんさん))を聴聞した後、至高の菩提を希求して、直（四七）

ちに深信を生じる人は、その福徳が最高かつ最勝でありましょう。（四八）

この普賢行願（讃）を護持する人は、（三）悪道を離れ、悪友たちを避けて、速やかにアミターバ〔無量光〕にまみえます。（四九）

彼らは容易に利益を得、幸福に暮らします。彼らは（再び）この人間の生に喜んで迎えられます。実に普賢（菩薩）がどのようであろうとも、久しからずして彼らもそのよう（な菩薩）になります。（五〇）

無知ゆえに、（すぐに結果の出る）五無間悪業をなしても、この普賢行（願讃）を唱えれば、速やかに消滅します。（五一）

彼は、智、美貌、（三十二）相、（そして、立派な）身分や家柄を具えた者となり、異教徒〔外道〕や魔の群に決して打ち負かされず、三界の何処においても供養されます。（五二）

彼は、速やかに菩提樹王の下に行きます。行って、（その下に）衆生利益のために座します。菩提を開き、（法）輪を転じます。魔とその軍勢をすべて打ち負かします。（五三）

この普賢行願（讃）を受持、読誦、もしくは教示するなら、その果報は仏（のみ）ごぞんじです。優れた菩提に（達することに）ついては、疑いを起こすことのありませんように。

勇者文殊が知るとおりに、かの普賢も（知ります）。私は彼らの教えを受け、この善根をすべて回向します。（五五）

三世に属する一切の勝者方により、最高の回向と賞讃されたゆえ、私はこの善根をすべて至高の普賢行のため、回向します。（五六）

そして、私が生命を終るとき、一切の障害を取り除き、かのアミターバ〔阿弥陀〕（仏）に直接まみえ、かのスカーヴァティー（仏）国土〔安楽刹〕（即ち極楽浄土）に、私が行けますように。（五七）

そこに行った（私の）眼の前に、これらの誓願がすべて完全にありますように。私はそれら（の誓願）を、残りなく成就して、（この）世にいる限りの（すべての）衆生の利益をはかりましょう。（五八）

その清浄で、喜ばしい仏の輪（マンダラ）のうちの、美しく、すばらしい蓮華の上に生まれた私が、そこでアミターバ勝者の面前で、授記（じゅき）を受けられますように。（五九）

そこで授記を受けた後、私は幾百コーティもの化（身）により、覚知の力により、十方において多くの衆生の利益をなし得ますように。（六〇）

普賢行願讃を唱えれば、私が積んだいかほどかの善（根）によっても、一瞬のうちに、

世の衆生の清浄なる誓願がすべて成就されますように。（六一）

普賢行（の果報）を回向して得られる、きわめて優れた無限の福徳によって、苦悩の暴流に沈潜した人々が、まさにアミターバの至高の都城〔無量光仏刹〕に赴きますように。（六二）

このように、尊き（普賢菩薩）が説かれた。（そのとき）善財童子は歓喜した。さらに、聖なる文殊を上首とする菩薩たち、聖なる文殊に教化され、成熟させられた比丘たち、聖なる弥勒を上首とする一切の賢劫の菩薩たち、聖なる普賢菩薩を上首とし、（法）王子の位に灌頂され、様々な世界に集まっている微塵の数に等しい大菩薩たち、聖なる舎利弗（しゃりほつ）や目犍連（もくけんれん）を上首とする大声聞たち、一切の聴衆、神々、人間、アスラ、ガンダルヴァを含む世間は、尊き普賢菩薩の説かれたことを喜んで信受した。(3)

『聖なるブッダーヴァタンサカ』という大法門〔大方広仏華厳経〕のうち、善財（童子）が善知識に親近する修行の部分を記す『聖なるガンダヴューハ』という大乗経宝の王が、得られたままに完了した。(4)

訳　注

第三十九章

（1）以下、「マーヤー王妃がルンビニー園に近づかれたとき」まで、サンスクリット文テキストは欠けているので、チベット語訳より補う。

第四十章

（1）「ゴーパー」はゴーピー、ゴーピカーともよばれる。シャカ族の女とも、ある小国の出身ともされる。釈尊がシッダールタ太子であったときの妃である。ただし、ヤショーダラが妃であったとする説が有力である。『首楞厳三昧経』では来世にふれ、ゴーパーは太子に誠実に仕えた善根によって、三十三天に生まれてゴーパカ天子になったという。

（2）蓮華蔵荘厳世界海のことで、仏に向かう者の最後の依り所となる世界をいう。

（3）以下は華厳教学の十重世界海（三千世界の他にある十世界、即ち、世界性、世界海、世界輪、世界円満、世界分別、世界旋、世界転、世界蓮華、世界須弥、世界相）に相当するが、必ずしも正確には一致しない。第三章（上巻）参照。

(4)「成就者」は修行によって八種の超能力(siddhi)を獲得した不死の半神で、一説では八万八千の成就者たちが太陽の北、七聖仙の南の虚空界を占めているという。

(5)一般には「やわらかな布」を意味するとされているが、ここでは学名 Abrus precatorius という植物の実のさやのうぶ毛と解した。カーチャリンディカともいう。

(6)「説法者」は、古来「法師」として親しまれてきた。この原語 dharma-bhāṇaka は大乗仏教で初めて使用されるようになったもの。小乗仏教の指導者が出家者、比丘で、おそらく禅定家であったのに反して、在家で大乗仏教の宣布に努めた新しいタイプの指導者像を示す。字義通り、何よりもまず「教えを説く者」であったと思われる。『法華経』の「法師品」第十に詳しい。

(7)「ダンダパーニ(執杖)」は、「杖を手にする者」警吏を意味するが、ここは人名で、一般にヤショーダラの父で、カピラヴァストゥの住人という。

(8)「サルヴァールタシッダ」は、釈尊の太子時代の名称。この名称は比較的後代に現れたもののようであり、普通は「シッダールタ」という。

(9)以下の詩頌は主として、「釈尊の因縁譚、威徳主太子と三十二相」以下を詩頌で再説したもの。劫、国、如来、王など固有名詞の名称は異なっているものが多い。

第四十一章

(1)「マーヤー」は、釈尊の生母。彼女が出産のために在所のデーヴァダハ(天臂城)の父、スプーティ王の下に行く途中で、ルンビニー園で釈尊が降誕された話は有名である。その後七日目に亡くなられ、忉利天に転生されたと伝えられる。このような伝説と、「幻」を意味するマーヤーという王妃の名称とが、この章のマーヤー王妃との出会いを、他の善知識の場合とはまったく異なる幻想的なものにしているのであろう。

(2)「意成身」は、肉体でなく、心(意)だけから成り、心によってつくられた身体。小乗仏教では中有の身体などをいうが、大乗仏教では意のままに生じる利他の菩薩の身体を指す。前注に触れたように、マーヤー王妃が既にこの世におられないことと内的関連があるものと思われる。

第四十二章

(1) 漢訳四十巻本にはこの個所に増広が見られる。以下四十九章まできわめて短い章が続くが、しばしば同様の現象がある。

第四十三章

(1) この善知識は次の善知識を紹介するだけで、彼独自のいかなる菩薩の解脱にも言及しない。

第四十四章

(1) 以下の四十二字門は、羅什訳『摩訶般若波羅蜜経』巻六「広乗品」十九にも見られるが、その思想的意味づけはまったく異なる。これがいかなる言語のアルファベットを表すものかについては、これまで数説が提示されているが、最近の成果に R. Salomon, "*New Evidence for a Gānd-*

harī Origin of the Arapacana Syllabary," Journal of American Oriental Society, Vol. 110.2, 1990がある。なお、「アラパチャナ」Arapacanaは、伝統的に文殊菩薩の異名とされる。

（2）他の四十二字門のリストでは「シュヴァ（śva）」となっている。

（3）他の四十二字門のリストでは「ジュニャ（jña）」となっている。

（4）チベット語訳では「不滅の文字の輪の辺際を観察する」と読める。

（5）チベット語訳では「スパ（spa）」となっている。

（6）「イサ（ysa）」という子音結合が梵語や他のインドの言語に見られないことから、『華厳経』のコータン語との関連が主張される根拠とされることがある。チベット語訳では「イマ（yma）」と読める。

第四十九章

（1）「真実の決断」あるいは「真実語」という考えは、初期仏教経典から大乗経典まで広く見出される。それは、大叙事詩『マハーバーラタ』中の「ナラ王物語」にあるように、「真実にかけて」という言葉を伴って発せられた言明は、神々といえどもその実現を阻止することはできないということである。

第五十一章

（1）八風、八法ともいう。利、衰（損失）、毀（陰口）、誉（陰でほめる）、称、譏、苦、楽。人の心を煽動するので風にたとえる。釈尊も降魔成道の際にこの八風に心を動かされなかったという。

(2)「カララ」は受胎後七日間の胎児、「アルブダ」は二週間目の、「ペーシー」は三週間目の、「ガナ」は四週間目の胎児をいう。

(3) ヴァイディヤ本では九十六頌が二つある。読者の参照の便を考慮して以下の番号は底本のまとする。

(4) すべての善を押し流すという意味で、具体的には、色などを対象とする識想(欲暴流)、三界の生存(有暴流)、邪見(見暴流)、四諦の無知(無明暴流)をいう。

(5)「ガンダマーダナ山」は、「芳香で酔い痴れる」という意味で、須弥山の東にあって、二地域の境界となる山の名。芳香を放つ森で名高い。

(6)「パーターラ」は、地下の七地獄の一で蛇などが住む。

(7)「カルシャ」は、重量の一単位で、約二八〇グレイン(一グレインは〇・〇六四八グラム)。

(8)「パーリヤートラカ」は、学名 Erythrina indica といわれ、六月頃に落葉し、一斉に深紅の長い穂の珊瑚のような花をつける。仏教では忉利天にあるとされ、根も茎も花もすべてが忉利天に香を薫ずる香木とされている。

(9)「コーヴィダーラ」は、学名 Bauhinia variegata で、黒檀の一種。ただし、大乗経典ではこの場合のように、注(8)のパーリヤートラカと同一視されることが多い。

(10)「パラ」は重量の一単位で、一パラは四カルシャ。注(7)参照。

(11)「マカラ」は、「摩竭魚」という海の怪魚で、人に危害を加え、時に鰐や鮫と混同される。

(12) 「アンジャナ」は、普通はまつげやまぶたに塗る眼薬、または化粧として塗る黒い染料であるが、ここでは、人や魔から見えなくする霊薬の意。

(13) 「ダーナヴァ」は「ダヌの子たち」の意味で、ダヌとカシュヤパ仙の間に生まれた巨人たち、即ち神々に敵対する悪魔。

(14) 「ヴィタスティ」は長さの一単位で親指の幅の十二倍ほどの幅。

(15) 「チャンパカ」は、学名 Michelia champaka で、黄華樹、金色華樹とも訳されるように黄色で芳香を放つ花をつける巨木という。

(16) 「バーラーハ」は、仏教神話上の馬の王で、羅刹女の島から衆生を救出する話は『ジャータカ』、『六度集経』に見える。

(17) ヤマの世界で罪人を拷問するのに用いられるという刺のある綿の灌木。

(18) 八大地獄の四門の外にある付随的地獄(増)の第三は鋒刃増(ふじんぞう)であるが、その中の第二で、風によって剣刃の葉が落ちると、衆生の四肢を斬り刺し、肉や骨がとれると、犬がそれを喰うという。

第五十三章

(1) 漢訳三訳には、サンスクリット文やチベット文テキストにない詩頌が約百ここに見出され、六十巻本と八十巻本は、それを結びの詩頌とし、本経を終る。四十巻本のみ、さらに、菩薩の修めるべき「十種広大行願」、即ち礼敬諸仏、称賛如来、広修供養、懺悔業障、随喜功徳、請転法輪、請仏住世、常随仏学、恒順衆生、普皆回向とその功徳を詳細に述べた後、サンスクリット文やチベット文テキストにあり、以下訳出する「普賢行願讃」で本経を終る。但し、漢訳の詩頌の順序はサンスクリット語テキストと若干異なる。「普賢行願讃」の研究は、主として日本人仏教学者の手によって進められてきたが、それらの成果をうけて、白石真道氏がサンスクリット語原典の校訂、研究、ドイツ語訳を発表している(『山梨大学学芸学部研究報告』第十一―十三号、一九六〇―一九六二年、『白石真道仏教学論文集』一九八八年所収)。

(2)　詩頌に先行する散文部分では、普賢菩薩が誓願を述べるということになっていたが、少なくともこれ以降の詩頌は普賢菩薩の誓願と理解することは困難である。無論、無数の普賢菩薩が存在するという『華厳経』の発想からすると、普賢菩薩が別の普賢菩薩と同化したいと願うと説明できないこともないが、その点は明言されていない。また、第四十八頌以降は「普賢行願讃」の様々な功徳を述べたものであり、そこに見られる阿弥陀仏や極楽浄土への言及は、『華厳経』全体の構想からすると唐突な感じを免れない。漢訳の六十巻本や八十巻本に見られないことからも、独立して存在していた「普賢行願讃」が、七世紀以降「華厳経入法界品」末尾に付加されていったと想像することが可能であろう。

(3)　この散文部分は、チベット語訳にはないが、四十巻本に見出される。

(4)　このコロフォンは、現行サンスクリット文刊本では、いずれも「『聖なるガンダヴューハ』という大法門のうち、……『聖なるガンダヴューハ』という大乗経宝の王が、云々」となっているが、チベット語訳のコロフォンや、松田和信氏が回収した「普賢行品」のサンスクリット文断片のコロフォン(「ダライラマ十三世寄贈の一連のネパール系写本について」『日本西蔵学会会報』

第三十四号)を参照して、「『聖なるブッダーヴァタンサカ』という大法門(大方広仏華厳経)のうち、」と訂正して訳した。

解説

桂　紹隆

一　はじめに

『華厳経』本文の最後の四分の一を占める『ガンダヴューハ』は、本来単独経典として存在していたが、四〇〇年前後におそらく西域のコータン(于闐国)で大本『華厳経』の原型が編纂されたとき、「入法界品」として他の諸品とともに組み込まれたものである。[1] この巨大な経典を梵語原典からすべて現代語訳しようという無謀とも言える提案を誰がしたのか今では記憶定かではない。中央公論社が「世界の名著」シリーズの第一巻『バラモン教典・原始仏典』、第二巻『大乗仏典』[2]の好調な売れ行きに触発されて、『般若部経典』を始めとする「大乗仏典」シリーズ十五冊[3]を刊行した後に、編集を担当してきた小野地英忠が、残された重要な梵語仏典を翻訳しようと思って、言い出したのかも知れない。梶山雄一(一九二五―二〇〇四)を中心に、同シリーズで『八千頌般若経(はっせんじゅはんにゃきょう)』

『法華経』『首楞厳三昧経』を担当した丹治昭義、『三昧王経』を担当した田村智淳（一九四一—二〇〇九）、『法華経』の一部を担当した桂紹隆、そして密教研究者で華厳思想に精通する津田真一が協力して、この膨大な経典を翻訳することになった。漢訳からの翻訳・研究はあっても、梵語原典からの翻訳・研究はほとんど皆無の状態で翻訳は困難を極めた。十年近い歳月を掛けて、ようやく一九九四年に中央公論社から『さとりへの遍歴　華厳経入法界品』というタイトルで上下二巻の出版にこぎつけた。

あれから三十年近い歳月が過ぎ、この間に少しずつではあるが、『ガンダヴューハ』の梵語原典からの研究は進んできた。何よりも画期的なのは、大量の仏典の梵語原典、漢訳、チベット語訳の電子テキストがオンラインで入手可能となり、『ガンダヴューハ』の異なるテキスト伝承の比較対照や各伝承内の語彙の網羅的検索が容易になったことである。難解な表現に関しては、広く他の仏典や古典インド文献に用例を探し、その背景を吟味した上で、意味を確定することができるようになった。一方、この間、梵語仏典や漢訳仏典の写本研究は著しい進歩を遂げている。これまで漢訳やチベット語訳でしか接することができなかった仏典の梵語写本がチベットの僧院やアフガニスタンの遺跡から発見され、校訂出版されるようになった。また、日本各地に存在する漢訳仏典の古写本が調査され、原典解釈の変更をも迫る重要な異読が発見され、報告されている。『ガンダヴューハ』の梵語原典に関しても、写本研究が少しずつ進行しているが、(4)本格的なクリティカル・エディションが登場するのはまだ先のことと思われる。(5)

岩波文庫版の『華厳経入法界品』を刊行するに当たって、電子テキストを利用した部分的改訳も可能であったが、共訳者のうち梶山と田村が既に仏国土へと旅立ったことを考慮して、中央公論社版の訳に表現の統一や読みやすさの工夫などの最小限の改変を加えるに留めた。本格的な改訳の刊行は、今後の課題としたい。

二　華厳思想と現代物理学

中央公論社から『さとりへの遍歴』を刊行したあと、共訳者はそれぞれ『ガンダヴューハ』に関する論文やエッセイを公表しているが、(6)なかでも梶山は、刊行直後から『華厳経』の柱となる思想の一つとして「神変」(prātihārya, vikurvita)(7)を取り上げ、矢継ぎ早に論考を発表した。(8)神変が初期大乗仏教におけるもっとも基本的かつ中心的な意義をもつ思想であると考え、その背景となっている仏教の宇宙論および仏陀観の発展を考察した上で、原始仏典から大乗経典、特に『維摩経』、『般若経』、『無量寿経』、『法華経』、そして『華厳経』に見られる神変思想の展開を詳述している。晩年、ホーキングの宇宙論やクローン技術など現代科学に深い関心を寄せた梶山は、その視線から仏教思想を検証しようと試みた。その一端は、「華厳経における仏・菩薩の奇跡」という講演録の末尾に見られ、「華厳思想と現代物理学」を論じて、最後に「神変の象徴的意義」について、次のように述べている。

私は大乗経典、とくに『華厳経』の仏の神変を読むたびに、それが宇宙の生成と発展を象徴しているのだ、という思いをもちます。仏の身体のある部分、たとえば毛孔から放たれた光明が全宇宙の果てまでも満ちわたる、ということは極微の初期宇宙が爆発して膨張を始めたということにきわめて似ているからです。光はある程度集合して束になってはじめて相互作用をおこないます。この作用をするために必要な光の束を光量子といいます——これはアインシュタインの発見で、彼はこの理論によってノーベル賞を得たのです。その光量子よりも小さな単位では光は作用いたしません。これは、粒子のエネルギーが低いときには作用せず、真空状態にとどまっているのと似ています。光は電磁気力エネルギーに他なりませんが、それも真空から励起して作用を開始するわけであります。

仏教では宇宙の諸世界に仏や菩薩がいるといいます。他方、現代の宇宙論では、地球以外の惑星に生命がある、ということはまだ発見されていませんので、どうしてこの地球に生命が生まれ、人間のような知的生命まで進化したかはよく分かっていません。もちろん、地球以外の惑星に生命の存在することが将来発見される可能性も否定されません。しかし有力な理論のひとつは、生命は微生物の形で宇宙から降ってきて地球において進化した、といいます。またはじめは二酸化炭素に満ちていた地球の大気のなかに酸素ができてきて、数十パーセント含まれるまでになったのは微生物や植物の光合成によって可能になったのです。分子生物学では、遺伝子(DNA)からリボ核酸(RNA)に託される遺伝情報は、四種類の塩基のうちの三種類の組合せ暗号になっていますが、この三塩基暗号は人間を含む動物・植物・微生物に共通していることが発見されています。仏教は人間も動物も同じ衆生であるとして、その間に区別を設けず、また大乗仏教になりますと、山川草木もことごとく成仏する、といいます[9]。そしてそのような生命が宇宙に満ちている、宇宙に仏・菩薩が無数にいる、ということもけっして荒唐無稽なことではありません。

『華厳経』の相即相入の思想では、一瞬のうちに無限の時間がおさまり、過去・未来が現在に収まる、といいます。このことは現代の物理学のいうこととあまり変わりません。光も一秒間に三十万キロという有限な速度で走りますから、われわれが今みている遠い銀河の光はじつははるかな過去に放たれたものなのです。宇宙の天体を見るということは、じつは、宇宙の過去を見ていることなのです。現代では百億光年から二百億光年も遠い距離にある銀河を見ることができますが、それはわれわれが百億から二百億年前の宇宙を現在見ていることです。そうであれば無限の過去が現在の一瞬に収まっているにちがいありません。未来において宇宙が膨張を止めて収縮に転じ、やがてはビッグクランチにおいてもとの極微の宇宙あるいは特異点にまで収縮すると予想することは、未来が現在に収まっていることであります。

太陽はいずれはその核融合反応の燃料を使い尽くすか、あるいは爆発して死んでしまいます。当然、地球は太陽と運命を共にいたします。それはあと五十億年ほどすれば必ず起こることであります。しかし、太陽や地球が壊滅したあとにのこる塵や粒子はやがて集まってふたたび恒星や惑星をつくります。驚くべきことに仏教は地球の輪廻――地球が成立・存続・壊滅・空無の四期を経てふたたびあらたに成立することを二千年前から説いていました。そして、地球が壊滅して空無に帰するとき、あらゆる衆生は救済される、といいました。それは実は空より生まれた衆生が空によって救われるということなのであります。その地球の最後の空を、いまこの世でさとって救われることを仏教は説いているわけです。現代の物理学者が理論と実験によって知り始めたことを、二千年前の仏教者は瞑想において直観していたのであります。

（『梶山雄一著作集第三巻　神変と仏陀観・宇宙論』一〇〇―一〇二頁）

このように現代物理学や生物学の成果と『華厳経』の思想を、たとえ「象徴的」にせよ、個々に対応させることは、おそらく科学者にも華厳思想の研究者にも容易に受け入れられないだろう。しかし、ここに提示されているような仏教と科学との接点の探究は決して否定されることはない。梶山の弟子の一人、化学出身の仏教学者である佐々木閑は、「合理性を絆として、科学と仏教は同一の世界観に立つことができる」[10]と宣言して、生物学者や物理学者との対話を通して、仏教の現代的意義を追求している。[11]また、少年時代から科学に深い関心を寄せてきたダライ・ラマ十四世も、現代科学の知見によって仏教の伝統的な宇宙論などが修正されねばならないことを認めつつ、仏教の瞑想という伝統と現代科学は根源的には共通性があると考えて、仏教の「瞑想の科学」[12]と脳神経科学や認知科学との共同研究を推奨し、科学者たちとの対話を実践している。

三　法界と神変

『華厳経』については、我が国で既に多くの研究書や啓蒙書が書かれているが、『ガンダヴューハ』に関する限り、梵語原典にもとづく本格的な研究書や啓蒙書は公表されていない。一方、欧米では、泉芳璟(一八八四—一九四七)と共に『ガンダヴューハ』の梵語原典の校訂本[13]を出版しつつあった鈴木大拙(一八七〇—一九六六)が、『禅論文集』第三巻(Essays in Zen Buddhism: Third Series, London, 1934)[14]において、『ガンダヴューハ』の内容を紹介しながら、東アジアの『華厳経』理解にもとづき『華厳経』独特の世界観/宇宙観を「相即相入」(interpenetration)[15]という概念で説明し、本経第五十一章で弥勒菩薩の毘盧遮那荘厳蔵という大楼閣に入ったスダナ(善財童子)が経験する不可思議な神変をその具体例として提示している。また、中央に置かれた鏡に映った燈火の光が周辺に置かれた鏡に映り、そのように映った火がさらにそれぞれ別の鏡にも映っていく、映像と映像との間の相互作用を示して、法蔵(六四三—七一二)が則天武后(六二四—七〇五)に「相即相入」を説明したという有名な逸話にも触れている。[16]さらに澄観(七三八—八三九)に帰せられる「四法界」(事法界、理法界、理事無礙法界、事事無礙法界)という考えにもとづいて、『華厳経』の中心思想である「無礙」の観念も詳しく解説している。[17]大拙を生涯の友とした西田幾多郎(一八七〇―一九四五)も華厳の「事事無礙法界」の考えに強い関心を持ち、晩年には「多即一一即多の矛盾的自己同一の論理は、現実の世界の論理である」と明言している。[18]

鈴木大拙が英語で著した仏教書が、欧米における仏教理解の深化に果たした役割は計り知れない。第二次世界大戦後の北米で仏教に共感を覚え、仏教研究を目指した若者達の多くは、大拙の影響下にあったと言っても過言ではない。梶山雄一が本書上巻の解説で言及した、ルイス・ゴメス(一九四三―二〇一七)もその一人である。大拙同様に臨済禅を生涯実修したゴメスであるが、彼が若くしてイェール大学へ提出した博士論文も『ガンダヴューハより選ばれた詩頌：テキスト、本文批評、翻訳』(Selected Verses from the Gaṇḍavyūha: Text, Critical Apparatus and Translation, 1967)であった。ゴメスの研究は、東アジア仏教の伝統に依拠した鈴木大拙とは違って、十九世紀にヨーロッパで完成された仏教文献学によって『ガンダヴューハ』の梵文テキストを解析し、その思想を解明しようとする最初の試みであった。同論文は、ついに公刊されることはなかったが、十年後、「菩薩――神変を行う者」(The Bodhisattva as Wonder-worker)[19]という論文を著して、ゴメスは『ガンダヴューハ』の思想を明らかにしている。

ゴメスによると、『ガンダヴューハ』に登場する「善知識」と呼ばれる多くの菩薩たちは、「菩薩の解脱」（ボーディサットヴァ・ヴィモークシャ）と総称される様々な神変を善財童子に示現するが、それはすべて「幻影」（マーヤー）である、と同時に善財を解脱へと導く入り口であった。なお、同論文におけるゴメスの最大の功績は、神変についてではなく、華厳思想の最重要概念である「法界」（ダルマ・ダートゥ）について明確な解釈を提示したことであった。彼によると、『ガンダヴューハ』の説く法界には二つの様相があり、無区別で純一な法界と、その「現れ」（manifestation）である様々な区別を内包する法界とである。前者は、仏を構成する諸法（ダルマ）の全体であり、無自性・無区別である法身（ダルマ・カーヤ）に等置され、諸仏の徳の基礎、様々な現れの背後にある形而上学的基盤とされる。後者は、仏に備わる完成された徳性（ダルマ）の集まりであり、神変において様々な形で現れる仏・菩薩の目に見える色身（ルーパ・カーヤ）に等置される。色身は、法界に内在する、神変を引き起こす力であり、これによって、仏・菩薩はあらゆる世界に遍満して、それらが相即相入する様を示現するのである。[20]

　初期仏教では、法界は十八からなる存在の構成要素の一つであり、意識が意根によって認識する対象、即ち観念であったが、大乗仏教になると、「法界」は「諸法の基盤（foundation）、根源（source）、原理（principle）」という意味で、「真如」（タタター）、

「法性」(ダルマター)、「空性」(シューニャター)そして「涅槃」(ニルヴァーナ)など究極的真理や目的を表す語と等置されるようになった。ゴメスの言う、無区別な法界はこれに相当する。一方、有区別な法界は、仏や菩薩と彼らの威神力(いじんりき)によって現れる様々な神変に満ち溢れる「領域」(region, realm)である。かくして、法界は究極的真理であると同時に、その真理が遍満し顕現する領域(宇宙)でもある。

『ガンダヴューハ』は、「法性、法界、仏性、そして菩薩道が同じであると確立することを目指している」とゴメスは結論づけ、最後に『ガンダヴューハ』における菩薩道を説明するため、第三十九章「ルンビニーの森の女神」に説かれる「菩薩誕生の十の神変」を翻訳している。

八世紀にインドネシアのジャワ島で建造されたボロブドゥル遺跡は、『ガンダヴューハ』の善財童子の旅をモチーフとしたレリーフ群で有名である。ゴメスは一九七四年にボロブドゥルに関する国際会議を開催し、「ボロブドゥルのデザインにおける『ガンダヴューハ』の役割に関する所見」(Observations on the Role of the Gaṇḍavyūha in the Design of Barabudur)[21]という論考を公表し、ボロブドゥル遺跡は、弥勒菩薩の毘盧遮那荘厳蔵大楼閣によって象徴される『ガンダヴューハ』の法界のヴィジョンを具体化したものであると示唆している。

ゴメスの『ガンダヴューハ』に対する関心は終わることはなかった。二〇一一年に刊行された学術雑誌の特集「南アジアおよび東南アジア仏教における奇跡と超人力」に寄せられた五つの論文にコメントした後[22]、『ガンダヴューハ』第三十三章「第三の夜の女神」の「菩薩の解脱」の記述にもとづいて、菩薩の神変が様々な仏教教理に関わることを指摘した上で、『ガンダヴューハ』というテキストは、「菩薩の解脱」によって、空想的な出来事とそれに対する読者(聴衆)の反応を可能にし、さらには読者自身を変容させるという形で、テキストは読者に反応していると理解できると結論づけている[23]。あたかも『ガンダヴューハ』とその読者(聴衆)の間に相即相入の関係を想定しているかのようである。

四　宝石の世界と力・富・女性

仏教だけでなく、インドの諸宗教の文学や芸術に精通するフィリス・グラノフは、その該博な知識にもとづいて、一九九八年に『ガンダヴューハ』に頻出する「宝石」に注目し、「弥勒の宝石の世界：仏教文献における宝石とヴィジョン考」という論文を公表している[24]。既に述べたように、弥勒菩薩の毘盧遮那荘厳蔵大楼閣の中に入った善財童子は、無数の同じような楼閣が、互いに妨げあうことなく、そのすべての表面に影像として現れるのを目にするのであるが、グラノフはその大楼閣が宝石に満ち溢れていることに注目する。さらに、本経第四十一章に登場する菩薩の母マーヤー王妃の宝石からなる楼閣と彼女の宝石のような身体、第五章で三昧に入ったムクタカ長者の清らかな身体に十方の無数の仏が、互いに妨げあうことなく、現れること、そして、第十章でマイトラーヤニー童女の宝石からなる毘盧遮那蔵宮殿の一つ一つの事物にあらゆる仏が映るという記述を踏まえて、宝石が『ガンダヴューハ』において重要な役割を果たすことを指摘している。また、類似の発想がインドの宗教文献に広く見られることも指摘している。最後に、弥勒菩薩の毘盧遮那荘厳蔵大楼閣における神変ではなくて、第五十三章の普賢菩薩の身体にすべてが現れる神変こそが、『ガンダヴューハ』において善財童子が経験する最高のヴィジョンであったと述べ、次のような言葉で論文を終えている。

仏と普賢菩薩の身体は宝石からなる身体である。宝石と同じように、仏や普賢菩薩の身体は、宇宙にある諸事物をその中に現し出し、かつ、それらを外に映し出すことがわかった。そのような身体は、他の事物の影像を受容し、かつ反射する表面でもあると同時に、それ自身も影像である。『ガンダヴューハ』の完成された世界は、インドの宗教文学や世俗文学において、同時に、反映であり、反映する表面であり、事物を生み出す母体でもある唯一のもの、宝石の世界とぴったり一致するのである。[25]

(Granoff, p. 364)

グラノフの論考の独創性は、『ガンダヴューハ』に頻出する宝石が持つ、華厳思想の根本に関わる重要な意味と、同経最終章「普賢菩薩章」の「弥勒菩薩章」をも超える存在意義を指摘した点にある。

ゴメスやグラノフとは全く異なる視座から『ガンダヴューハ』を分析したのは、ダグラス・アストウであった。ロンドン大学の東洋アフリカ学院に提出した博士論文をもとにして出版した『インド大乗仏教における力、富、女性　ガンダヴューハ』(*Power, Wealth and Women in Indian Mahāyāna Buddhism, The Gaṇḍavyūha-sūtra*, Routledge Critical Studies in Buddhism, 2008)において、アストウは、大乗経典を一種の文学と見なし、文学はある社会体制において存在し、具体的なテキストの制作には後援者が必要であるという二つの前提に立って、『ガンダヴューハ』が作成された歴史的背景や社会的状況を推定しようと試みる。その際にキーワードとなったのが「力」「富」「女性」であった。

アストウは、「力」という語で仏・菩薩の「威神力」(アディシュターナ)を意味し、その力に応じて、毘盧遮那仏は法界の王、文殊菩薩と普賢菩薩は王を支える二大臣、弥勒菩薩は皇太子、そして善知識たちは王国の役人に割り当て、『ガンダヴューハ』の中に一種のスピリチャルな王国を想定する。これは『ガンダヴューハ』が仏教教団の支援者であった王や王族の為に作成されたという、アストウの結論に連なるものである。『ガンダヴューハ』に満ち溢れる宝石に弥勒菩薩の毘盧遮那荘厳蔵大楼閣と同じ働きを読み込んだグラノフとは違って、アストウは、宝石を「富」そのものと理解し、主人公が長者の子で、その名前「善財」(スダナ)が「大富豪」という意味であることも考慮して、『ガンダヴューハ』は仏教教団を経済的に支援する都市の富裕層を意識して作成されたと考える。さらに、善財童子が訪ねていく善知識の半数近くが女性であり、王家と何らかの関係にあるか、経済的に豊かであることに着目して、『ガンダヴューハ』はそのような女性たちを読者として想定していると考えている。結論として、『ガンダヴューハ』は、女性が重要な役割を果たしていた、都市の富裕なエリート層という後援者たちのために、出家僧によって作成されたと言う(Osto, p. 12)。これは大乗経典の成立に関するユニークな提言でもある。[26]

アストゥのこのような解釈は、一見強引な推理という印象を与えるが、『ガンダヴューハ』がアジア各地で、統治者や民間の支援なしには実現されない、巨大な仏教遺跡や優れた芸術作品を生み出したことは、彼の想定した『ガンダヴューハ』の読者が現実化した証しと言える(Osto, p. 121)。既に触れたボロブドゥルの遺跡[27](八世紀)だけでなく、中国の龍門石窟(七世紀)、敦煌莫高窟(九世紀)、日本の東大寺(八世紀)、西チベット・スピチ地方のタボ寺(十一世紀)に、次々と『ガンダヴューハ』にもとづく仏像、レリーフ、壁画が登場している。なかでもタボ寺については、二十世紀後半から、日本やヨーロッパの研究グループが調査・研究を重ねてきた[28]。特にウィーン大学とイタリアの中近東・極東研究所の共同プロジェクトは、世界中の研究者の協力を得て、優れた成果を発表している[29]。

同プロジェクトの主要メンバーの一人であるエルンスト・シュタインケルナーは、タボ寺大日堂の『ガンダヴューハ』の善財童子の遍歴を描いた壁画の各画面に付けられたチベット語のテキストを同経の各章に同定し、校訂出版している[30]。彼は、さらに、壁画が作成された背景に、十世紀後半から西チベットを支配下に置いた王族の政治的動機があったという仮説を提案する。それは、善財童子のような菩薩の志願と行動を広めることにより、人々に新しい価値観を受け入れさせ、王国として統合することであった。タボ寺を改装したジャン・チュップ・ウー(Byang chub 'od)王は、同寺の創建者であるイェ・シェー・ウー(Ye shes 'od)王を(利他行を具現する)「菩薩」と呼んでいるが、彼は善財童子の遍歴図により、タボの人々に生き方とその目的の視覚的なモデルを提示しようとしたのであり、それは当時の支配者たちが適切かつ健全であると考えた理想的な生活様式と価値観であった、とシュタインケルナーは考えている[31]。『華厳経』が、アジア各地の統治者によって広く受け入れられ、様々な遺跡として残っている背景には、シュタインケルナーが指摘するような、政治的動機があったと考えられる。

華厳思想の研究者である石井公成は、近代日本において、華厳思想が国家主義(ナショナリズム)と結びついて利用されたのは、『華厳経』の「相即相入」「一即多、多即一」の思想が「八紘一宇」「大東亜共栄圏」などの全体主義的思考と容易に結び付けることができたからであると指摘している[32]。一方、近代中国では章太炎(しょうたいえん)(一八六九―一九三六)のように、『ガンダヴューハ』に見える菩薩行こそ、清朝における満州族支配を打倒して漢人の国家を打ち立てる「排満興漢」の革命が模範とすべき精神だとする主張もあったことに注意している[33]。

なお、仏教の本質は非社会性であると主張する廣澤隆之は、『ガンダヴューハ』が描く「如来の神変」、神秘的な現象を「夢」や「幻」のような幻想(ファンタジー)と捉えて、次のように言う。

幻想は絶対的根拠をすべて失っていると思われがちである。そして、それが根拠として無であるにすぎないのに、そこに生を根拠づけるなら、それは世間の価値を無化するニヒリズムへと傾斜することにもなりがちである。しかし、『華厳経』はこの幻想を共有する信仰共同体に真実が顕現し、絶対的な存在の根拠が開かれていることを確信し続ける叙述に徹底する。換言するならば、釈尊によって開示された幻想としての救済の場に実践的に果敢に自己を投げ出すことで、その幻想は究極のリアリティになると確信される。(34)

廣澤は、『ガンダヴューハ』に登場する菩薩たちを「幻想を共有する共同体」であると規定し、そこには社会批判や社会思想の生まれる余地はないと明言する。

五　あとがき

以上、伝統的な華厳解釈とは少し異なる、『ガンダヴューハ』の解釈を紹介したが、これに尽きるわけではない。この巨大な経典からは「無尽蔵」の理解が生み出される可能性がある。例えば、『インドの数学　ゼロの発明』[35]の著者である、インド数学研究者の林隆夫は、『華厳経阿僧祇品』や『ガンダヴューハ』第七章「アーシャー優婆夷」、第十二章「インドリエーシュヴァラ童子」に登場する膨大な数詞のリストを分析して、「華厳経の平方進法による数詞の定義について」(『数学史研究』第二四〇号、二〇二一年)という論文を著している。また、外村中は、科学思想史・芸術文化史の視点から「漢譯『華嚴經』の原典『ブッダ・アヴァタンサカ・スートラ』の佛身論と宇宙論について」(『東方学報』第九三巻、二〇一八年)で、『華厳経』の仏身と宇宙に関する基本情報を整理し、その概要を提示している。

『ガンダヴューハ』は、善財童子が訪問する都市や建造物の構造、僧院の様相に関する具体的な記述が頻出し、さまざまな宝石や装飾品、香料、食料などが言及され、蓮華の構造が細部にわたって記述されるなど、中世インド文化を解析するための多くの情報を提供してくれる。また、本経に言及される無数の仏・菩薩・三昧については、他の大乗経典の同様のリストとの対照研究が期待される。さらに、アストウが試みた本経に繰り返し登場する「定型句」の分析(Osto. pp. 43-47)のような文学スタイルの研究は、複雑多様な大乗経典に共通する特徴の解明に寄与するであろう。

ここに訳出した『華厳経入法界品』は、「大乗仏教の極致」と呼ばれるものの、その規模も内容も容易に読み通せるものではないが、既に述べたように、さまざまな視点から、さまざまな関心を持って読むことができる経典である。多くの読者が、それぞれの視点から、それぞれの関心を持って、この訳業を読み継がれることを期待する。最後に、本書の文庫化を企画し、実現してくださった岩波書店の鈴木康之氏、『華厳経入法界品』の初訳の刊行に尽力され今は亡き梶山雄一先生と田村智淳氏、そして、最新の研究情報を教えてくださった木村清孝・石井公成両先生に深甚の感謝の意を表する。

二〇二一年七月

『ガンダヴューハ』参考文献

『ガンダヴューハ』の梵語原典からの和訳として、次のものがある。

- 真野龍海「『華厳経』「入法界品」(1)」『仏教文化研究』第三七号、一九九二年
- 同「梵文『入法界品』第八・九章」『大正大学研究紀要・人間学部・文学部』第七九号、一九九四年
- 同「梵文『入法界品』第一〇章・一一章・一三章(試訳)」『仏教文化の展開：大久保良順先生傘寿記念論文集』一九九四年
- 同「梵文『入法界品』第一二・一四・一五・一六章(試訳)」『仏教教理思想の研究：佐藤隆賢博士古稀記念論文集』一九九八年
- 同「梵文『入法界品』第一七・一八・一九・二〇章(試訳)」『浄土学〈阿川文正教授古稀記念論集『法然浄土教の思想と伝歴』〉』第三七─四一輯、二〇〇一年
- 同「梵文『入法界品』第二一・二二章(試訳)」『仏教学浄土学研究：香川孝雄博士古稀記念論集』二〇〇一年
- 同「梵文『入法界品』第二三・二四・二五章(試訳)」『佐藤良純教授古稀記念論文集：インド文化と仏教思想の基調と展開』第一巻、二〇〇三年

・同「梵文『入法界品』第二六・二七章(試訳)」『小野塚幾澄博士古稀記念論文集：空海の思想と文化』下巻、二〇〇四年

『ガンダヴューハ』個別章の研究として、次のものがある。

・小林圓照「Gaṇḍavyūha におけるムクタカの法門」『印度学仏教学研究』第四二巻第一号、一九九三年

・同「Gaṇḍavyūha におけるサーラドヴァジャ比丘の法門」『宗教研究』第六七巻第四号、一九九四年

・同「Gaṇḍavyūha におけるスダルシャナ比丘の法門」『印度学仏教学研究』第四五巻第一号、一九九六年

・同「入法界品メーガ章にみられる燃灯授記の影響」『印度学仏教学研究』第四八巻第一号、一九九九年

・同「求法太子譚とガンダヴューハの勝熱章」『宗教研究』第七二巻第四号、一九九九年

・同「華厳経入法界品における仏母マーヤーの胎蔵世界」『宗教研究』第七三巻第四号、二〇〇〇年

・同「『華厳経入法界品』における第二十九番目の善知識、大天：ヴァースデーヴァ・クリシュナ神の大乗的変容」『南都仏教』第一〇〇号、二〇一八年

ダグラス・アストウの『ガンダヴューハ』に関する研究には、次のものがある。

Soteriology, Asceticism and the Female Body in Two Indian Buddhist Narratives, *Buddhist Studies Review*, vol. 23, 2, 2006, pp. 203-220.
The Supreme Array Scripture: A New Interpretation of the Title "Gaṇḍa-vyūha-sūtra", *Journal of Indian Philosophy*, vol. 37, 2009, pp. 273-290.
"Proto-Tantric" Elements in The Gaṇḍavyūha-sūtra, *Journal of Religious History*, vol. 33, 2, 2009.
A New Translation of the Sanskrit Bhadracarī with Introduction and Notes, *New Zealand Journal of Asian Studies*, vol. 12, 2, 2010, pp. 1-21.

そのほかに、序章冒頭、第一章、第五十二章、第五十三章の英訳をネット上に公開している。

一般読者向けの『華厳経』の入門書・解説書

- 鎌田茂雄・上山春平『仏教の思想6　無限の世界観〈華厳〉』角川書店、一九六九年、再版：角川ソフィア文庫、一九九六年
- 木村清孝『華厳経入門』角川ソフィア文庫、二〇一五年
- 末綱恕一『華厳経の世界』春秋社、一九五七年
- 鈴木大拙著　杉平顗智訳『華厳の研究』法藏館、一九五五年、再版：角川ソフィア文庫、二〇二〇年
- 竹村牧男『華厳とは何か（新装版）』春秋社、二〇一七年
- 玉城康四郎『永遠の世界観・華厳経』筑摩書房、一九六五年
- 廣松渉・吉田宏晳『仏教と事的世界觀』朝日出版社、一九七九年
- 藤丸要編『華厳　無礙なる世界を生きる』龍谷大学仏教学叢書5、二〇一六年
- 森本公誠編『善財童子　求道の旅』（朝日新聞社、一九九八年）は、東大寺所蔵の『華厳五十五所絵巻』の各場面を挿絵とし、中央公論社版『さとりへの遍歴』を底本として該当箇所の要旨を書き加えたものであり、絵巻を楽しみながら『ガンダヴューハ』の概要を知ることができる。

注

（1）『華厳経』が四—五世紀に西域で編纂されたという通説には、異論が提示されている。Peter Skilling and Saerji, The Circulation of the *Buddhāvataṃsaka* in India,「創価大学国際仏教学高等研究所年報」pp. 193–216, 2013.

『華厳経』を構成する諸品がインドにおいて単独経典として流布したこと、それ以前に『華厳経』とテーマを共有する「小華厳経」とも呼ぶべきものが存在したこと、『華厳経』が西域ではなくてインドで編纂された可能性については、次の論文を参照されたい。

Imre Hamar, ed., *Reflecting Mirrors: Perspectives on Huayan Buddhism (Asiatische Forschungen)*, Wiesbaden, 2007, Jan Nattier, Indian Antecedent of Huayan Thought: New Light from Chinese Sources, pp. 109–138, Imre Hamar, The History of the *Buddhāvataṃsaka-sūtra*: Shorter and Larger Texts, pp. 139–168, Ōtake Susumu, On the Origin and Early Development of the *Buddhāvataṃsaka-sūtra*, pp. 87–107.

（2）長尾雅人編『世界の名著1　バラモン教典・原始仏典』中央公論社、一九六九年。長尾雅人編『世界の名著2　大乗仏典』中央公論社、一九六七年。

（3）『般若部経典』『八千頌般若経1・2』『法華経1・2』『浄土三部経』『維摩経・首楞厳三昧経』『十地経』『宝積部経典』『三昧王経1・2』『如来蔵系経典』『ブッダ・チャリタ』

『龍樹論集』『世親論集』一九七三年―一九七六年。

(4) 堀伸一郎 Gaṇḍavyūha-Fragmente der Turfan-Sammlung,『国際仏教学大学院大学研究紀要』第五号、二〇〇二年、同「華厳経原典への歴史」『シリーズ大乗仏教4 智慧/世界/ことば』春秋社、二〇一三年他。庄司史生「立正大学図書館所蔵河口慧海将来文献の研究(1)―梵文『華厳経入法界品』写本の翻刻と対校(1)―」『法華文化研究』第三九号、二〇一三年、「同(2)」『法華文化研究』第四二号、二〇一六年。

(5) 今後の『入法界品』研究に資するであろう、長谷岡一也『華厳経入法界品梵蔵漢対照索引』(法蔵館、二〇二〇年)が刊行された。

(6) 津田真一「『華厳経』「入法界品」における弥勒法界の理念とその神論的宇宙論的意味」『国際仏教学大学院大学研究紀要』第一号、一九九八年。

田村智淳「華厳経の国土観」『日本仏教学会年報』第五八号、一九九二年、「『華厳経・入法界品』における「威神力」」『インドの文化と論理:戸崎宏正博士古稀記念論文集』二〇〇〇年。

桂紹隆「華厳経入法界品における誓願」『日本仏教学会年報』第六〇号、一九九五年、「華厳経入法界品における仏伝の意味」『禅学研究 特別号 仏教の思想と文化の諸相 小林圓照博士古稀記念論集』二〇〇五年。

(7) 「神変」については、本書上巻二八頁の解説を参照されたい。相当する梵語としては、prātihārya, vikurvaṇa, vikurvita が考えられるが、『華厳経』など大乗経典では vikurvaṇa,

vikurvita が頻出する。仏や菩薩が、衆生を教化するために、「威神力／加持」(adhiṣṭhāna)や「神通力」(ṛddhi, abhijñā)などによって、この世のものとは思われない不思議な(acintya)情景を現出することである。本翻訳では、「神変」(vikurvaṇa, vikurvita)と区別して、prātihārya を「奇蹟」と訳している。原始仏典から初期大乗経典にまで見られる「三種の奇蹟」(神通の奇蹟、人の心を読み取る記心の奇蹟、教誡の奇蹟)については、五島清隆「文殊菩薩と「3種の奇蹟(prātihārya)」」(『佛教大学仏教学会紀要』第二〇号、二〇一五年)を参照されたい。同論文は、大乗経典では重要な役割を演じる「神通の奇蹟」が、初期仏典では否定的に捉えられていることを注意している。

(8)「神変」『佛教大学総合研究所紀要』第二号、一九九五年、「華厳経における仏・菩薩の奇跡」『宗報　華厳』第六一号、一九九五年、「仏教の終末論、神変、そして『法華経』」『東洋学術研究』第三六巻第一号、一九九七年。いずれも吹田隆道編『梶山雄一著作集第三巻　神変と仏陀観・宇宙論』(春秋社、二〇一二年)所収。

(9)「山川草木もことごとく成仏する」という考えは、インドに遡らない。唯心思想と依正不二説にもとづいて、三論宗の吉蔵(きちぞう)(五四九―六二三)などが、悟った者(仏)の目から見れば自然界も悟りの境地となると主張し、唐代の天台宗の草木成仏説に受け継がれた。草木に発心を認め、「草木国土」までも成仏すると説くのは日本の本覚論であり、これを「山川草木」と言い換えたのは、梅原猛(一九二五―二〇一九)とされる。石井公成氏の私信による。

(10)『犀の角たち』(大蔵出版、二〇〇六年)四頁、再版：『科学するブッダ』(角川ソフィア文庫、二〇一三年)。

(11)『生物学者と仏教学者 七つの対論』(斎藤成也との共編著、ウェッジ選書、二〇〇九年)、『真理の探究 仏教と宇宙物理学の対話』(大栗博司との共著、幻冬舎新書、二〇一六年)。

(12) ダライ・ラマ十四世公式ウェブサイト「科学の岐路で」参照。

(13) *The Gaṇḍavyūha Sūtra*, Kyoto: Sanskrit Buddhist Texts Publishing Society, 1934-1936.

(14)『鈴木大拙全集第五巻 増補新版』(岩波書店、二〇〇〇年)。『華厳経』を扱う冒頭の四章が、鈴木大拙著・杉平顗智訳『華厳の研究』(法蔵館、一九五五年、再版:角川ソフィア文庫、二〇二〇年)として出版されている。

(15) 本書上巻二七頁「一つに包摂する、普入」参照。「相即相入」に相当する原語としては、『ガンダヴューハ』に二度登場する anyonya-samavasaraṇa が想定される。

(16)『華厳の研究』(角川ソフィア文庫)一〇四―一〇五頁参照。

(17) 同書、一九一―二〇〇頁参照。

(18) 竹村牧男『西田幾多郎と仏教――禅と真宗の根底を究める』(大東出版社、二〇〇二年)九〇―九一頁所引「日本文化の問題」。なお、西田の強い影響を受けた数学者末綱恕一は、西田哲学や華厳思想にもとづいて数学論を展開し、『華厳経の世界』(春秋社、一九五七年)を刊行している。

(19) *Prajñāpāramitā and Related Systems: Studies in honor of Edward Conze*, ed. by Lewis

Lancaster, Berkeley Buddhist Studies Series 1977, pp. 221-261. ゴメスは、'wonder' の原語としてprātihāryaを想定しているので、現代語の「奇蹟」ではなく、仏教語の「神変」と訳しておく。菩薩が神変を現出する「威力／威神力」の解説として、ゴメスは『菩薩地　威力品』を挙げる。詳しくは、矢板秀臣「菩薩の偉力――『菩薩地』威力品の研究――」『成田山仏教研究所紀要』(第三三号、七七―一二三頁、二〇一〇年)参照。

(20)　この二種の法界を法身と色身に等置するゴメスの理解には必ずしも賛同するものではない。

(21)　*Barabuḍur, History and Significance of a Buddhist Monument*, ed. by Luis Gómez and Hiram W. Woodward, Jr., Berkeley Buddhist Studies Series 2, 1981, pp. 173-194.

(22)　*Journal of the International Association of Buddhist Studies*, vol. 33 (2010/2011). David V. Fiordalis, Miracles in Indian Buddhist Narratives and Doctrine; Bradley S. Clough, The Higher Knowledges in the Pāli Nikāyas and Vinaya; Kristin Scheible, Priming the Lamp of Dhamma—The Buddha's Miracles in the Pāli Mahāvaṃsa; Patrick Pranke, On Saints and Wizards—Ideals of Human Perfection and Power in Contemporary Burmese Buddhism; Rachelle M. Scott, Buddhism, Miraculous Powers, and Gender—Rethinking the stories of Theravāda Nuns.

(23)　On Buddhist Wonders and Wonder-working, p. 540. キリスト教における「物語神学」(Narrative Theology)に強い関心を寄せていたゴメスは、二〇一一年に開催された国際シンポジウムにおいて「文字通りに文献を読解することに関して」(On Reading Literature Literally)という発表を行い、『ガンダヴューハ』の「普賢行願讃」を取り上げ、現代人にとっては「奇跡的」と思われる経典の記述も、当時の読者(聴衆)には「現実」(リアル)であったことを注意している。龍谷大学アジア仏教文化研究センター『浄土教に関する特別国際シンポジウム』(二〇一一年)所収。

(24) Maitreya's Jewelled World: Some Remarks on Gems and Visions in Buddhist Texts, *Journal of Indian Philosophy*, vol. 26, pp. 347–371, 1998.

(25) グラノフも、ゴメスと同じように、『ガンダヴューハ』にしばしば登場する、この世のものとは思われない不思議な「影像」(pratibhāsa)を単なる幻影とみなしていない。p. 366, fn. 14; p. 367, fn. 23.

(26) アストゥは、『ガンダヴューハ』などの大乗経典に見られる、宝石に溢れる無数の仏国土に無数の仏が現れるのを見るという記述が、断食、感覚や睡眠の遮断、強度の注意集中、視覚化瞑想、催眠などによって心が変容し、変性意識状態(altered states of consciousness)に入った仏教徒たちが経験した内視現象(entopic phenomena)にもとづくものであるという新説も提示している。Altered States and the Origins of the Mahāyāna, in *Setting out on the Great Way: Essays on Early Mahāyāna Buddhism*, ed. by P. Harrison, Bristol, 2018, pp. 177–205.

(27) ボロブドゥルについては、多くの著作が出版されているが、古典的な名著である、井尻進『ボロブドゥル』大乗社、一九二四年（再版：中公文庫、一九八九年）と近年の労作Jan Fontein, *Entering the Dharmadhātu* (Leiden, 2012)を挙げておく。

(28)　日本からは、種智院大学、高野山大学、成田山新勝寺が調査を行っている。イタリアの仏教学者、ジュゼッペ・トゥッチ（一八九四―一九八四）は、タボ寺大日堂の壁画を『ディヴィヤーヴァダーナ』などに登場するスダナ王子の物語に同定していたが、高野山大学の氏家覚勝（一九三八―一九八五）は『ガンダヴューハ』の善財童子（スダナ）の遍歴物語を描いたものと同定すると同時に、そのことを既にインドの仏教学者ローケーシュ・チャンドラが示唆していることに言及している。「タボ寺の尊像美術」『密教図像』第二号、一九八三年、一―一四頁。

(29)　Deborah Klimburg-Salter, ed., *Tabo—a Lamp for the Kingdom. Early Indo-Tibetan Buddhist Art in the Western Himalaya*, Milan, New York 1997; C. A. Scherrer-Schaub & E. Steinkellner, ed., *Tabo Studies II. Manuscripts, Texts, Inscriptions, and the Arts*, Rome 1999; C. A. Scherrer-Schaub & P. M. Harrison, ed., *Tabo Studies III: A Catalogue of the Manuscript Collection of Tabo Monastery*, Rome 2009.

(30)　*Sudhana's Miraculous Journey in the Temple of the Ta Pho: The Inscriptional Text of the Tibetan Gaṇḍavyūhasūtra Edited with Introductory Remarks*, Roma 1995.

(31)　Notes on the Function of two 11th-century Inscriptional Sūtra Texts in Tabo: Gaṇḍavyūhasūtra and Kṣitigarbhasūtra, in *Tabo Studies II*, 1999, pp. 243–274.

（32）「京都学派の哲学と日本仏教──高山岩男の場合」『季刊仏教』第四九号（二〇〇〇年）一一一─一一九頁、「大東亜共栄圏の合理化と華厳哲学（一）──紀平正美の役割を中心として」『仏教学』第四二号（二〇〇〇年）一─二八頁、「大東亜共栄圏に至る華厳哲学──亀谷聖馨の『華厳経』宣揚」『思想』第九四三号（二〇〇二年）一二八─一四六頁。

（33）「辛亥革命前夜の仏教と無政府主義──章太炎と劉師培の場合──」『仏教学』第五六号、二〇一五年、一─二三頁。

（34）廣澤隆之「仏教における〝社会・非社会性〟について──『華厳経』入法界品を中心に──」『現代密教』第一三号（二〇〇〇年）二一三─二三六頁。

（35）初版：中公新書（一九九三年）、再版：ちくま学芸文庫（二〇二〇年）。

梵文和訳 華厳経 入法界品（下）〔全3冊〕

2021年10月15日　第1刷発行

訳注者　梶山雄一　丹治昭義　津田真一
　　　　田村智淳　桂 紹隆

発行者　坂本政謙

発行所　株式会社 岩波書店
〒101-8002 東京都千代田区一ツ橋 2-5-5
案内 03-5210-4000　営業部 03-5210-4111
文庫編集部 03-5210-4051
https://www.iwanami.co.jp/

印刷・三秀舎　カバー・精興社　製本・中永製本

ISBN 978-4-00-333453-9　　Printed in Japan

読書子に寄す

――岩波文庫発刊に際して――

岩波茂雄

真理は万人によって求められることを自ら欲し、芸術は万人によって愛されることを自ら望む。かつては民を愚昧ならしめるために学芸が最も狭き堂宇に閉鎖されたことがあった。今や知識と美とを特権階級の独占より奪い返すことはつねに進取的なる民衆の切実なる要求である。岩波文庫はこの要求に応じそれに励まされて生まれた。それは生命ある不朽の書を少数者の書斎と研究室とより解放して街頭にくまなく立たしめ民衆に伍せしめるであろう。近時大量生産予約出版の流行を見る。その広告宣伝の狂態はしばらくおくも、後代にのこすと誇称する全集がその編集に万全の用意をなしたるか。千古の典籍の翻訳企図に敬虔の態度を欠かざりしか。さらに分売を許さず読者を繋縛して数十冊を強うるがごとき、はたしてその揚言する学芸解放のゆえんなりや。吾人は天下の名士の声に和してこれを推挙するに躊躇するものである。このときにあたって、岩波書店は自己の責務のいよいよ重大なるを思い、従来の方針の徹底を期するため、すでに十数年以前より志して来た計画を慎重審議この際断然実行することにした。吾人は範をかのレクラム文庫にとり、古今東西にわたって文芸・哲学・社会科学・自然科学等種類のいかんを問わず、いやしくも万人の必読すべき真に古典的価値ある書をきわめて簡易なる形式において逐次刊行し、あらゆる人間に須要なる生活向上の資料、生活批判の原理を提供せんと欲する。この文庫は予約出版の方法を排したるがゆえに、読者は自己の欲する時に自己の欲する書物を各個に自由に選択することができる。携帯に便にして価格の低きを最主とするがゆえに、外観を顧みざるも内容に至っては厳選最も力を尽くし、従来の岩波出版物の特色をますます発揮せしめようとする。この計画たるや世間の一時の投機的なるものと異なり、永遠の事業として吾人は微力を傾倒し、あらゆる犠牲を忍んで今後永久に継続発展せしめ、もって文庫の使命を遺憾なく果たさしめることを期する。芸術を愛し知識を求むる士の自ら進んでこの挙に参加し、希望と忠言とを寄せられることは吾人の熱望するところである。その性質上経済的には最も困難多きこの事業にあえて当たらんとする吾人の志を諒として、その達成のため世の読書子とのうるわしき共同を期待する。

昭和二年七月

《東洋思想》〔青〕

- 易経 全二冊　高田真治・後藤基巳 訳
- 論語　金谷治 訳注
- 孔子家語　藤原正 校訳
- 孟子 全二冊　小林勝人 訳注
- 老子　蜂屋邦夫 訳注
- 荘子 全四冊　金谷治 訳注
- 新訂 孫子　金谷治 訳注
- 荀子 全二冊　金谷治 訳注
- 韓非子 全四冊　金谷治 訳注
- 史記列伝 全五冊　司馬遷／小川環樹・今鷹真・福島吉彦 訳
- 春秋左氏伝 全三冊　小倉芳彦 訳
- 塩鉄論　曾我部静雄 訳註
- 千字文　小川環樹・木田章義 注解
- 大学・中庸　金谷治 訳注
- 孫文革命文集　深町英夫 編訳
- 実践論・矛盾論　毛沢東／松村一人・竹内実 訳
- 仁学 ―清末の社会変革論　譚嗣同／西順蔵・坂元ひろ子 訳注
- 章炳麟集 ―清末の民族革命思想　西順蔵・近藤邦康 編訳
- 梁啓超文集　岡本隆司・石川禎浩・高嶋航 編訳
- マヌの法典　田辺繁子 訳
- ガンディー獄中からの手紙　森本達雄 訳
- 随園食単　袁枚／青木正児 訳註
- ウパデーシャ・サーハスリー ―真実の自己の探求　シャンカラ／前田専学 訳

《仏教》〔青〕

- ブッダのことば ―スッタニパータ　中村元 訳
- ブッダの真理のことば 感興のことば　中村元 訳
- 般若心経・金剛般若経　中村元・紀野一義 訳註
- 法華経 全三冊　坂本幸男・岩本裕 訳注
- 日蓮文集　兜木正亨 校注
- 浄土三部経 全二冊　中村元・早島鏡正・紀野一義 訳註
- 大乗起信論　宇井伯寿・高崎直道 訳注
- 天台小止観 ―坐禅の作法　天台大師／関口真大 訳注
- 臨済録　入矢義高 訳注
- 碧巌録 全三冊　入矢義高・溝口雄三・末木文美士・伊藤文生 訳注
- 無門関　西村恵信 訳注
- 法華義疏 全二冊　聖徳太子／花山信勝 校訳
- 往生要集 全二冊　源信／石田瑞麿 訳注
- 教行信証　親鸞／金子大栄 校訂
- 歎異抄　金子大栄 校注
- 正法眼蔵 全四冊　道元／水野弥穂子 校注
- 正法眼蔵随聞記　懐奘 編／和辻哲郎 校訂
- 道元禅師清規　大久保道舟 訳注
- 一遍上人語録 ―付 播州法語集　大橋俊雄 校注
- 一遍聖絵　聖戒 編／大橋俊雄 校注
- 南無阿弥陀仏 ―付 心偈　柳宗悦
- 蓮如文集　蓮如／笠原一男 校注
- 蓮如上人御一代聞書　稲葉昌丸 校訂
- 日本的霊性　鈴木大拙／篠田英雄 校訂
- 新編 東洋的な見方　鈴木大拙／上田閑照 編
- 禅堂生活　鈴木大拙／横川顕正 訳

大乗仏教概論　鈴木大拙／佐々木閑訳
浄土系思想論　鈴木大拙
神秘主義 キリスト教と仏教　鈴木大拙／坂東性純／清水守拙訳
禅の思想　鈴木大拙
ブッダ最後の旅 —大パリニッバーナ経　中村元訳
仏弟子の告白 —テーラガーター　中村元訳
尼僧の告白 —テーリーガーター　中村元訳
ブッダ神々との対話 —サンユッタ・ニカーヤI　中村元訳
ブッダ悪魔との対話 —サンユッタ・ニカーヤII　中村元訳
驢鞍橋　鈴木正三／鈴木大拙校訂
禅林句集　足立大進校注
ブッダが説いたこと　ワールポラ・ラーフラ／今枝由郎訳
ブータンの瘋狂聖 ドゥクパ・クンレー伝　ゲンドゥン・リンチェン編／今枝由郎訳

《音楽・美術》〔青〕

ベートーヴェン音楽ノート　小松雄一郎訳編
ベートーヴェンの生涯　ロマン・ロラン／片山敏彦訳
音楽と音楽家　シューマン／吉田秀和訳
モーツァルトの手紙 —その生涯のロマン 全二冊　柴田治三郎編訳
レオナルド・ダ・ヴィンチの手記 全二冊　杉浦明平訳
ゴッホの手紙 全三冊　硲伊之助訳
ロダンの言葉抄　高村光太郎訳／高田博厚／菊池一雄編
ビゴー日本素描集　清水勲編
ワーグマン日本素描集　清水勲編
葛飾北斎伝　飯島虚心／鈴木重三校注
ヨーロッパのキリスト教美術 —十二世紀から十八世紀まで 全二冊　エミール・マール／柳宗玄／荒木成子訳
近代日本漫画百選　清水勲編
ドーミエ諷刺画の世界　喜安朗編
デューラー自伝と書簡　前川誠郎訳
蛇儀礼　ヴァールブルク／三島憲一訳
迷宮としての世界 —マニエリスム美術 全二冊　グスタフ・ルネ・ホッケ／種村季弘／矢川澄子訳
日本洋画の曙光　平福百穂
江戸東京実見画録　長谷川渓石画／進士慶幹／花咲一男注解
映画とは何か 全二冊　アンドレ・バザン／野崎歓／大原宣久／谷本道昭訳
漫画 坊っちゃん　近藤浩一路
漫画 吾輩は猫である　近藤浩一路
ロバート・キャパ写真集　ICPロバート・キャパ・アーカイブ編
北斎富嶽三十六景　日野原健司編
日本漫画史 —鳥獣戯画から岡本一平まで　細木原青起
世紀末ウィーン文化評論集　ヘルマン・バール／西村雅樹編訳

《哲学・教育・宗教》〔青〕

ソクラテスの弁明・クリトン　プラトン　久保勉訳
ゴルギアス　プラトン　加来彰俊訳
饗宴　プラトン　久保勉訳
テアイテトス　プラトン　田中美知太郎訳
パイドロス　プラトン　藤沢令夫訳
メノン　プラトン　藤沢令夫訳
国家　全二冊　プラトン　藤沢令夫訳
プロタゴラス―ソフィストたち　プラトン　藤沢令夫訳
パイドン―魂の不死について　プラトン　岩田靖夫訳
アナバシス―敵中横断六〇〇〇キロ　クセノポン　松平千秋訳
アリストテレス ニコマコス倫理学　全二冊　高田三郎訳
アリストテレス 形而上学　全二冊　出隆訳
アリストテレス 弁論術　戸塚七郎訳
アリストテレース詩学・ホラーティウス詩論　松本仁助・岡道男訳
物の本質について　ルクレーティウス　樋口勝彦訳
エピクロス―教説と手紙　出隆・岩崎允胤訳

生の短さについて　他二篇　セネカ　大西英文訳
怒りについて　他二篇　セネカ　兼利琢也訳
エピクテトス 人生談義　全二冊　國方栄二訳
マルクス・アウレーリウス 自省録　神谷美恵子訳
老年について　キケロー　中務哲郎訳
友情について　キケロー　中務哲郎訳
弁論家について　全二冊　キケロー　大西英文訳
キケロー書簡集　高橋宏幸編
方法序説　デカルト　谷川多佳子訳
哲学原理　デカルト　桂寿一訳
精神指導の規則　デカルト　野田又夫訳
情念論　デカルト　谷川多佳子訳
パンセ　全三冊　パスカル　塩川徹也訳
知性改善論　スピノザ　畠中尚志訳
スピノザ エチカ（倫理学）　全二冊　畠中尚志訳
モナドロジー　他二篇　ライプニッツ　谷川多佳子・岡部英男訳
学問の進歩　ベーコン　服部英次郎・多田英次訳

ハイラスとフィロナスの三つの対話　バークリ　戸田剛文訳
市民の国について　全二冊　ヒューム　小松茂夫訳
自然宗教をめぐる対話　ヒューム　犬塚元訳
人間機械論　ド・ラ・メトリ　杉捷夫訳
聖トマス 形而上学叙説―有と本質とに就いて　高桑純夫訳
エミール　全三冊　ルソー　今野一雄訳
ルソー 告白　全三冊　桑原武夫訳
孤独な散歩者の夢想　ルソー　今野一雄訳
人間不平等起原論　ルソー　本田喜代治・平岡昇訳
ルソー 社会契約論　桑原武夫・前川貞次郎訳
政治経済論　ルソー　河野健二訳
学問芸術論　ルソー　前川貞次郎訳
演劇について―ダランベールへの手紙　ルソー　今野一雄訳
言語起源論―旋律と音楽的模倣について　ルソー　増田真訳
ディドロ、ダランベール編 百科全書―序論および代表項目　桑原武夫訳編
ディドロ 絵画について　佐々木健一訳
道徳形而上学原論　カント　篠田英雄訳

啓蒙とは何か 他四篇　カント／篠田英雄訳
純粋理性批判 全三冊　カント／篠田英雄訳
カント 実践理性批判　波多野精一・宮本和吉・篠田英雄訳
判断力批判 全二冊　カント／篠田英雄訳
永遠平和のために　カント／宇都宮芳明訳
プロレゴメナ　カント／篠田英雄訳
学者の使命・学者の本質　フィヒテ／宮崎洋三訳
シュライエルマッハー 独白　木場深定訳
哲学史序論 ―哲学と哲学史　ヘーゲル／武市健人訳
ヘーゲル 政治論文集 全二冊　金子武蔵訳
歴史哲学講義 全二冊　ヘーゲル／長谷川宏訳
法の哲学 ―自然法と国家学の要綱　ヘーゲル／上妻精・佐藤康邦・山田忠彰訳
人間的自由の本質　シェリング／西谷啓治訳
自殺について 他四篇　ショウペンハウエル／斎藤信治訳
読書について 他二篇　ショウペンハウエル／斎藤忍随訳
知性について 他四篇　ショーペンハウエル／細谷貞雄訳
将来の哲学の根本命題 他二篇　フォイエルバッハ／松村一人・和田楽訳

反復　キルケゴール／桝田啓三郎訳
不安の概念　キェルケゴール／斎藤信治訳
死に至る病　キェルケゴール／斎藤信治訳
体験と創作 全二冊　ディルタイ／柴田治三郎・小牧健夫訳
眠られぬ夜のために 全二冊　ヒルティ／草間平作・大和邦太郎訳
幸福論 全三冊　ヒルティ／草間平作・大和邦太郎訳
悲劇の誕生　ニーチェ／秋山英夫訳
ツァラトゥストラはこう言った 全二冊　ニーチェ／氷上英廣訳
道徳の系譜　ニーチェ／木場深定訳
善悪の彼岸　ニーチェ／木場深定訳
この人を見よ　ニーチェ／手塚富雄訳
プラグマティズム　W・ジェイムズ／桝田啓三郎訳
宗教的経験の諸相 全二冊　W・ジェイムズ／桝田啓三郎訳
純粋現象学及現象学的哲学考案 全二冊　フッセル／池上鎌三訳
デカルト的省察　フッサール／浜渦辰二訳
愛の断想・日々の断想　ジンメル／清水幾太郎訳
笑い　ベルクソン／林達夫訳

物質と記憶　ベルクソン／熊野純彦訳
時間と自由　ベルクソン／中村文郎訳
ラッセル教育論　安藤貞雄訳
ラッセル幸福論　安藤貞雄訳
存在と時間 全四冊　ハイデガー／熊野純彦訳
学校と社会　デューイ／宮原誠一訳
民主主義と教育 全二冊　デューイ／松野安男訳
歴史と自然科学・道徳の原理に就て・聖 『プレルーディエン』より　ヴィンデルバント／篠田英雄訳
我と汝・対話　マルティン・ブーバー／植田重雄訳
アラン 幸福論　神谷幹夫訳
アラン 定義集　神谷幹夫訳
英語発達小史　H・ブラッドリ／寺澤芳雄訳
日本の弓術　オイゲン・ヘリゲル述／柴田治三郎訳
饒舌について 他五篇　プルタルコス／柳沼重剛訳
ことばのロマンス ―英語の語源　ウィークリー／寺澤芳雄・出淵博訳
天才・悪　ブレンターノ／篠田英雄訳
人間の頭脳活動の本質 他一篇　ディーツゲン／小松摂郎訳

岩波文庫の最新刊

柳井滋・室伏信助・大朝雄二・鈴木日出男・藤井貞和・今西祐一郎校注

源氏物語（九）

蜻蛉―夢浮橋／索引

浮舟入水かとの報せに悲しむ薫と匂宮。だが浮舟は横川僧都の一行に救われていた――。全五十四帖完結、年立や作中和歌一覧、人物索引も収録。（全九冊）　〔黄一五―一八〕　**定価一五一八円**

カッシーラー著／熊野純彦訳

国家と神話（下）

国家と神話との結びつきを論じたカッシーラーの遺著。後半では、ヘーゲルの国家理論や技術に基づく国家の神話化を批判しつつ、理性への信頼を訴える。（全二冊）　〔青六七三―七〕　**定価一二四三円**

大塚久雄著／齋藤英里編

資本主義と市民社会 他十四篇

西欧における資本主義の発生過程とその精神的基盤の解明をめざした経済史家・大塚久雄。戦後日本の社会科学に大きな影響を与えた論考をテーマ別に精選。　〔白一五二―一〕　**定価一一七七円**

恩田侑布子編

久保田万太郎俳句集

万太郎の俳句は、詠嘆の美しさ、表現の自在さ、繊細さにおいて、近代俳句の白眉。全句から珠玉の九百二句を精選。「季語索引」を付す。　〔緑六五―四〕　**定価八一四円**

……今月の重版再開……

今野一雄訳

ラ・フォンテーヌ **寓話（上）**　〔赤五一四―一〕　**定価一〇一二円**

今野一雄訳

ラ・フォンテーヌ **寓話（下）**　〔赤五一四―二〕　**定価一一二二円**

定価は消費税10%込です　　2021.9